afgeschreven

Ga nooit terug

Van Lee Child zijn verschenen:

❧ Ook als e-book verschenen

Lee Child

Ga nooit terug

Uitgeverij Luitingh-Sijthoff

Uitgeverij Luitingh-Sijthoff en drukkerij Bariet vinden het belangrijk om op milieuvriendelijke en verantwoorde wijze met natuurlijke bronnen om te gaan.

© 2013 Lee Child
All Rights Reserved
© 2013 Nederlandse vertaling
Uitgeverij Luitingh-Sijthoff B.V., Amsterdam
Alle rechten voorbehouden
Oorspronkelijke titel: *Never Go Back*
Vertaling: Jan Pott
Omslagontwerp: Edd Simons
Omslagbeeld: © Stephen Mulcahey / TW

ISBN 978 90 245 6190 2
NUR 332

www.lsamsterdam.nl
www.watleesjij.nu
www.boekenwereld.com

Voor mijn lezers, met oprechte dank.

I

Uiteindelijk zetten ze Reacher in een auto en reden ze hem naar een motel anderhalve kilometer verderop, waar de nachtportier hem een kamer gaf die precies was wat Reacher ervan had verwacht, want hij had zulke kamers al duizend keer gezien. In de muur was een ratelend verwarmingstoestel ingebouwd, te lawaaiig om bij te slapen, een ding waar de eigenaar mee bespaarde op kosten voor elektriciteit. Er zaten ook zwakke lampen in de fittingen. Er was laagpolige vloerbedekking die in een paar uur weer droog zou zijn na het schoonmaken, zodat de kamer dezelfde dag nog weer kon worden verhuurd. Niet dat de vloerbedekking vaak zou worden schoongemaakt. Die was donker van kleur en er zat een patroon ingeweven, ideaal om vlekken te verbergen. Dat gold ook voor de sprei op het bed. Ongetwijfeld kwam er een slappe, afgeknepen straal water uit de douche, waren de handdoeken dun, het stukje zeep klein en de shampoo goedkoop. Het meubilair was van hout, donker en gehavend, de tv was klein en oud en de gordijnen waren grijs van het vuil.

Wat je kon verwachten. Niets wat hij niet al duizend keer had gezien.

Maar toch troosteloos.

Dus zelfs nog voordat hij de sleutel in zijn zak stopte, draaide hij zich om en liep hij het terrein weer af. De lucht was koud en een beetje vochtig. Halverwege de avond, halverwege de winter, in de noordoosthoek van Virginia. De trage Potomac was niet ver weg. Daarachter weerkaatsten in het oosten de wolken de gloed van Washington D.C. De hoofdstad van het land, waar van alles gebeurde.

De auto waaruit hij was gestapt, reed alweer weg. Reacher keek de in de mist oplossende achterlichten na. Binnen enkele ogenblikken waren ze volledig verdwenen en daalden stilte en rust neer over de wereld. Heel even maar. Toen kwam een tweede auto aanrijden, kordaat en vol zelfvertrouwen, alsof hij wist waar hij naartoe moest. Hij draaide het terrein op. Het was een onopgesmukte personenwagen, donker van kleur. Vrijwel zeker een auto van een overheidsinstantie. Hij reed doelgericht naar het kantoortje van het motel, maar toen de zwaaiende bundels van de koplampen over Reachers onbeweeglijke gestalte veegden, veranderde hij van richting en kwam hij recht op Reacher af.

Bezoek. Doel onbekend, maar het zou goed nieuws of slecht nieuws zijn.

De auto stopte evenwijdig aan het gebouw, even ver van Reacher verwijderd als Reacher van zijn kamer, zodat hij in zijn eentje op een oppervlak zo groot als een boksring stond. Twee mannen stapten uit de auto. Ook al was het fris, beiden droegen een t-shirt, strak en wit, boven het soort trainingsbroek dat hardlopers pas vlak voor de wedstrijd afpellen. Beiden oogden langer dan een meter tachtig en zwaarder dan negentig kilo. Kleiner dan Reacher, maar niet zo heel veel. Beiden waren militair. Dat was duidelijk. Reacher zag het aan hun kapsel. Geen enkele kapper in de burgerwereld zou zo pragmatisch en hardvochtig te werk gaan. Geen markt voor.

De man die als passagier in de auto had gezeten, liep om de auto en ging naast de bestuurder staan. Daar stonden ze met zijn tweeën, naast elkaar. Beiden droegen sneakers, groot en wit en vormeloos. Geen van beiden was onlangs in het Midden-Oosten geweest: geen bruinverbrande huid, geen rimpeltjes van het turen door dichtgeknepen ogen, geen spanning in de ogen. Beiden waren jong, onder de dertig. Technisch gezien was Reacher oud genoeg om hun vader te zijn. Ze waren onderofficier, dacht hij. Specialist waarschijnlijk, geen sergeant. Ze zagen er niet uit als sergeant. Niet wijs genoeg. Integendeel. Ze hadden een afgestompt, leeg gezicht.

De passagier zei: 'Ben jij Jack Reacher?'

Reacher zei: 'En wie vraagt dat?'

'Wij.'

'Wie is wij?'

'Wij zijn jouw juridische adviseurs.'

Dat waren ze natuurlijk niet. Dat wist Reacher. Juristen in het leger reizen niet in koppels en ze ademen niet door hun mond. Ze waren iets anders. Slecht nieuws, geen goed nieuws. In dergelijke gevallen was direct in actie komen altijd het beste. Het was makkelijk genoeg om plotseling begrip te simuleren en enthousiast met uitgestoken hand op hen af te lopen, makkelijk genoeg om die enthousiaste benadering te laten overgaan in een niet te stoppen momentum en de uitgestoken hand een maaiende vuist te laten worden, een elleboog in het gezicht van de man links, hard en omlaag gericht, gevolgd door een stampende rechtervoet, alsof de hele actie geen ander doel had gehad dan het vermorzelen van een kakkerlak, om vervolgens vanuit die stampende voet omhoog te veren en vanuit diezelfde elleboog een backhand tegen de keel van de man rechts te slaan, één, twee, drie, smak, stamp, smak, game over.

Makkelijk genoeg. En altijd de veiligste benadering. Reachers mantra was: sla meteen terug. Vooral bij twee tegen één met jonge jongens die barstten van de energie.

Maar. Hij wist het niet zeker. Niet helemaal. Nog niet. En hij kon zich een dergelijke vergissing niet veroorloven. Niet op dat moment. Niet onder de omstandigheden. Zijn handen waren gebonden. Hij liet het moment voorbijgaan.

Hij zei: 'En wat is jullie juridisch advies?'

'Onbehoorlijk gedrag,' zei de man. 'Je hebt de eenheid in diskrediet gebracht. Een zaak voor de krijgsraad zou iedereen beschadigen. Zorg dus als de bliksem dat je verdwijnt, nu. En kom nooit meer terug.'

'Niemand heeft iets gezegd over de krijgsraad.'

'Nog niet. Maar dat komt. Blijf er niet op wachten.'

'Ik heb orders.'

'Ze konden je in het verleden niet vinden en ze zullen je nu ook niet vinden. Het leger heeft geen specialisten om mensen te zoeken die spoorloos zijn. Die zouden jou bovendien nooit vinden. Niet met jouw manier van leven.'

Reacher zei niets.

De man zei: 'Dus dat is ons juridisch advies.'

Reacher zei: 'Staat genoteerd.'

'Je moet meer doen dan het noteren.'

'O ja?'

'Omdat we je wel even willen aansporen.'

'Hoe?'

'Iedere avond dat we je hier aantreffen, geven we je een pak op je donder.'

'O ja?'

'Om te beginnen vanavond. Om je duidelijk te maken wat je moet doen.'

Reacher zei: 'Heb je wel eens elektrisch gereedschap gekocht?'

'Wat heeft dat ermee te maken?'

'Ik heb eens gereedschap gezien in een winkel. Er zat een geel label op. Daar stond op dat knoeien met het apparaat de dood of ernstig letsel tot gevolg kon hebben.'

'En?'

'Doe maar net of ik ook zo'n label heb.'

'We maken ons geen zorgen over jou, ouwe.'

Ouwe. Reacher zag zijn vader voor zich. Ergens waar het zonnig was. Okinawa misschien. Stan Reacher, geboren in Laconia, New Hampshire, kapitein bij de mariniers, gelegerd in Japan, met een vrouw en twee zonen. Reacher en zijn broer hadden hem *de ouwe* genoemd, en dat was hij in hun ogen ook geweest, al moest hij in die tijd tien jaar jonger zijn geweest dan Reacher nu op deze avond was.

'Keer om,' zei Reacher. 'Ga terug naar waar jullie vandaan komen. Jullie hebben geen idee waar je mee bezig bent.'

'Dat zien wij anders.'

'Ik heb dit voor de kost gedaan,' zei Reacher. 'Maar dat weten jullie, toch?'

Geen reactie.

'Ik ken elke stap van het spel,' zei Reacher. 'Een deel heb ik zelf bedacht.'

Geen reactie.

Reacher had de sleutel nog steeds in zijn hand. Vuistregel: val nooit iemand aan die net een deur achter zich op slot heeft gedaan. Een hele bos werkt beter, maar zelfs een enkele sleutel fungeert prima als wapen. Leg de greep tegen de handpalm, laat de baard tussen de wijsvinger en de middelvinger uit steken, en het resultaat is een redelijke boksbeugel.

Maar. Het waren gewoon onnozele jongens. Er was geen noodzaak om ze in de kreukels te slaan. Geen noodzaak voor opengereten wonden en gebroken botten.

Reacher stak de sleutel in zijn zak.

Dat ze sneakers droegen, betekende dat ze niet van plan waren om hem te schoppen. Niemand deelt schoppen uit met zachte, witte, elastische sportschoenen. Heeft geen zin. Tenzij ze van plan waren hem puur voor de vorm met hun voeten te bewerken. Zoals bij sommige van die *martial arts*-flauwekul met een naam die klinkt als Chinees eten. Taekwondo en zo. Allemaal leuk en aardig op de Olympische Spelen, maar op straat waardeloos. Optillen van een poot, als een hond bij een brandkraan, is vragen om moeilijkheden. Is vragen om omvergekukeld te worden en bewusteloos te worden geschopt.

Wisten die jongens dat eigenlijk wel? Hadden ze wel naar zijn voeten gekeken? Reacher droeg een paar zware schoenen. Gemakkelijk en duurzaam. Hij had ze in South Dakota gekocht en hij was van plan ze de hele winter te blijven dragen.

Hij zei: 'Ik ga naar binnen.'

Geen reactie.

Hij zei: 'Goedenacht.'

Geen reactie.

Reacher draaide zich half om, deed een halve stap terug in de richting van de deur, een vloeiende kwartcirkel, tot en met zijn schouders. En precies zoals hij wist dat zou gebeuren, kwamen de beide mannen op hem af, sneller bewegend dan hijzelf, voorbijgaand aan het script en onwillekeurig, klaar om hem te grijpen.

Reacher liet ze zo lang komen tot hun beweging genoeg momentum had en draaide zich toen razendsnel weer terug, dezelfde kwartcirkel door, vergaarde daarmee evenveel snelheid als de beide mannen, honderdtien kilo op weg naar een frontale botsing met honderdtachtig kilo, en hij bleef doordraaien en plaatste een lange linkse hoek tegen het hoofd van de man links. Hij raakte hem precies waar het de bedoeling was, hard op zijn oor. Het hoofd van de man sloeg opzij en stuiterde terug van de schouder van zijn maat. Op dat moment plaatste Reacher al een rechtse uppercut onder diens kin. Hij kwam aan zoals het wordt beschreven in verkorte handleidingen, en het hoofd van de man klapte achterover op dezelfde manier als het hoofd van zijn maat had rondgetold, vrijwel in dezelfde seconde. Alsof het marionetten waren, en de poppenspeler had moeten niezen.

Beiden bleven overeind. De man links waggelde alsof hij aan boord van een schip was en de man rechts struikelde achteruit. De man links was zijn evenwicht helemaal kwijt, wankelde op zijn hakken, zijn torso volledig onbeschermd. Reacher plaatste een korte stoot net onder zijn middenrif, zo hard dat hij hem wel alle lucht uit de longen joeg, maar niet zo hard dat hij er blijvend neurologisch letsel aan zou overhouden. De man sloeg dubbel, hurkte en sloeg zijn armen om zijn knieën. Reacher stapte om hem heen op de man rechts af, die hem zag aankomen en zelf een slappe rechtse probeerde te plaatsen. Reacher mepte de vuist opzij met zijn linkeronderarm en deelde nog een korte stoot uit net onder het middenrif.

De man sloeg dubbel, op dezelfde manier.

Daarna was het een fluitje van een cent om hen om te draaien tot ze de goede kant op stonden, en ze met de zool van zijn schoen een zet te geven in de richting van hun auto, eerst de een en toen de ander. Ze knalden met hun hoofd tegen de auto, vrij hard, en zakten op de grond. In de portieren zaten twee ondiepe deuken. Ze lagen naast elkaar naar adem te happen, nog steeds bij bewustzijn.

Morgen tekst en uitleg geven over een gedeukte auto, en hoofdpijn. Meer niet. Een genadig resultaat onder de omstandigheden. Welwillend. Attent. Een beetje soft, eigenlijk.

Ouwe.

Oud genoeg om hun vader te kunnen zijn.

Op dat moment was Reacher nog geen drie uur in Virginia.

2

Het was Reacher ten langen leste gelukt de lange weg vanuit de sneeuw in South Dakota hiernaartoe af te leggen. Het was niet snel gegaan. Hij was blijven steken in Nebraska, twee keer, en daarna was de tocht even langzaam verlopen. Hij had in Missouri lang staan wachten voordat er een zilverkleurige Ford was gestopt, bestuurd door een benige man die het hele eind van Kansas City tot

Columbia had zitten praten, en daarna geen woord meer had gezegd. In Illinois was het een snelle, zwarte Porsche geweest, waarvan Reacher vermoedde dat hij gestolen was, en daarna twee mannen met messen op een parkeerplaats met toiletten. Ze hadden geld willen hebben. Waarschijnlijk lagen ze nog steeds in het ziekenhuis. Indiana ontwikkelde zich tot een ramp, tot er een gedeukte blauwe Cadillac stopte, kalmpjes bestuurd door een waardige, oude heer met een vlinderstrik in dezelfde kleur als zijn auto. Ohio was vier dagen in een klein stadje en toen een rode Silverado met een dubbele cabine, een jong getrouwd stel met een hond, die de hele dag onderweg waren, op zoek naar werk. Wat Reacher voor beiden niet onmogelijk leek. De hond zou niet zo snel werk vinden. Die zou waarschijnlijk zijn hele leven als een uitgavenpost in de boeken blijven staan. Het was een grote bastaardhond, waar je niets aan had, met een lichtgekleurde vacht, een jaar of vier oud, goed van vertrouwen en vriendelijk. En van die vacht kon hij nog wel wat missen, ook al was het midden in de winter. Na verloop van tijd zat Reacher onder een fijne, goudkleurige donslaag.

Daarna volgde een onlogische omweg naar het noordoosten, Pennsylvania in, maar het was de enige lift die Reacher kon krijgen. Hij bracht een dag door in de buurt van Pittsburgh, daarna nog een dag in de buurt van York, en toen reed hij met een zwarte jongen van een jaar of twintig naar Baltimore, Maryland, in een witte Buick van een jaar of dertig oud. Alles met elkaar een reis waar weinig schot in zat.

Maar vanaf Baltimore ging het gemakkelijk. Baltimore lag aan weerszijden van de I-95, met Washington D.C. als eerstvolgende stop naar het zuiden, en het deel van Virginia waar Reacher op afkoerste, lag min of meer in de agglomeratie D.C., niet zoveel verder naar het westen vanaf Arlington Cemetery dan het Witte Huis naar het oosten lag. Reacher nam een bus van Baltimore, stapte in D.C. uit bij het busstation achter Union Station, liep de stad door, langs K Street naar Washington Circle, door 23rd Street naar Lincoln Memorial en dan de brug over naar de begraafplaats. Bij de ingang was een bushalte van een stadsbus, voornamelijk voor tuinlieden. Reacher was in grote lijnen op weg naar een plaats die Rock Creek heette, één van de vele plaatsen in de streek met die naam, want overal waren rotsen en overal waren beekjes en de pioniers hadden hun woonplaatsen destijds verspreid gekozen, maar ze hadden daarom niet minder een voorkeur voor hetzelfde soort namen gehad. Ongetwijfeld was het in die tijd van modder en kniebroeken en pruiken een lieflijk, klein, koloniaal dorpje geweest, maar in de loop van de tijd was het verworden tot niet meer dan het zoveelste kruispunt in een gebied van honderd vierkante kilometer met dure huizen en goedkope kantoorparken. Reacher keek door het raam van de bus naar buiten en zag van alles wat hij kende, en registreerde nieuwe toevoegingen, en wachtte.

In het bijzonder was zijn bestemming een robuust gebouw dat zestig jaar daarvoor was opgetrokken door het nabij gevestigde ministerie van Defensie, met een bedoeling die allang vergeten was. Zo'n veertig jaar daarna had de militaire politie er een bod op gedaan, bij vergissing, zo bleek. De een of andere officier had een ander Rock Creek voor ogen gehad. Maar ze kregen het gebouw desondanks. Het bleef een tijdje leeg staan en werd toen als hoofdkwartier toegewezen aan de nieuw gevormde 110th MP Special Unit.

Zijn hele leven had Reacher niets gehad wat dichter in de buurt van een thuis kwam.

Hij stapte uit de bus op een hoek, twee straten voor het gebouw, aan de voet van een lange heuvel die hij talloze keren op gelopen was. De weg vanaf de helling naar hem toe was drie rijstroken breed, het beton van de trottoirs was gebarsten, in ronde uitsparingen stonden volwassen bomen. Het hoofdkwartier lag verderop aan de linkerkant, op een ruim terrein achter een hoge stenen muur. Alleen het dak was zichtbaar, grijze leisteen waarop aan de noordkant mos groeide.

Vanaf de weg was er een oprit, die door de stenen muur voerde tussen twee bakstenen pilaren. In Reachers tijd was dat puur decoratief geweest, zonder poort. Maar nu waren er hekken geplaatst. Zware stalen constructies op stalen wielen die in een rond spoor liepen dat ruw was aangebracht in het zwarte asfalt. Beveiliging, in theorie, maar niet in de praktijk, want beide hekken stonden open. Binnen de poort, net voorbij de draaicirkel van de hekken, stond een wachthokje, ook nieuw. Er stond een soldaat eerste klas die het nieuwe gevechtstenue van het leger droeg, iets wat Reacher vond lijken op een pyjama, een en al patroontjes en flodderig. Het einde van de middag ging over in het begin van de avond, het licht werd minder.

Reacher stopte bij het wachthokje. De soldaat keek hem vragend aan en Reacher zei: 'Ik kom je commandant een bezoek brengen.'

De man zei: 'U bedoelt majoor Turner?'

Reacher zei: 'Hoeveel bevelvoerende officieren heb je?'

'Niet meer dan één, meneer.'

'Voornaam Susan?'

'Ja, meneer, dat is juist. Majoor Susan Turner, meneer.'

'Die zoek ik.'

'En wat is uw naam?'

'Reacher.'

'En het doel van uw bezoek?'

'Privé.'

'Eén moment, meneer.' De man pakte de hoorn van een telefoon en belde. *Een zekere meneer Reacher voor majoor Turner.* Het gesprek duurde veel langer dan Reacher had verwacht. Op een bepaald moment legde de soldaat zijn hand over de microfoon en vroeg: 'Bent u dezelfde Reacher die hier ooit commandant is geweest? Majoor Jack Reacher?'

'Ja,' zei Reacher.

'En u hebt met majoor Turner gesproken, ergens vanuit South Dakota?'

'Ja,' zei Reacher.

De man herhaalde de twee bevestigende antwoorden in de hoorn en luisterde. Toen verbrak hij de verbinding en zei: 'Meneer, gaat u verder.' Hij begon aanwijzingen te geven, stopte, en zei: 'Ik neem aan dat u de weg wel kent.'

'Dat denk ik ook,' zei Reacher. Hij liep verder. Na tien stappen hoorde hij een knarsend geluid achter zich. Hij stond stil en keek over zijn schouder.

Achter hem gingen de hekken dicht.

Het gebouw dat voor hem lag, was een typerend voorbeeld van de bouwstijl van het ministerie van Defensie uit de jaren vijftig van de vorige eeuw. Lang en laag, begane grond en een verdieping, baksteen, leistenen dak, groene ijzeren kozijnen, groene buizen als leuning langs het trapje naar de ingang. De jaren vijftig waren een gouden eeuw geweest voor het ministerie van Defensie. Immense budgetten. De landmacht, de marine, de luchtmacht – het militaire apparaat had gekregen wat het maar wenste. En meer dan dat. Er stonden auto's geparkeerd op de parkeerplaats. Een aantal legerauto's, onopvallend, een donkere kleur lak, en veel gebruikt. Een aantal privéauto's, lichter van kleur, maar ook vaak ouder. Er stond een eenzame Humvee, donkergroen met zwart, kolossaal en dreigend naast een kleine rode twoseater. Reacher vroeg zich af of de twoseater de wagen was van Susan Turner. Het zou kunnen. Over de telefoon had ze geklonken als iemand die zo'n soort auto kon hebben.

Hij liep het trapje op naar de ingang. Hetzelfde trapje, dezelfde deur, maar na zijn tijd nog eens geverfd. Meer dan eens, waarschijnlijk. Het leger had veel verf en was altijd van harte bereid die te gebruiken. Binnen zag het er allemaal min of meer zo uit als het er altijd had uitgezien. De hal, met rechts de stenen trap naar de verdieping en links de balie. Daarachter vernauwde de hal zich tot een gang over de hele lengte van het gebouw, met links en rechts kantoorruimten. In de deuren van de kantoorruimten zat voor de helft geribbeld glas. Het licht in de gang was aan. Het was winter en het gebouw was altijd donker geweest.

Achter de balie zat een vrouw, gekleed in dezelfde gevechtspyjama als de man bij de poort, maar met de strepen van een sergeant op het plaatje midden op haar borst. Als een richtpunt, dacht Reacher. Richten, vuur. Hij gaf zonder meer de voorkeur aan het oude gevechtstenue met het *woodland*-patroon. De vrouw was zwart en leek niet erg blij hem te zien. Ze was om de een of andere reden uit haar doen.

Hij zei: 'Jack Reacher voor majoor Turner.'

De vrouw maakte een paar keer aanstalten om iets te zeggen, alsof er genoeg was wat ze wilde zeggen, maar uiteindelijk kwam ze niet verder dan: 'Gaat u maar naar haar kantoor. U weet waar u moet zijn?'

Reacher knikte. Hij wist waar hij moest zijn. Het was ooit zijn kantoor geweest. Hij zei: 'Bedankt, sergeant.'

Hij liep de trap op. Dezelfde uitgesleten treden, dezelfde ijzeren leuning. Hij was die trap al duizenden keren op gelopen. Halverwege zat een knik en de trap kwam precies boven het midden van de hal uit aan het begin van een lange gang op de verdieping. Het licht in de gang was aan. Op de vloer lag hetzelfde linoleum. In de deuren van de kantoorruimten links en rechts zat hetzelfde geribbelde glas als op de begane grond.

Zijn kantoor was het derde aan de linkerkant.

Nee, het kantoor van Susan Turner.

Hij controleerde of zijn shirt strak zat en haalde zijn vingers door zijn haar. Hij had geen flauw idee wat hij zou gaan zeggen. Hij had haar stem over de telefoon aantrekkelijk gevonden. Meer niet. Hij had gedacht dat er een boeiende persoon schuil moest gaan achter die stem. Die persoon wilde hij ontmoeten. Zo eenvoudig was het. Hij deed twee stappen en bleef stilstaan. Ze zou denken dat hij knettergek was.

Maar niet geschoten is altijd mis. Hij haalde zijn schouders op en begon weer te lopen. De derde deur links. De deur was nog net zo als hij altijd was geweest. Het onderste deel dicht, daarboven glas, het wazige beeld erachter door het geribbelde glas vervormd tot verticale stroken. Ter hoogte van de deurkruk zat een zakelijk aandoend naamplaatje: MAJ. S.R. TURNER, COMMANDANT. Dat was nieuw. In Reachers tijd had zijn naam op het hout onder het glas gestaan, en nog veel zuiniger: MAJ. REACHER, CO.

Hij klopte.

Hij hoorde binnen vaag een stem. Misschien dat iemand had gezegd *Binnen*. Dus hij haalde diep adem, deed de deur open en stapte naar binnen.

Hij had verwacht dat er van alles veranderd zou zijn. Maar er was weinig anders. Op de vloer lag hetzelfde linoleum, donker en mat glanzend geboend. Hetzelfde bureau stond er, als een stalen slagschip, geverfd, maar hier en daar afgesleten tot op het glanzende metaal, met nog steeds de deuk die was ontstaan toen hij er iemands hoofd tegen geslagen had, aan het einde van zijn carrière. Dezelfde stoelen stonden er nog, zowel achter het bureau als ertegenover, praktische stoelen van halverwege de vorige eeuw, die je nu misschien voor veel geld te koop zou kunnen aanbieden in een hippe winkel in New York of San Francisco. Dezelfde archiefkasten stonden er nog steeds. Dezelfde lamp hing er nog, een witte glazen schaal die aan drie kettinkjes hing.

De verschillen waren voorspelbaar, het resultaat van de voortschrijdende tijd. Er stonden drie bureautelefoons in plaats van het ene, zware, zwarte toestel met een kiesschijf. Er stonden twee computers, een desktop en een laptop, in plaats van de bakjes voor binnenkomende en uitgaande post en stapels papier. De landkaart aan de wand was nieuw en bijgewerkt, en in de lamp brandde een ziekelijk groene spaarlamp, een en al fluorescentie en energiebesparing. Vooruitgang, zelfs bij het ministerie van Defensie.

Er waren slechts twee onverwachte en niet te voorspellen dingen in het kantoor.

In de eerste plaats was de persoon achter het bureau geen majoor, maar een luitenant-kolonel.

In de tweede plaats was de luitenant-kolonel geen vrouw, maar een man.

3

De man achter het bureau droeg dezelfde gevechtspyjama als de anderen, maar die stond hem veel slechter. Alsof hij zich had verkleed. Voor een Halloween-feestje. Niet omdat zijn conditie te wensen overliet, maar omdat hij serieus oogde, een manager, iemand met een bureaufunctie. Alsof zijn lievelingswapen een vulpotlood was in plaats van een M16. Hij droeg een bril met een stalen montuur en had staalgrijs haar dat geknipt en gekamd was als het kapsel van een schooljongen. Zijn lintjes en naamplaatje bevestigden dat hij een luitenant-kolonel was in het leger van de Verenigde Staten, en maakten duidelijk dat hij Morgan heette.

Reacher zei: 'Het spijt me, kolonel. Ik was op zoek naar majoor Turner.'

De man die Morgan heette, zei: 'Ga zitten, Reacher.'

Natuurlijk gezag was een zeldzaam verschijnsel, waar in het leger veel waarde aan werd gehecht. De man die Morgan heette, was er rijkelijk mee begiftigd. Net als zijn haar en zijn bril was zijn stem van staal. Geen flauwekul, geen aarzeling, geen gedoe. Alleen een vanzelfsprekende veronderstelling dat iedereen met enig gezond verstand precies zou doen wat hij hun zei te doen, omdat er nu eenmaal geen realistisch alternatief was.

Reacher ging zitten, op de bezoekersstoel die het dichtst bij het raam stond. De stoel had een verend buisframe dat iets meegaf onder zijn gewicht. Hij herinnerde zich dat gevoel. Hij had eerder op die stoel gezeten, om diverse redenen.

Morgan zei: 'Vertel mij alsjeblieft precies waarom je hier bent.'

Dat was het moment waarop Reacher het gevoel kreeg dat hij slecht nieuws te horen zou krijgen. Susan Turner was dood. Afghanistan waarschijnlijk. Of een auto-ongeluk.

Hij vroeg: 'Waar is majoor Turner?'

Morgan zei: 'Niet hier.'

'Waar dan wel?'

'Daar hebben we het misschien nog wel over. Je moet mij eerst vertellen waarom je zo geïnteresseerd bent.'

'Waarin?'

'In majoor Turner.'

'Ik ben niet geïnteresseerd in majoor Turner.'

'Maar je hebt naar haar gevraagd bij de poort.'

'Het is persoonlijk.'

'Zoals?'

Reacher zei: 'Ik heb met haar gesproken over de telefoon. Ze klonk interessant. Het leek me een aardig idee om haar op te zoeken en uit te nodigen om ergens te gaan eten. Het handboek verbiedt haar niet om daar ja op te zeggen.'

'Of nee natuurlijk, wat maar aan de orde is.'

'Inderdaad.'

Morgan vroeg: 'Waar heb je toen met haar over gesproken?'

'Van alles en nog wat.'

'Wat precies?'

'Het was een privégesprek, kolonel. En ik weet niet wie u bent.'

'Ik ben de commandant van de 110th Special Unit.'

'Majoor Turner niet?'

'Niet meer.'

'Ik dacht dat dat een baan was voor een majoor, niet voor een luitenant-kolonel.'

'Dit is een tijdelijke functie. Ik ben troubleshooter. Ze sturen mij eropaf als ergens de rotzooi moet worden opgeruimd.'

'En het is hier een rotzooi? Bedoelt u dat?'

Morgan negeerde de vraag. Hij vroeg: 'Heb je een specifieke afspraak met majoor Turner gemaakt voor een ontmoeting?'

'Niet specifiek,' zei Reacher.

'Heeft zij je gevraagd hier te komen?'

'Niet specifiek,' zei Reacher opnieuw.

'Ja of nee?'

'Geen van beide. Ik denk dat het meer een vage notie van ons beiden was. Als ik toevallig in de buurt zou zijn. Zoiets.'

'En hier ben je dan toevallig. Waarom?'

'Waarom niet? Ik moet ergens zijn.'

'Wil je beweren dat je het hele eind van South Dakota hiernaartoe bent gekomen vanwege een vaag voornemen?'

Reacher zei: 'Ik vond haar stem aardig. Is dat een probleem voor u?'

'Je bent werkloos, klopt dat?'

'Op dit moment.'

'Sinds wanneer?'

'Sinds ik het leger heb verlaten.'

'Dat is beschamend.'

Reacher vroeg: 'Waar is majoor Turner?'

Morgan zei: 'Dit gesprek gaat niet over majoor Turner.'

'Waar gaat het dan wel over?'

'Het gaat over jou.'

'Over mij?'

'Geheel losstaand van majoor Turner. Maar zij heeft wel jouw dossier uit het archief gehaald. Misschien was ze nieuwsgierig naar je. Aan je dossier was een alarm gekoppeld. Dat had af moeten gaan toen zij het dossier uit het archief haalde. Dat zou ons tijd hebben bespaard. Helaas werkte het alarm niet goed en ging het pas af toen ze je dossier weer terugbracht. Maar beter laat dan nooit. Want hier ben je dan.'

'Waar hebt u het over?'

'Heb je een man gekend die Juan Rodriguez heette?'

'Nee, wie is dat?'

'Op een zeker moment was het 110th in hem geïnteresseerd. Hij is nu dood. Ken je een vrouw die Candice Dayton heet?'

'Nee, is zij ook dood?'

'Mevrouw Dayton leeft nog en geniet daarvan. Of eigenlijk geniet ze er niet van. Je weet zeker dat je je haar niet kunt herinneren?'

'Waar gaat dit allemaal over?'

'Jij zit in de problemen, Reacher.'

'Problemen?'

'Het leger is medisch bewijsmateriaal gepresenteerd waaruit blijkt dat meneer Rodriguez is overleden aan de verwondingen die hij opliep toen hij zestien jaar geleden werd mishandeld. Gezien het feit dat dergelijke zaken niet verjaren, is hij technisch gezien het slachtoffer van doodslag.'

'En u wilt beweren dat een van mijn mensen dat heeft gedaan? Zestien jaar geleden?'

'Nee, dat wil ik niet beweren.'

'Goed zo. En wat maakt mevrouw Dayton zo ongelukkig?'

'Dat is niet mijn terrein. Daarover zal iemand anders je aanspreken.'

'Dan moeten ze snel zijn. Want ik blijf niet erg lang. Niet als majoor Turner hier niet is. Ik kan me niet herinneren dat er hier in de buurt iets anders is wat de moeite waard is.'

'Je blijft,' zei Morgan. 'Want jij en ik gaan een lang en boeiend gesprek voeren.'

'Waarover?'

'Over het bewijsmateriaal dat aantoont dat jij meneer Rodriguez zestien jaar geleden hebt mishandeld.'

'Gelul.'

'Je krijgt een advocaat toegewezen. Als het gelul is, zal die dat vast wel beamen.'

'Ik bedoel, gelul, jij en ik gaan geen enkel lang gesprek voeren. En ik wil ook geen advocaat. Ik ben burger en jij bent een klootzak in een pyjama.'

'Dus je wilt niet meewerken?'

'Dat klopt.'

'In dat geval, ben je bekend met Deel 10 van het militaire straf-recht van de Verenigde Staten?'

'Voor een deel, natuurlijk.'

'Dan weet je misschien ook dat er een gedeelte in het bijzonder is, waarin staat dat een man van jouw rang bij het verlaten van het leger geen burger wordt. Niet meteen en niet helemaal. Hij wordt reservist. Hij heeft geen plichten, maar hij kan opnieuw onder de wapenen worden geroepen.'

'Maar hoe lang?' vroeg Reacher.

'Jij had een geheimhoudingsverklaring getekend.'

'Dat kan ik me goed herinneren.'

'Kun je je de papieren nog herinneren die je daarvoor moest te-kenen?'

'Vaag,' zei Reacher. Hij herinnerde zich een aantal mannen in een kantoor, allemaal heel volwassen en serieus. Juristen, notaris-sen en zegels en stempels en pennen.

Morgan zei: 'Er waren een heleboel kleine lettertjes. Vanzelf-sprekend. Als de overheid haar geheimen aan jou toevertrouwt, wil ze daar een zekere greep op houden. Van tevoren, al die tijd dat het duurt, en na die tijd.'

'Hoe lang na die tijd?'

'Het meeste spul blijft zestig jaar geheim.'

'Dat is belachelijk.'

'Maak je geen zorgen,' zei Morgan. 'In de kleine lettertjes staat niet dat je zestig jaar lang reservist blijft.'

'Goed zo.'

'Het is erger. Er staat voor onbepaalde tijd. Maar helaas heeft het hooggerechtshof ons wat dat betreft al een loer gedraaid. Dat heeft verordonneerd dat we ons moeten houden aan de drie aller-laatste bepalingen van Deel 10.'

'En dat betekent?'

'Je kunt alleen opnieuw onder de wapenen worden geroepen als je een goede gezondheid hebt, nog geen vijfenvijftig bent en ge-schikt voor training.'

Reacher zei niets.

Morgan vroeg: 'Hoe staat het met jouw gezondheid?'

'Redelijk goed.'

'Hoe oud ben je?'

'Nog lang geen vijfenvijftig.'

'Ben je geschikt voor training?'

'Dat betwijfel ik.'

'Ik ook. Maar dat is een empirisch gegeven waarvan we de waarde in de praktijk zullen vaststellen.'

'Dat meen je niet.'

'Dat meen ik wel,' zei Morgan. 'Jack Reacher, vanaf dit moment op deze dag, ben jij opnieuw formeel onder de wapenen geroepen.'

Reacher zei niets.

'Je bent terug in het leger, majoor,' zei Morgan. 'En als ik zeg: kruipen! Dan kruip jij.'

4

Het ging niet gepaard met een grote ceremonie om hem in te lijven in het leger, of opnieuw in te lijven. Het waren alleen de woorden van Morgan, en daarna werd het iets donkerder in het kantoor, toen iemand in de gang voor de deur ging staan en het licht tegenhield dat door de geribbelde ruit naar binnen viel. Reacher zag hem, in verticale strookjes: een grote, breedgeschouderde wachtpost, die op zijn gemak stond, het gezicht de andere kant op gekeerd.

Morgan zei: 'Het is mijn plicht je mee te delen dat er een beroepsprocedure is. Daar zul je onbelemmerd gebruik van kunnen maken. Je krijgt een advocaat toegewezen.'

Reacher zei: 'Toegewezen?'

'Een kwestie van eenvoudige logica. Je zult beroep aantekenen om weer uit het leger te komen. Dat betekent dat je in het leger zit als je daaraan begint. Dat betekent dat je krijgt wat het leger van zins is je te geven. Maar ik neem aan dat we heel redelijk zullen zijn.'

'Ik kan me geen Juan Rodriguez herinneren.'

'Daar krijg je ook een advocaat voor.'

'Wat zou er met die man gebeurd moeten zijn?'

'Dat mag jij mij vertellen,' zei Morgan.

'Dat kan ik niet, want ik herinner me hem niet.'

'Je hebt hem hersenletsel bezorgd. Dat heeft hem uiteindelijk de das omgedaan.'

'Wie was die man?'

'Ontkennen werkt niet zo heel lang.'

'Ik ontken helemaal niets. Ik zeg dat ik me de man niet kan herinneren.'

'Dat is een gesprek dat je met je advocaat moet voeren.'

'En wie is Candice Dayton?'

'Idem. Maar een andere advocaat.'

'Waarom een ander?'

'Ander soort zaak.'

'Sta ik onder arrest?'

'Nee,' zei Morgan. 'Nog niet. Daarover zullen de aanklagers wel een besluit nemen als ze eraan toe zijn. Maar tot dat moment sta je onder mijn bevel, sinds twee minuten geleden. Je behoudt je oude rang, voorlopig. Op papier word je ingedeeld bij deze eenheid en je orders zijn om dit gebouw te beschouwen als plaats waar je bent gelegerd. Je dient je hier iedere ochtend voor 08:00 uur te melden. Je mag het gebied niet verlaten. Het gebied heeft een straal van acht kilometer rondom dit bureau. Je wordt ingekwartierd op een locatie naar goeddunken van het leger.'

Reacher zei niets.

Morgan zei: 'Zijn er nog vragen, majoor?'

'Moet ik een uniform dragen?'

'Niet in dit stadium.'

'Dat is een opluchting.'

'Dit is geen grap, Reacher. Dit kan aanzienlijke negatieve gevolgen hebben. Voor jou persoonlijk, bedoel ik. In het ergste geval levenslang in Leavenworth, na een veroordeling voor moord. Maar de kans is groter dat het tien jaar wordt voor doodslag, gezien het gat van zestien jaar. En het gunstigste geval is niet veel aantrekkelijker, aangezien we het oorspronkelijke misdrijf onder de loep moeten nemen. Ik zou maar rekening houden met onbehoorlijk gedrag, minimaal, met wederom ontslag, dit keer oneervol. Maar je advocaat zal dat allemaal wel met je doornemen.'

'Wanneer?'

'De desbetreffende afdeling is al ingelicht.'

Er waren geen cellen in het oude gebouw. Geen beveiligde gedeelten. Die waren er nooit geweest. Alleen kantoren. Morgan liet Reacher zitten waar hij zat, op de bezoekersstoel, keek hem niet meer aan, sprak niet meer tegen hem. Hij werd volkomen genegeerd. De wachtpost stond op de plaats rust aan de andere kant van de deur. Morgan begon te klikken en te typen en te scrollen op de laptop. Reacher zocht in zijn geheugen naar herinneringen aan Juan Rodriguez. Zestien jaar geleden was hij net twaalf maanden commandant van het 110th. Zijn begintijd. De naam Rodriguez klonk Latijns-Amerikaans. Reacher had veel latino's gekend, zowel in het leger als daarbuiten. Hij kon zich herinneren dat hij sommige mensen had geslagen, zowel binnen het leger als daarbuiten, ook latino's, maar niemand die Rodriguez heette. En als het 110th in Rodriguez geïnteresseerd was geweest, zou hij de naam hebben onthouden, zonder meer. Zeker uit de begindagen, toen elke zaak belangrijk was. Het 110th had een experimenteel karakter gehad. Alles wat ze deden werd onder een vergrootglas gelegd. Elk resultaat werd geëvalueerd. Elke misstap ontleed.

Hij vroeg: 'Wat was de vermeende context?'

Geen antwoord van Morgan. De man bleef onverstoorbaar klikken en typen en scrollen. Dus ging Reacher in zijn geheugen op zoek naar een vrouw die Candice Dayton heette. Opnieuw, hij had vele vrouwen gekend, zowel in het leger als daarbuiten. De naam Candice kwam redelijk veel voor. En Dayton ook, relatief gezien. Maar beide namen samen hadden voor hem geen enkele betekenis. Ook niet als roepnaam, Candy. Candy Dayton? Candice Dayton? Niets. Niet dat hij altijd alles onthield. Niemand kon altijd alles onthouden.

Hij vroeg: 'Hadden Candice Dayton en Juan Rodriguez op de een of andere manier iets met elkaar te maken?'

Morgan keek op, alsof het hem verraste dat er een bezoeker in zijn kantoor zat. Alsof hij het helemaal vergeten was. Hij gaf geen antwoord op de vraag. Hij pakte een van de gecompliceerde telefoons en bestelde een auto. Hij gaf Reacher order beneden bij de sergeant te wachten.

Drie kilometer verderop pakte de man die slechts drie mensen op de hele wereld kenden als Romeo, zijn mobiel, belde de man die slechts twee mensen kenden als Julia, en zei: 'Hij is weer onder de wapenen geroepen. Kolonel Morgan heeft het zojuist vastgelegd op de computer.'

Julia zei: 'En wat nu?'

'Dat valt nog niet te zeggen.'

'Slaat hij op de vlucht?'

'Iedereen met een beetje gezond verstand zou dat wel doen.'

'Waar bergen ze hem op?'

'Hun gebruikelijke motel, neem ik aan.'

De sergeant achter de balie beneden zei niets. Ze kneep haar lippen even stevig op elkaar als eerder. Reacher leunde tegen de muur en bracht de tijd zwijgend door. Tien minuten later kwam een soldaat eerste klas binnen uit de kou buiten. Hij salueerde en vroeg Reacher hem te volgen. Formeel en beleefd. Onschuldig tot het tegendeel is bewezen, dacht Reacher, in ieder geval in de ogen van sommigen. Buiten stond een oude personenauto van het leger met draaiende motor. Een jonge luitenant liep er stampvoetend bij heen en weer. Hij voelde zich ongemakkelijk, alsof hij zich voor iets schaamde. Hij opende het achterportier en liet Reacher instappen. De luitenant ging voorin zitten op de passagiersstoel, de soldaat zat aan het stuur. Anderhalve kilometer verder kwamen ze aan bij een motel, een vervallen puinhoop met een doorgezakt dak op een donker terrein aan een drie rijstroken brede weg in een stedelijk gebied, waar de stilte van de avond heerste. De luitenant tekende een papier, de nachtportier gaf Reacher een sleutel en de luitenant en de soldaat reden weg.

Toen arriveerde de tweede auto, met de mannen die een T-shirt droegen en een trainingsbroek.

5

Er zaten geen zakken in de trainingsbroeken, ook niet in de T-shirts. Geen van beiden had een identiteitsplaatje. Geen enkele vorm van legitimatie. De auto was ook volledig schoon. Er lag niets in, behalve een standaardpakket legerpapieren, netjes opgeborgen in het dashboardkastje. Geen wapens, geen persoonlijke eigendommen, geen verstopte portefeuilles, geen snippers papier, geen bonnen van tankstations. Het kenteken duidde op een standaardregistratie voor een overheidsvoertuig. Er was helemaal niets bijzonders aan de auto, met uitzondering van twee verse deuken in de portieren.

De man links blokkeerde het portier aan de bestuurderskant. Reacher sleepte hem twee meter over het asfalt. Hij bood geen weerstand. Het leven is geen tv-serie. Als je iemand hard genoeg slaat tegen de zijkant van zijn hoofd, springt hij niet als herboren weer overeind voor de volgende ronde van het gevecht. Hij gaat minstens een uur onderuit, misselijk en duizelig en gedesoriënteerd. Een lang geleden geleerde les: de menselijke hersenen zijn veel gevoeliger voor plotselinge bewegingen in zijwaartse richting dan voor bewegingen voor- en achteruit. Een gril van de evolutie, waarschijnlijk, zoals vrijwel alles.

Reacher opende het portier aan de bestuurderskant en ging in de auto zitten. De motor was afgezet, maar de sleutel stak nog in het contact. Hij schoof de stoel naar achteren en startte de motor. Hij bleef een hele tijd stilzitten en staarde naar buiten door de voorruit. *Ze konden je in het verleden niet vinden en ze zullen je nu ook niet vinden. Het leger heeft geen specialisten om mensen te zoeken die spoorloos zijn. Die zouden jou bovendien nooit vinden. Niet met jouw manier van leven.*

Hij stelde de binnenspiegel af. Hij zette zijn voet op het rempedaal en schakelde de versnellingshendel in zijn vooruit. *Onbehoorlijk gedrag, minimaal, gevolgd door ontslag, dit keer oneervol.*

Hij haalde zijn voet van de rem en reed weg.

Hij reed rechtstreeks terug naar het oude hoofdkwartier en parkeerde vijftig meter ervoor langs de weg. Het was aangenaam warm in de auto. Hij liet de motor draaien om het warm te houden. Hij keek door de voorruit en registreerde geen enkele activiteit. Geen komen en gaan. In zijn tijd had het 110th dag en nacht gedraaid, zeven dagen per week, en hij kon geen reden bedenken waarom het nu anders zou zijn. De soldaat die wachtliep zou er de hele nacht zijn, en er zou een officier zijn die nachtdienst had, en alle andere officieren zouden naar huis gaan wanneer hun werk erop zat, wanneer dat dan ook maar mocht zijn. Normaal gesproken. Maar niet die avond. Niet tijdens een crisis of rotzooi, en zeker niet als er een troubleshooter ter plaatse was. Dan verliet niemand het terrein voor Morgan. Zo ging dat nu eenmaal in het leger.

Morgan vertrok een uur later. Reacher zag hem vrij duidelijk. Een onopvallende personenwagen reed de poort uit, draaide de weg op en passeerde de plek waar Reacher geparkeerd stond. In het duister zag Reacher heel even Morgan achter het stuur, in zijn gevechtspyjama en met zijn stalen bril, zijn haar nog steeds keurig gekamd, recht voor zich uit kijkend, beide handen aan het stuur, als een oud omaatje op weg om boodschappen te doen. Reacher keek in de spiegel en zag de achterlichten over de heuvel verdwijnen.

Hij wachtte.

En inderdaad, in de volgende vijftien minuten vond er een regelrechte exodus plaats. Er kwamen nog vijf auto's door de poort, twee sloegen links af, drie sloegen rechts af, in vier auto's zat één persoon, in de vijfde zaten drie mensen. Op alle auto's lag een waas condens, alle auto's produceerden koude, witte uitlaatgassen. Ze verdwenen in de verte, links en rechts, de uitlaatgassen dreven weg, en het werd weer stil op de wereld.

Reacher wachtte nog tien minuten, voor het geval dat. Maar er gebeurde verder niets meer. Vijftig meter verderop zag het oude gebouw er stil en verlaten uit. Alleen de wacht, in een geheel eigen wereld. Reacher zette de auto in de versnelling en reed naar de poort. Er stond een andere wachtpost in het wachthokje. Een jonge man, blank en stoïcijns. Reacher stopte en drukte op de knop om het raam te openen. De jongen zei: 'Meneer?'

Reacher noemde zijn naam en zei: 'Ik meld me zoals me is opgedragen.'

'Meneer?' zei de jongen opnieuw.

'Sta ik op je lijst?'

De jongen zocht het op.

'Ja meneer,' zei hij. 'Majoor Reacher. Maar voor morgenochtend.'

'Ik heb de order gekregen om me voor 08:00 uur te melden.'

'Ja, meneer, dat zie ik. Maar het is nu 23:00 uur, meneer. 's Avonds.'

'En dat is voor 08:00 uur 's ochtends. Zoals opgedragen.'

De jongen zei niets.

Reacher zei: 'Het is een eenvoudige kwestie van chronologie. Ik heb zin om aan het werk te gaan, en daarom ben ik een beetje vroeg.'

Geen antwoord.

'Je zou het kunnen voorleggen aan kolonel Morgan, als je daar zin in hebt. Hij is ondertussen vast wel thuis.'

Geen antwoord.

'Maar je kunt ook overleggen met de sergeant bij de balie.'

'Ja, meneer,' zei de jongen. 'Dat doe ik wel.'

Hij belde, luisterde even, legde de telefoon neer en zei: 'Meneer, de sergeant verzoekt u even bij de balie langs te gaan.'

'Dat zal ik zeker doen, soldaat,' zei Reacher. Hij reed verder en parkeerde naast de kleine rode twoseater, die nog steeds op precies dezelfde plek stond. Hij stapte uit, sloot de auto af en liep door de kou naar de ingang. In de hal was het stil en rustig. Een verschil van dag en nacht, letterlijk. Maar dezelfde sergeant zat achter de balie. Ze maakte haar werk af voordat ze naar huis ging. Ze zat op een kruk en typte op een toetsenbord. Waarschijnlijk werkte ze het logboek van vandaag bij. Het bijhouden van logboeken was een zwaarwichtige zaak, overal in het militaire apparaat. Ze hield op met typen en keek op.

Reacher vroeg: 'Neem je dit bezoek op in het officiële logboek?'

Ze zei: 'Welk bezoek? En ik heb de soldaat bij de poort opgedragen dat ook niet te doen.'

Niet langer stijf op elkaar geknepen lippen. Niet meer nu de indringer Morgan buiten de poort was. Ze oogde jong, maar absoluut opgewassen tegen haar taak, net zoals sergeants waar dan ook ter wereld. Volgens het naamplaatje op haar rechterborst heette ze Leach.

Ze zei: 'Ik weet wie u bent.'

Reacher vroeg: 'Hebben wij elkaar eerder ontmoet?'

'Nee, meneer, maar uw naam is hier beroemd. U was de eerste commandant van de eenheid.'

'Weet je ook waarom ik terug ben?'

'Ja, meneer. Dat is meegedeeld.'

'Hoe is daar in het algemeen op gereageerd?'

'Met gemengde gevoelens.'

'Wat vind jij zelf?'

'Er is vast een goede verklaring voor. En zestien jaar is lang geleden. Dan zal het wel politiek zijn, waarschijnlijk. En dat is meestal gelul. En zelfs als het dat niet is, ben ik ervan overtuigd dat die kerel het had verdiend. Of misschien nog wel erger.'

Reacher zei niets.

Leach zei: 'Ik wilde u waarschuwen, toen u binnenkwam vandaag. Het was voor u waarschijnlijk het beste geweest als u de benen had genomen. Dus ik wilde dat u zou omkeren en weer zou vertrekken. Maar ik had orders om mijn mond te houden. Het spijt me.'

Reacher vroeg: 'Waar is majoor Turner?'

Leach zei: 'Dat is een lang verhaal.'

'En hoe gaat dat verhaal?'

'Ze is uitgezonden naar Afghanistan.'

'Wanneer?'

'Midden op de dag, gisteren.'

'Waarom?'

'We hebben daar mensen. Er waren problemen.'

'Wat voor soort problemen?'

'Dat weet ik niet.'

'En?'

'Ze is er nooit aangekomen.'

'Dat weet je zeker?'

'Geen enkele twijfel.'

'Waar is ze dan wel?'

'Niemand die het weet.'

'Wanneer is kolonel Morgan hier aangekomen?'

'Een paar uur nadat majoor Turner is vertrokken.'

'Hoeveel uur?'

'Ongeveer twee.'

'Heeft hij ook een reden gegeven waarom hij hier is?'

'De onuitgesproken suggestie is dat majoor Turner is vervangen.'

'Niets specifieks?'

'Helemaal niets.'

'Is ze de fout in gegaan?'

Leach gaf geen antwoord.

Reacher zei: 'Spreek vrijuit, sergeant.'

'Nee, meneer, ze heeft geen fouten gemaakt. Ze deed haar werk heel goed.'

'Dus dat is alles? Onuitgesproken suggesties en verdwijningen?'

'Tot dusverre.'

'Geen geruchten?' vroeg Reacher. Elke sergeant maakte altijd deel uit van een netwerk. Dat was altijd zo geweest en dat zou altijd zo blijven. Geruchtenmachines. Geüniformeerde versies van tabloids.

Leach zei: 'Ik heb iets gehoord.'

'En dat was?'

'Misschien is het niets.'

'Maar?'

'En misschien heeft het er niets mee te maken.'

'Maar?'

'Iemand vertelde me dat er in het cellencomplex van Fort Dyer een nieuwe gevangene zit.'

6

Fort Dyer was een legerbasis dicht bij het Pentagon. Maar Leach vertelde Reacher dat acht jaar nadat hij was afgezwaaid, Fort Dyer bij een bezuinigingsronde was samengevoegd met het Helsington House van het korps mariniers. Het nieuw geformeerde complex kreeg de logische, zij het wat onhandige naam Joint Base Dyer-Helsington House. In Reachers tijd was zowel Dyer als Helsington House onafhankelijk van elkaar bases geweest met veel status, waar voornamelijk hooggeplaatste en belangrijke personen werkten. Het warenhuis van Dyer had dan ook meer op Saks Fifth Avenue geleken dan op een Wal-Mart. Hij had gehoord dat het warenhuis van de mariniers nog chiquer was. Het nieuwe complex zou dus ongetwijfeld niet lager op de sociale ladder staan. En dus mocht je verwachten dat er in de cellen uitsluitend gevangenen met een hoge status werden opgesloten. Geen beschonken vechtersbazen en kruimeldieven. Een majoor van de MP zou een typerend voorbeeld zijn van de standaardgevangene. Dat betekende dat het gerucht dat Leach had gehoord heel goed waar kon zijn. Het cellencomplex van Dyer lag aan de noordwestkant van het Pentagon. Schuin aan de andere kant van de begraafplaats. Minder dan acht kilometer van het hoofdkwartier van het 110th. Veel minder.

'De landmacht en de mariniers bij elkaar?' zei Reacher. 'Hoe doen ze dat?'

'Politici doen alles om een dubbeltje te bezuinigen,' zei Leach.

'Kun je bellen om te zeggen dat ik eraan kom?'

'Gaat u erheen? Nu?'

'Ik heb op het moment niets beters te doen.'

'Hebt u vervoer?'

'Tijdelijk,' zei Reacher.

Het was stil en donker, de stilte van de nacht in stedelijk gebied, en het kostte minder dan tien minuten om naar Dyer te rijden. Doordringen tot de Joint Base kostte aanzienlijk meer tijd. Het complex was minder dan vier jaar na 9/11 ontstaan, en wat de bezuinigingsronde dan ook had opgeleverd, dat was niet ten koste gegaan van de beveiliging. De hoofdingang lag aan de zuidkant van het complex, een indrukwekkend geheel. Overal drakentanden die het verkeer over een smal pad leidden met drie achtereenvolgende wachtposten. Reacher droeg burgerkleren die hun beste tijd hadden gehad, en had geen militaire legitimatie. Helemaal geen legitimatie, behalve een versleten, verkreukeld paspoort dat allang was verlopen. Maar hij reed in een auto van de overheid en dat zorgde voor een goede eerste indruk. En het militaire apparaat had computers, die lieten zien dat hij in actieve dienst was sinds het begin van de avond. En het militaire apparaat had sergeants en Leach had met een serie telefoongesprekken een lichtend spoor achtergelaten in haar sergeantennetwerk. En Dyer had een eenheid voor opsporing van misdrijven, en tot Reachers verbazing waren er nog steeds mensen die mensen kenden die mensen kenden die zich zijn naam konden herinneren. Het resultaat was dat hij slechts vijfenveertig minuten nadat hij bij de eerste wachtpost was gestopt, tegenover een kapitein van de MP zat in het wachtlokaal van het cellencomplex.

De kapitein was een ernstige, donker gekleurde man van ongeveer dertig. Op zijn naamplaatje stond dat zijn naam Weiss was. Hij maakte een integere, fatsoenlijke en redelijk vriendelijke indruk, dus zei Reacher: 'Dit is een privézaak, kapitein. Zelfs in de verte niet officieel. En waarschijnlijk ben ik op dit moment licht besmet, dus je dient uiterst voorzichtig te handelen. Je zou dit bezoek niet moeten registreren. Of je zou zelfs helemaal moeten weigeren om met me te praten.'

Weiss zei: 'Besmet? Hoe?'

'Het lijkt erop dat iets wat ik zestien jaar geleden heb gedaan, is teruggekomen om mij te grazen te nemen.'

'Wat heb je gedaan?'

'Dat herinner ik me niet. Maar ongetwijfeld zal iemand me dat zeer binnenkort vertellen.'

'Volgens de computer ben je net opnieuw onder de wapenen geroepen.'

'Klopt.'

'Dat heb ik nog nooit meegemaakt.'

'Ik ook niet.'

'Dat klinkt niet best. Alsof iemand je weer onder zijn jurisdictie probeert te krijgen.'

Reacher knikte. 'Zo heb ik het ook begrepen. Alsof ik door het burgerleven ben uitgeleverd aan het militaire apparaat. Om op de blaren te zitten. Maar de procedure was veel eenvoudiger. Er is geen hoorzitting of iets aan te pas gekomen.'

'Denk je dat ze het menen?'

'Zo ziet het er voorlopig wel uit.'

'Wat wil je van mij?'

'Ik ben op zoek naar majoor Susan Turner van het 110th.'

'Waarom?'

'Zoals ik al zei, dat is privé.'

'Heeft het met je probleem te maken?'

'Nee. Op geen enkele manier.'

'Maar jij hebt ook in het 110th gezeten, toch?'

'Lang voordat majoor Turner ook maar in de buurt kwam.'

'Dus het is geen poging om een getuige te beïnvloeden?'

'Absoluut niet. Dit gaat om heel wat anders.'

'Ben je een vriend van haar?'

'Ik had gehoopt dat het die kant op zou kunnen gaan. Of niet, afhankelijk van wat ik van haar vind, als ik haar heb ontmoet.'

'Je hebt haar nog niet eerder ontmoet?'

'Is ze hier?'

Weiss zei: 'In een cel. Sinds gistermiddag.'

'Waarvan wordt ze beschuldigd?'

'Ze heeft steekpenningen aangenomen.'

'Van wie?'

'Dat weet ik niet.'

'Waarvoor?'

'Dat weet ik ook niet.'

'Hoeveel?'

'Ik ben alleen maar cipier,' zei Weiss. 'Je weet hoe het werkt. Ze vertellen mij niet van de hoed en de rand.'

'Kan ik haar spreken?'

'Het bezoekuur is voorbij.'

'Hoeveel gasten heb je vanavond?'

'Alleen haar.'

'Dan heb je het niet druk. En we noteren dit niet, toch? Dan komt niemand erachter.'

Weiss sloeg een groene ringband open. Memo's, procedures, orders, sommige in druk, andere met de hand geschreven. Hij zei: 'Het lijkt erop dat ze verwachtte dat je zou komen. Ze heeft via haar advocaat een verzoek doorgegeven. Ze heeft je bij naam genoemd.'

'Wat was het verzoek?'

'Het is meer een instructie, eigenlijk.'

'Waarover?'

'Ze wil je niet ontmoeten.'

Reacher zei niets.

Weiss keek in de ringband en zei: 'Ik citeer: op expliciet verzoek van de beschuldigde mogen geen bezoekrechten worden vergund aan majoor Jack Reacher, voormalig commandant in ruste van het 110th MP.'

7

Het vertrek van de Joint Base kostte amper minder tijd dan de toegang. Bij elk van de drie wachtposten werd de legitimatie gecontroleerd en moest de kofferbak open, om vast te stellen dat Reacher was wie hij zei te zijn, en dat hij niets had gestolen. Eenmaal voorbij de laatste wachtpost volgde hij de route die de stadsbus eerder had genomen. Maar hij stopte en parkeerde langs de stoeprand. Er waren meer dan genoeg opritten naar snelwegen. De I-395 sneed kaarsrecht door het landschap naar het zuiden en het westen. De George Washington Memorial Parkway liep naar het noordwesten. Dan waren er nog de I-66 naar het westen, en de I-395 naar het oosten, als hij dat wilde. Stuk voor stuk rustig en snel. Er lag aan alle kanten een groot land. Je had ook nog de I-95, omhoog en omlaag langs de Atlantische kust. En de West-kust, vijf dagen verder weg, en het uitgestrekte binnenland, leeg en verlaten.

Ze konden je in het verleden niet vinden en ze zullen je nu ook niet vinden.

Een nieuw ontslag, dit keer oneervol.

Ze wil je niet ontmoeten.

Reacher reed weg van de stoeprand, terug naar het motel.

De twee mannen in T-shirt waren verdwenen. Blijkbaar waren ze weer opgestaan en weggewankeld, ergens naartoe. Reacher zette hun auto langs het trottoir, tweehonderd meter verderop. Hij liet de sleutel in het contact zitten en sloot de portieren niet af. De auto zou of door een paar straatschoffies worden gestolen, of de beide mannen zouden terugkomen om hem op te halen. Het interesseerde Reacher niet echt wat ermee zou gebeuren.

Hij liep het laatste eind en maakte de deur open van de droevig stemmende kamer. Wat hij had verwacht, klopte. Uit de douche kwam een miezerig straaltje water, de handdoeken waren dun, de zeep klein, en de shampoo goedkoop. Hij deed zijn best schoon te worden en ging toen naar bed. De matras voelde aan als een zak die was gevuld met in elkaar gefrommeld plastic en de lakens waren klam omdat er zo lang niet was gelucht. Hij viel niettemin in slaap. Hij zette de wekker in zijn hoofd op zeven uur, haalde een keer diep adem, blies de adem weer uit, en dat was dat.

Romeo belde Julia opnieuw en zei: 'Hij heeft net geprobeerd contact te leggen met Turner in Dyer. Tevergeefs, natuurlijk.'

Julia zei: 'Onze jongens moeten hem bij het motel zijn misgelopen.'

'Niets om je zorgen over te maken.'

'Dat hoop ik.'

'Welterusten.'

'Ja, jij ook.'

Reacher haalde zeven uur niet. Hij werd om zes uur gewekt, door vinnig kloppen op zijn deur. Het klonk zakelijk. Niet bedreigend, *klop, klop, klopperdeklop.* Zes uur in de ochtend en nu was er al iemand opgewekt. Hij gleed uit bed, haalde zijn broek onder de matras vandaan en trok hem aan. Er hing een bijtend koude lucht in de kamer. Hij kon zijn adem zien. De verwarming was de hele nacht uit geweest.

Hij liep blootsvoets over de kleverige vloerbedekking en deed de deur open. Een gehandschoende hand, die op het punt had gestaan opnieuw te kloppen, werd schielijk teruggetrokken. De hand zat aan een arm, de arm aan een lichaam dat gestoken was in een dienstuniform van het leger, met links en rechts de insignes van het JAG Korps. Een jurist.

Een juriste.

Op het naamplaatje rechts op haar uniform stond haar naam, SULLIVAN. Ze droeg haar uniform alsof het werkkleding was. In de hand waarmee ze niet klopte, had ze een aktetas. Ze zei niets. Ze was niet echt klein, maar Reachers ontblote borst, met daarin het oude .38-litteken, bevond zich voor haar op ooghoogte. Dat leek haar bezig te houden.

Reacher zei: 'Ja?'

Haar auto stond achter haar, een donkergroene personenwagen van Amerikaanse makelij. De lucht was nog donker.

Ze zei: 'Majoor Reacher?'

Ze was halverwege de dertig, schatte Reacher, majoor net als hij, ze had kortgeknipt, donker haar en ogen die geen warmte en geen kou uitstraalden. Hij zei: 'Wat kan ik voor je doen?'

'Het is de bedoeling dat het andersom is.'

'Jij bent aan mij toegewezen om mij te vertegenwoordigen?'

'Om te boeten voor mijn zonden.'

'Voor de beroepsprocedure of de zaak met Juan Rodriguez of de zaak met Candice Dayton?'

'Vergeet die beroepsprocedure maar. Je krijgt over een maand vijf minuten bij een commissie, maar je wint het niet. Dat gebeurt nooit.'

'Dus Rodriguez of Dayton?'

'Rodriguez,' zei Sullivan. 'We moeten meteen aan de slag.' Maar ze verroerde zich niet. Haar blik zakte omlaag, naar zijn middel, naar een tweede litteken, op dat moment al meer dan vijfentwintig jaar oud, een grote, lelijke zeester, onder een netwerk van grove hechtingen, doorsneden door een litteken van een messteek, van recenter datum, maar ook oud.

'Ik weet het,' zei hij. 'Esthetisch ben ik een puinhoop. Maar kom toch maar binnen.'

Ze zei: 'Nee, ik denk dat ik in de auto wacht. We kunnen bij het ontbijt praten.'

'Waar?'

'Twee straten verderop is een diner.'

'Jij betaalt?'

'Voor mezelf. Niet voor jou.'

'Twee straten verderop? Dan had je wel even koffie mee kunnen nemen.'

'Dat had gekund, maar dat heb ik niet gedaan.'

'Volgens mij ben jij precies de hulp waarop ik zit te wachten. Geef me elf minuten.'

'Elf?'

'Zo lang heb ik 's morgens nodig om me aan te kleden.'

'De meeste mensen zouden zeggen: tien minuten.'

'Dan zijn ze sneller dan ik, of niet heel erg precies.' Hij sloot de deur voor haar neus, liep terug naar het bed en trok zijn broek weer uit. Die zag er draagbaar uit. Hij legde zijn broek netjes onder de matras. Dichter bij strijken kwam hij niet. Hij liep naar de badkamer en zette de douche aan. Hij poetste zijn tanden en ging onder het lauwe straaltje water staan en gebruikte wat er nog over was van de zeep en de shampoo. Hij droogde zich af met vochtige handdoeken, kleedde zich aan en stapte naar buiten. Elf minuten, op de kop af. Hij was een man van vaste gewoonten.

Majoor Sullivan had de auto gekeerd. Het was een Ford van hetzelfde model als het zilverkleurige exemplaar dat hem een tijdje geleden door Missouri had vervoerd. Hij opende het portier aan de passagierskant en klom naar binnen. Sullivan ging rechtop zitten, zette de auto in de versnelling, reed voorzichtig het terrein af, langzaam en oplettend. De rok van haar uniform reikte tot op de knie. Ze droeg een donkere panty en eenvoudige zwarte veterschoenen.

Reacher vroeg: 'Hoe heet je?'

Sullivan zei: 'Ik neem aan dat je kunt lezen.'

'Je voornaam, bedoel ik.'

'Maakt dat wat uit? Je noemt mij majoor Sullivan.' Ze zei het op een manier die vriendelijk noch onvriendelijk was. Noch onverwacht. Persoonlijke omgang stond niet op de agenda. Strafpleiters in het leger waren vlijtig, intelligent en professioneel, maar ze kozen zonder uitzondering de kant van het leger.

De diner lag inderdaad twee straten verderop, maar die straten lagen ver uit elkaar. Eerst links, toen rechts, daarna een vervallen blok winkels aan de rand van nog zo'n weg van drie rijstroken breed. Er waren een ijzerwinkel, een naamloze drogist, een lijstenmaker, een wapenwinkel en een tandarts-zonder-afspraak. De diner lag los van de andere winkels op een eigen terreintje. Het was een wit gestukadoord geval met het soort interieur dat Reacher deed vermoeden dat de eigenaar een Griek was en dat de menukaart een compleet boek zou zijn. Wat het tot een restaurant maakte, vond hij, geen diner. Diners waren basale, van alle opsmuk ontdane eettenten, even genadeloos als aanvalsgeweren.

Ze namen plaats in een zitje in een zijvleugel. Een serveerster bracht koffie voordat erom werd gevraagd, wat Reacher zijn oordeel over de zaak iets naar boven deed bijstellen. Het menu was een geval van meerdere gelamineerde pagina's, bijna zo groot als een tafelblad. Reacher zag pannenkoeken en eieren staan op pagina twee en zocht niet verder.

Sullivan zei: 'Ik raad je aan om schuld te bekennen in ruil voor strafvermindering. Dan zullen ze vijf jaar eisen en bieden wij één jaar, en komen we uit op twee. Aan twee jaar ga je niet dood.'

Reacher zei: 'Wie was Candice Dayton?'

'Dat is niet mijn zaak. Iemand anders neemt daarover contact met je op.'

'En wie was Juan Rodriguez eigenlijk precies?'

'Iemand die jij op zijn hoofd hebt geslagen en die aan het letsel is overleden.'

'Ik kan me hem niet herinneren.'

'Het is niet zo slim om dat te zeggen in een zaak als deze. Dat klinkt alsof je zoveel mensen op hun hoofd hebt geslagen dat je ze niet eens meer uit elkaar kunt houden. Dat zou kunnen leiden tot verder onderzoek. Misschien komt er dan wel iemand in de verleiding om een hele lijst op te stellen. En als ik het goed begrijp, zou dat wel eens een heel lange lijst kunnen worden. Het 110th was in die tijd nogal een vrijbuitersbende.'

'En wat is het nu?'

'Ietsje beter misschien. Maar nog lang geen keurkorps.'

'Dat is jouw mening?'

'Dat is mijn ervaring.'

'Weet je iets van de situatie van Susan Turner?'

'Ik ken haar advocaat.'

39

'En?'

'Ze heeft steekpenningen aangenomen.'

'Is dat zeker?'

'Er is een berg aan elektronisch bewijsmateriaal. Ze heeft eergister-ochtend om tien uur een bankrekening geopend op de Kaaimaneilanden. Om elf uur dook er honderdduizend dollar op die rekening op. Om twaalf uur is ze min of meer op heterdaad betrapt en gearresteerd. Lijkt me een uitgemaakte zaak. En typerend voor het 110th.'

'Het klinkt alsof je niet zo gesteld bent op die oude eenheid van mij. Dat zou een probleem kunnen worden. Want ik heb recht op een adequate verdediging. Het zesde amendement en zo. Denk je dat jij de juiste persoon bent voor deze zaak?'

'Ik ben wie jij toegewezen hebt gekregen, dus wen er maar aan.'

'Ik zou op zijn minst het bewijsmateriaal te zien moeten krijgen dat ze tegen me aanvoeren. Vind je niet? Staat er ook niet zoiets in het zesde amendement?'

'Jullie deden niet zoveel aan papierwerk zestien jaar geleden.'

'Wel iets.'

'Ik weet het,' zei Sullivan. 'Wat er is, heb ik onder ogen gehad. Een van de dingen die jullie deden, was het maken van dagrapporten. Ik heb er een waarin staat dat jij op stap bent geweest voor een gesprek met meneer Rodriguez. En ik heb een document van de spoedpoli van een districtsziekenhuis, waaruit blijkt dat hij later die dag is opgenomen, met onder andere hoofdletsel.'

'Dat is alles? Wat is het verband? Hij kan wel van de trap zijn gevallen toen ik weer weg was. Hij kan wel onder een vrachtwagen zijn gekomen.'

'Dat is wat de artsen van de spoedpoli dachten.'

'Dat is een zwakke zaak,' zei Reacher. 'Het is eigenlijk helemaal geen zaak. Ik kan me er niets van herinneren.'

'Maar je herinnert je wel een trap waarvan meneer Rodriguez zou kunnen zijn gevallen, na jullie gesprek.'

'Speculatief,' zei Reacher. 'Hypothetisch. Bij wijze van spreken. Net als die vrachtwagen. Ze hebben helemaal niets.'

'Ze hebben een onder ede afgelegde verklaring,' zei Sullivan. 'Van meneer Rodriguez zelf, een tijdje later. Daarin beweert hij dat jij hem hebt aangevallen.'

8

Sullivan zette haar aktetas op het vinyl van de bank in het zitje. Ze haalde er een dik dossier uit en legde dat op tafel. Ze zei: 'Veel plezier met het lezen.'

Veel plezier was het natuurlijk niet. Het was een lang en laag-bij-de-gronds verslag van een lang en laag-bij-de-gronds onderzoek naar een langdurig en laag-bij-de-gronds misdrijf. Het was allemaal begonnen tijdens Desert Shield, de militaire operatie destijds, eind 1990, de opbouw naar Desert Storm, de Eerste Golfoorlog, nadat Irak onder Saddam Hoessein het buurland, de onafhankelijke staat Koeweit, was binnengevallen. Een half miljoen mannen en vrouwen uit de vrije wereld hadden zich verzameld gedurende zes lange maanden om Saddam Hoessein mores te leren, wat uiteindelijk in niet meer dan honderd uur was bereikt. Daarna waren de half miljoen mannen en vrouwen weer naar huis gegaan.

De nasleep met het materieel was het grote probleem geweest. Legers hebben veel spullen nodig. Zes maanden om het allemaal op te bouwen en zes maanden om het allemaal weer af te breken. En aan het opbouwen was beduidend meer aandacht en zorg besteed dan aan het afbreken. Het afbreken was stukje bij beetje en slordig gebeurd. Er waren tientallen nationaliteiten bij betrokken. Om een lang verhaal kort te maken, er raakte uiteindelijk veel zoek. Dat was pijnlijk. Maar de boeken moesten kloppen. Dus werd een deel afgeschreven als vernietigd, een deel als beschadigd en een deel als domweg zoekgeraakt. Daarna werden de boeken gesloten.

Totdat bepaalde items op straat opdoken in de steden van Amerika.

Sullivan vroeg: 'Herinner je je het al?'

'Ja,' zei Reacher. Hij kon het zich heel goed herinneren. Het 110th was juist opgericht om dat soort misdrijven te bestrijden. Draagbare militaire wapens komen niet per ongeluk op straat terecht. Ze worden gejat, ontvreemd, gestolen en verkocht. Door onbekenden, maar geen onbekenden in bepaalde categorieën. Personen ingedeeld bij logistieke eenheden vooral. Mannen die tienduizenden tonnen per week verschepen met vage laadbrieven, vinden altijd wel een manier om een of twee ton te laten verdwijnen, hier en daar, voor de lol en voor het geld. Of honderden tonnen. Het 110th had de opdracht gekregen om uit te zoeken wie en hoe en waar en wanneer. De eenheid was nieuw, moest nog een reputatie opbouwen en was er hard tegenaan gegaan. Reacher had er honderden uren ingestoken, en zijn team nog vele uren meer.

Hij zei: 'Maar ik kan me nog steeds geen Juan Rodriguez herinneren.'

Sullivan zei: 'Blader eens naar einde van het dossier.'

Dat deed Reacher en toen kon hij zich Juan Rodriguez ineens heel goed herinneren.

Alleen niet als Juan Rodriguez.

Het 110th had een betrouwbare tip gekregen over een bendelid in South Central L.A. die op straat bekendstond onder de naam Dog, wat een verkorte naam zou zijn voor Big Dog, omdat de man zowel fysiek als qua reputatie een grote jongen moest zijn. De DEA was niet in hem geïnteresseerd, omdat hij niet betrokken was bij de drugsoorlogen. Maar volgens de tip vergaarde hij net als ongebonden bendeleden elders een fortuin met het op de zwarte markt verkopen van wapens aan beide partijen. Volgens de tip was hij op zoek naar geïnteresseerden voor elf kratten met SAW's van het leger. Een *saw* is een zaag, maar in dit geval ging het niet om dingen van metaal met tanden, maar om Squad Automatic Weapons, levensgevaarlijke volautomatische machinegeweren, met een angstaanjagende capaciteit en angstaanjagende mogelijkheden.

Reacher was naar South Central L.A. gegaan, was door de hete, stoffige straten gaan lopen en had de juiste vragen gesteld op de juiste plaatsen. In die omgeving was hij onmiskenbaar een militair, dus had hij zich voorgedaan als een ontevreden soldaat die interessant spul te koop had: granaten, raketwerpers, pantserdoorborende munitie in grote hoeveelheden, Beretta-handwapens. Natuurlijk was iedereen op zijn hoede, maar uiteindelijk werkte zijn vermomming. Twee dagen later stond hij oog in oog met Dog, die inderdaad groot bleek te zijn, vooral van links naar rechts. De man woog met gemak honderdtachtig kilo.

Het laatste vel papier in het dossier was de beëdigde verklaring, met als kop *Getuigenverklaring van Juan Rodriguez, alias Big Dog, alias Dog.* Reacher werd er voortdurend in genoemd, samen met een lange lijst verwondingen, waaronder een schedelbreuk, gebroken ribben, spierweefselletsel en kneuzingen. Onderaan was het document getekend, door Rodriguez zelf, een getuige, een advocaat met een kantoor aan Ventura Boulevard in Studio City, Los Angeles, en de notaris die het document had opgesteld.

Sullivan vroeg: 'Herinner je je hem nu?'

'Hij heeft gelogen in die verklaring,' zei Reacher. 'Ik heb hem met geen vinger aangeraakt.'

'Echt?'

'Waarom zou ik? Ik was niet in hém geïnteresseerd. Ik was op zoek naar zijn bron, meer niet. Ik wilde de man grijpen van wie hij kocht. Ik wilde een naam horen.'

'Je maakte je geen zorgen over saw's op straat in L.A.?'

'Dat was een probleem voor de LAPD, niet voor mij.'

'Heb je ook een naam losgekregen?'

'Ja.'

'Hoe?'

'Ik stelde de vraag en hij gaf antwoord.'

'Gewoon, zomaar?'

'Min of meer.'

'Wat betekent dat?'

'Ik verstond mijn vak als ondervrager. Ik liet hem denken dat ik meer wist dan ik deed. Hij was niet zo heel slim. Het verbaast me dat hij zelfs genoeg hersens had om hersenletsel op te lopen.'

'En hoe verklaar je dan het verslag van het ziekenhuis?'

'Moet ik dat verklaren? Zo'n gast kent allerlei ongure types. Misschien had hij de dag ervoor wel iemand bedonderd. Hij deed niet bepaald zaken in een beschaafde buurt.'

'Dat is je verdediging? Dat iemand anders het gedaan heeft?'

'Als ik het had gedaan, had hij het ziekenhuis niet gehaald. Het was een waardeloze zak blubber.'

'Ik kan moeilijk praten met de aanklager op basis van *iemand anders heeft het gedaan.* Ik kan niet zeggen dat het bewijst dat jij hem daadwerkelijk vermoord zou hebben, in plaats van hem dodelijk letsel toe te brengen.'

'Je zult wel moeten.'

'Nee, dat hoef ik niet. Jij moet eens goed luisteren, Reacher. Je moet dit serieus nemen. Ik kan een deal voor je regelen, maar dan moet je meewerken. Je moet je betrokkenheid tonen en spijt betuigen.'

'Ik geloof mijn oren niet.'

'Ik geef je mijn beste advies.'

'Kan ik een andere advocaat krijgen?'

'Nee,' zei Sullivan. 'Die krijg je niet.'

Ze aten de rest van hun ontbijt in stilte. Reacher wilde aan een ander tafeltje gaan zitten, maar hij was bang dat dat kleinzielig zou lijken. Ze deelden de rekening, betaalden en gingen naar buiten naar de auto, waar Sullivan zei: 'Ik moet ergens anders naartoe. Je kunt van hier wel lopend terug. Of neem de bus.'

Ze stapte in haar auto en reed weg. Reacher bleef alleen achter op de parkeerplaats van het restaurant. De weg voor hem was een deel van de busroute. Dertig meter naar links was een halte met een bankje. Er stonden twee mensen te wachten op de bus. Twee mannen, beiden heel wat slanker dan Big Dog. Eerbare burgers waarschijnlijk, op weg naar de begraafplaats, als tuinlieden, of als schoonmakers naar Alexandria, of in D.C. zelf.

Vijftig meter naar rechts was nog een bushalte. Met een bankje. Aan deze kant van de straat, niet aan de overkant. De stad uit, niet de stad in. Naar McLean, en dan Reston, misschien. En dan naar Leesburg, waarschijnlijk, en misschien wel het hele eind naar Winchester. En daar zouden meer bussen staan te wachten, grotere bussen, die zich door de Appalachen zouden worstelen naar West Virginia, en Ohio en Indiana. En steeds verder. Weg.

Ze konden je in het verleden niet vinden en ze zullen je nu ook niet vinden.

Opnieuw ontslag, dit keer oneervol.

Ze wil je niet ontmoeten.

Reacher wachtte. De lucht voelde koud aan. Er was een gestage stroom verkeer. Auto's en vrachtauto's. Alle merken, alle modellen, alle kleuren. Toen verscheen ver naar links een bus. Op weg naar het noorden, niet naar het zuiden. De stad uit, niet de stad in.

Het bankje stond vijftig meter verder naar rechts. Hij wachtte. De bus was eigenlijk een grote bestelbus, omgebouwd. Lokaal, niet regionaal. Een stadslijn met een gesubsidieerd tarief. Hij kwam ronkend en snuivend zijn kant op, langzaam.

Hij liet hem gaan. De bus passeerde hem en reed verder, onwetend.

Hij liep terug naar het 110th. Drie kilometer in totaal, een halfuur. Hij passeerde het motel. De auto met de deuken in de portieren stond niet meer langs de stoeprand. Opgehaald, of gestolen.

Reacher arriveerde om vijf minuten voor acht bij het oude bakstenen gebouw, waar hij een tweede advocaat ontmoette, die hem vertelde wie Candice Dayton was en waarom Candice Dayton ongelukkig was.

9

De wachtpost die Reacher de vorige dag had doorgelaten, was terug in het wachthokje. De wachtpost voor overdag. Hij knikte Reacher toe en die liep door de poort naar het trapje en de pas geverfde deur. De Humvee stond nog steeds op het parkeerterrein. Evenals de kleine, rode twoseater. De auto met de deuken in het portier stond er niet.

Achter de balie in de hal zat een andere sergeant. De sergeant van de nacht waarschijnlijk, die zijn werk afrondde. Dit keer was het een man, blank en iets terughoudender dan Leach gisteren op het laatst. Niet openlijk vijandig, maar terughoudend en een beetje kritisch, als een minder zware uitvoering van de mannen in de witte t-shirts. *Je hebt de eenheid in diskrediet gebracht.* Hij zei: 'Kolonel Morgan beveelt u zich onmiddellijk te melden in 207.'

Reacher zei: '207, wat?'

De man zei: '207, meneer.'

'Dank je, sergeant,' zei Reacher. Kamer 207 was boven, het vierde kantoor aan de linkerkant, naast zijn eigen kantoor. Of dat van Susan Turner. Of dat van Morgan nu. Destijds was 207 het kantoor geweest van Karla Dixon, zijn cijfernerd. Zijn financiële specialist. Ze had heel wat zaken aan het licht gebracht. Negenennegentig van de honderd gevallen draaien om misdrijven, liefde, haat of geld, en in tegenstelling tot wat er in de Bijbel staat, is de meest voorkomende van deze geld. Dixon was haar bescheiden gewicht in goud waard geweest en Reacher dacht met genoegen terug aan 207.

Hij liep de trap op, de gang door en passeerde zijn oude kantoor. Het naamplaatje zat nog op de muur: MAJ. S.R. TURNER, COMMANDING OFFICER. Hij hoorde in gedachten de stem van kapitein Weiss, en die van majoor Sullivan: *Ze heeft steekpenningen aangenomen.* Misschien was er een onschuldige verklaring voor. Misschien was er een verre oom overleden die haar aandelen in een uraniummijn had nagelaten. Misschien een mijn in het buitenland en vandaar de bankrekening in het buitenland. Misschien Australië. Er werd uranium gedolven in Australië. En goud, en steenkool en ijzererts. Of misschien ergens in Afrika. Hij wenste dat Karla Dixon in de buurt was. Ze zou één blik op het papierwerk hebben geworpen en onmiddellijk de waarheid hebben gezien.

Hij klopte niet aan bij 207. Daar was geen enkele reden toe. Afgezien van Morgan was hij waarschijnlijk degene met de hoogste rang in het gebouw. En rang was rang, zelfs onder deze merkwaardige omstandigheden. Dus liep hij zonder meer naar binnen.

Het vertrek was leeg. Het was niet langer een kantoor. Het was omgebouwd tot een soort vergaderzaal. Er stond geen bureau, maar wel een grote ronde tafel met zes stoelen. Midden op de tafel stond een zwart spinachtig ding, waarschijnlijk een speakerphone voor groepsoverleg met andere partijen op afstand. Er stond een dressoir tegen een van de wanden, waarschijnlijk voor broodjes en koffie tijdens de vergadering. De lamp was dezelfde glazen schaal. Er zat een spaarlamp in, die brandde, een zwak en ziekelijk schijnsel.

Reacher liep naar het raam en keek naar buiten. Er viel weinig te zien. Het terrein was aan deze kant van het gebouw smaller. Geen parkeerterrein. Alleen een grote afvalcontainer en een ongeordende hoop afgedankt meubilair, bureaustoelen en dossierkasten. De bekleding van de stoelen oogde opgezwollen van het vocht en de dossierkasten waren roestig. Het terrein werd begrensd door de muur en daarachter was een fraai uitzicht naar het oosten, helemaal tot aan de begraafplaats en de rivier. Ver weg was het Washington Monument zichtbaar, even grijs als de nevel, waar een waterige zon doorheen scheen, laag boven de horizon.

De deur achter hem ging open en Reacher draaide zich om in de verwachting Morgan te zien. Maar het was Morgan niet. Het was een compleet déjà vu. Een keurig dienstuniform met insignes van het JAG Korps. Een juriste. Op haar naamplaatje stond EDMONDS. Ze leek wel een beetje op Sullivan. Donkerblond haar, kort geknipt, heel professioneel, gekleed in een rok, met panty en eenvoudige zwarte schoenen. Maar ze was jonger dan Sullivan. En lager in rang. Ze was slechts kapitein. Haar aktetas was goedkoper.

Ze zei: 'Majoor Reacher?'

Hij zei: 'Goedemorgen, kapitein.'

Ze zei: 'Ik ben Tracy Edmonds. Ik werk bij HRC.'

HRC, het Human Resources Command, dat vroeger gewoon Personeelszaken had geheten. In eerste instantie dacht Reacher dat ze daarom was gekomen om al het papierwerk met hem af te handelen. Soldij, bankgegevens, de hele rimram. Maar toen realiseerde hij zich dat ze daarvoor geen jurist zouden sturen. Een administratief medewerker kon dat soort werk net zo goed doen. Dat betekende dat ze was gekomen voor die toestand met Candice Dayton. Maar ze was lager in rang, ze had haar voornaam ongevraagd prijsgegeven, ze had een open blik in de ogen, vriendelijk en betrokken, en dat betekende allemaal misschien wel dat die toestand met Candice Dayton misschien minder erg was dan het Big Dog-probleem.

Hij vroeg: 'Weet jij iets over de situatie van Susan Turner?'

Ze zei: 'Wie?'

'Je bent net langs haar kantoor gelopen.'

Ze zei: 'Alleen wat ik heb gehoord.'

'En dat is?'

'Dat ze steekpenningen heeft aangenomen.'

'Waarvoor?'

'Ik geloof dat dat vertrouwelijk is.'

'Dat kan niet. Ze zit in voorarrest. Dat betekent dat er een specifieke grond moet zijn vastgelegd. Of hebben we de rechtsstaat helemaal afgeschaft toen ik even weg was?'

'Ze zeggen dat ze een dag heeft gewacht voordat ze essentiële informatie heeft doorgegeven. Niemand begreep waarom. Nu wel.'

'Wat voor informatie?'

'Ze arresteerde een kapitein bij de infanterie in Fort Hood. Het zou om een spionagezaak gaan. De kapitein noemde de naam van zijn buitenlandse contactpersoon. Majoor Turner hield dat vierentwintig uur onder de pet en de contactpersoon maakte daar gebruik van om het land uit te komen.'

'En wanneer is dat precies gebeurd?'

'Ongeveer vier weken geleden.'

'Maar ze is pas eergisteren gearresteerd.'

'Op het moment dat haar buitenlandse contactpersoon haar betaalde. Bewijs waar ze op moesten wachten. Zonder dat bewijsmateriaal kon het ook incompetentie zijn, geen misdrijf.'

'Is ze in beroep gegaan tegen de voorlopige hechtenis?'

'Ik geloof het niet.'

'Wie is haar advocaat?'

'Kolonel Moorcroft. Uit Charlottesville.'

'De JAG-school, bedoel je?'

Edmonds knikte. 'Hij doceert strafuitsluiting.'

'Reist hij op en neer van daar naar hier?'

'Nee, volgens mij heeft hij als bezoeker zijn intrek genomen in het officierskwartier in Dyer.'

Nu dus het kwartier voor bezoekende officieren van de Joint Base Dyer-Helsington House. Niet direct het Ritz, maar het scheelde ook niet zoveel, en ongetwijfeld een stuk beter dan een luizig motel langs de weg, anderhalve kilometer van Rock Creek.

Edmonds trok een stoel voor hem achteruit, en een voor zichzelf en ging aan de vergadertafel zitten. Ze zei: 'Candice Dayton.'

Reacher ging zitten en zei: 'Ik weet niet wie Candice Dayton is. Of was.'

'Ontkennen is geen slimme benadering, majoor. Dat werkt nooit.'

'Ik kan niet net doen of ik me iemand herinner als dat niet zo is.'

'Het maakt een slechte indruk. Het versterkt een negatief beeld. Uiteindelijk werkt dat allebei in je nadeel.'

'Wie was ze?'

Edmonds tilde haar aktetas op tafel en sloeg hem open. Ze haalde er een dossier uit. Ze zei: 'Je bent een aantal keren in Korea gelegerd geweest, klopt dat?'

'Heel vaak.'

'Waaronder een keer een tijdje bij het 55th MP.'

'Als jij dat zegt.'

'Dat zeg ik. Het staat hier allemaal zwart op wit. Tegen het einde van je carrière. Zo ongeveer het laatste wat je hebt gedaan. Je was gestationeerd in Camp Red Cloud. Dat ligt tussen Seoel en de gedemilitariseerde zone.'

'Ik weet waar het is.'

'Candice Dayton was Amerikaans burger en verbleef toen tijdelijk in Seoel.'

'Burger?'

'Ja. Kun je je haar nu herinneren?'

'Nee.'

'Jullie hebben korte tijd een relatie gehad.'

'Wie?'

'Jij en mevrouw Dayton, natuurlijk.'

'Ik kan me haar niet herinneren.'

'Ben je getrouwd?'

'Nee.'

'Ben je ooit getrouwd geweest?'

'Nee.'

'Heb je veel seksuele relaties gehad in je leven?'

'Dat is een erg persoonlijke vraag.'

'Ik ben je raadsvrouw. Heb je veel seksuele relaties gehad?'

'Het liefste zo veel mogelijk. Ik houd van vrouwen. Volgens mij is het iets biologisch.'

'Zoveel, dat je je misschien niet al die relaties meer kunt herinneren?'

'Er zijn er een paar geweest die ik probeer te vergeten.'

'Valt mevrouw Dayton ook in die categorie?'

'Nee. Als ik zou proberen haar te vergeten, zou ik me haar herinneren, toch? En ik herinner me haar niet.'

'Zijn er ook andere vrouwen die je je niet meer kunt herinneren?'

'Hoe zou ik dat moeten weten?'

'Kijk, dat bedoel ik met het versterken van een negatief beeld. Dat helpt niet voor de rechter.'

'Welke rechter?'

'Candice Dayton heeft Seoel vrij snel na jou verlaten, en is teruggekeerd naar Los Angeles, waar ze vandaan kwam. Ze was blij dat ze terug was. Ze had een baan en het ging haar een aantal jaren voor de wind. Ze kreeg vrij snel een dochter, een gezond kind dat het goed deed op school. Ze maakte promotie op haar werk en kocht een groter huis. Alle mooie dingen van het leven. Maar toen ging het fout met de economie, ze raakte haar baan kwijt, en daarna haar huis. Op dit moment wonen zij en haar dochter in een auto en is ze op zoek naar financiële ondersteuning, waar ze die maar vandaan kan halen.'

'En?'

'Ze werd zwanger in Korea, majoor. Het is jouw dochter.'

10

Edmonds bladerde door het dossier, met slanke vingers, van blad naar blad. Ze zei: 'Het leger onthoudt zich beleidsmatig van het nemen van proactieve stappen. We starten geen zoekacties. We maken slechts een aantekening bij de naam van de vader. Meestal blijft het daarbij. Maar als de vader naar ons toe komt, zoals jij hebt gedaan, zijn we verplicht in actie te komen. Dat betekent dat we verplicht zijn je huidige status en verblijfplaats door te geven aan de rechtbank in Los Angeles.'

Ze vond de pagina die ze zocht. Ze trok het vel papier tussen alle andere uit. Ze schoof het over de tafel. Ze zei: 'Natuurlijk adviseer ik je, als je raadsvrouw, een vaderschapstest. Dat zal je geld kosten, maar het zou zeer onverstandig zijn om af te koersen op een schikking zonder de uitslag van zo'n test.'

Reacher pakte het vel papier op. Het was een verse fotokopie van een beëdigde verklaring. Net zo'n ding als die van Big Dog.

Handtekeningen en juristen en zegels en stempels, allemaal kennelijk opgesteld in een advocatenkantoor in North Hollywood. Zijn naam stond overal. De data van zijn stationering bij het 55th. Data en tijden van sociale activiteiten waren vastgelegd. Candice Dayton moest een uitgebreid dagboek hebben bijgehouden. De geboortedatum van de baby stond er. Precies negen maanden na het moment dat hij halverwege zijn verblijf in Red Cloud was. De naam van het kind was Samantha. Waarschijnlijk werd ze Sam genoemd. Ze was nu veertien jaar oud, bijna vijftien.

Edmonds schoof een tweede vel papier over tafel. Een verse fotokopie van een geboorteakte. Ze zei: 'Ze heeft je naam er niet op gezet. Ik denk dat ze er destijds vrede mee had om het alleen te gaan doen. Maar nu heeft ze de wind tegen.'

Reacher zei niets.

Edmonds zei: 'Ik ken je huidige financiële situatie uiteraard niet. Maar je vooruitzicht is een periode van iets meer dan drie jaar alimentatie voor het kind. En daarna misschien college. Ik neem aan dat de rechtbank je over ongeveer een maand zal benaderen, dan kun je dat met hen uitwerken.'

Reacher zei: 'Ik herinner me haar niet.'

'Dat kun je waarschijnlijk maar het beste niet al te vaak zeggen. Dit soort zaken draait in principe om tegenstrijdige belangen en het is verstandig mevrouw Dayton niet te veel tegen de haren in te strijken, als dat mogelijk is. In feite zou het verstandig zijn om proactief contact met haar op te nemen. Zo snel mogelijk. Om je goede wil te tonen, bedoel ik.'

Edmonds pakte de beëdigde verklaring en de geboorteakte. Ze schoof ze weer terug in het dossier, op de juiste plaats. Ze stopte het dossier weer in haar aktetas en deed die dicht. Ze zei: 'Zoals je weet, majoor, staat seksueel verkeer nog steeds in het militaire strafrecht te boek als misdrijf. Met name voor personeel dat toegang heeft tot vertrouwelijke informatie. Omdat over het algemeen het risico van compromitterende situaties te groot wordt geacht. Vooral als er burgers bij betrokken zijn. Maar ik denk dat ik de aanklager wel zo ver kan krijgen dat hij dat aspect van de zaak buiten beschouwing zal laten als duidelijk wordt dat je je redelijk gedraagt naar mevrouw Dayton toe. Vooral als je bijvoorbeeld mevrouw

Dayton zou benaderen met een voorstel. Zoals ik al zei. Misschien wel meteen. Ik denk dat dat in goede aarde zou vallen. Bij de aanklager, bedoel ik.'

Reacher zei niets.

Edmonds zei: 'Uiteindelijk is het lang geleden. En de nationale veiligheid is niet in het geding geweest. Tenzij natuurlijk die andere zaak roet in het eten gooit. De toestand met meneer Rodriguez, bedoel ik. Misschien willen ze je aanpakken met alles wat ze maar kunnen vinden, en in dat geval zal ik je echt niet kunnen helpen.'

Reacher zei niets.

Edmonds stond op van de tafel en zei: 'Ik houd contact met je, majoor. Laat het me weten als je iets nodig hebt.'

Ze verliet het vertrek en sloot de deur achter zich. Reacher hoorde haar hakken op het linoleum in de gang. Daarna hoorde hij niets meer.

Vaderschap was natuurlijk een van de meest voorkomende gebeurtenissen in het leven van een man in de geschiedenis van de mensheid. Maar Reacher was het altijd als een onwaarschijnlijkheid voorgekomen. Gewoon puur theoretisch. Net zoiets als het winnen van de Nobelprijs, of meespelen in de World Series, of kunnen zingen. In principe mogelijk, maar zeer onwaarschijnlijk dat het hem zou overkomen. Een lotsbestemming voor andere mensen, niet voor hem. Hij had vaders gekend, om te beginnen zijn eigen vader, en grootvaders, en vaders van vriendjes in zijn jeugd, en daarna was een aantal van zijn eigen vrienden vader geworden, toen ze trouwden en een gezin stichtten. Het vader-zijn leek iets wat tegelijkertijd heel vanzelfsprekend en oneindig gecompliceerd was. Aan de oppervlakte eenvoudig. Maar daaronder gewoonweg te kolossaal om je in te verdiepen. In het algemeen leek het dus neer te komen op een routine van alledag. Je moest er het beste van hopen, van dag tot dag. Zijn eigen vader had altijd de indruk gewekt dat hij alles onder controle had. Maar als je erop terugkeek, zag je dat hij ook steeds naar bevind van zaken had gehandeld.

Samantha Dayton.
Sam.
Veertien jaar oud.

Reacher kreeg de tijd niet er langer over na te denken. Niet op dat moment. Want de deur ging open en Morgan kwam binnen, nog steeds in zijn gevechtspyama, nog steeds met de bril op zijn neus, nog steeds keurig verzorgd en opgetut en alles in de plooi. Hij zei: 'Je kunt inrukken, majoor, voor de rest van de dag. Meld je weer voor 08:00 uur morgen.'

Verveling als straf. Een hele dag niets te doen. Geen ongebruikelijke tactiek. Reacher reageerde niet. Hij bleef zitten waar hij zat en staarde in de verte. Slechtgemanierdheid en insubordinatie konden zijn situatie er niet erger op maken. Niet op dat moment. Op zijn beurt bleef Morgan daar ook gewoon staan, zwijgzaam als een rots, zijn hand op de deurkruk, dus uiteindelijk moest Reacher wel overeind komen en het vertrek verlaten. Hij liep langzaam door de gang tot hij hoorde hoe Morgan de deur van zijn eigen kantoor weer achter zich dichttrok.

Toen stond hij stil en draaide zich om.

Hij liep terug naar het einde van de gang, naar het kantoor links. Kamer 209. Het kantoor van Calvin Franz destijds, in het begin. Een goede vriend, nu dood. Reacher deed de deur open, stak zijn hoofd naar binnen en zag twee mannen die hij niet herkende. Onderofficieren, maar niet de twee van de avond daarvoor bij het motel. Niet de twee in t-shirt. Ze zaten aan twee tegen elkaar geschoven bureaus en waren druk in de weer met computers. Ze keken op.

'Ga door,' zei hij.

Hij stapte weer terug de gang in en deed de deur van de kamer ertegenover open. Kamer 210, ooit het kwartier van David O'Donnell. O'Donnell leefde nog, voor zover Reacher bekend was. Privédetective in New York, had hij gehoord. Niet zo ver weg. Hij stak zijn hoofd naar binnen en zag een vrouw aan een bureau. Ze droeg het veldtenue. Een luitenant. Ze keek op.

'Neem me niet kwalijk,' zei hij.

Kamer 208 was het kantoor geweest van Tony Swan. Ook een goede vriend, ook dood. Reacher deed de deur open en keek naar binnen. Er was niemand, maar het was het kantoor van één persoon en die persoon was een vrouw. In de vensterbank lag de officierspet van een vrouw en op het bureau lag een opengegespt dameshorloge op z'n kop.

Kamer 207 had hij al gezien. Ooit het domein van Karla Dixon, nu niemandsland. De vergaderzaal. Dixon leefde nog, voor zover hij wist. In New York, volgens de laatste berichten. Ze was fraude-expert, wat betekende dat ze het vreselijk druk had.

Kamer 206 was de kamer geweest van Frances Neagley. Direct tegenover zijn eigen kantoor, omdat zij het meeste werk voor hem had gedaan. De beste sergeant die hij ooit had gehad. Ze leefde nog en het ging haar goed, dacht hij, in Chicago. Hij stak zijn hoofd naar binnen en zag de luitenant die hem de avond ervoor had gedumpt bij het motel. In de eerste auto, bestuurd door de soldaat eerste klas. De man zat aan zijn bureau en telefoneerde. Hij keek op. Reacher schudde zijn hoofd en stapte achteruit de gang op.

Kamer 204 was de kamer geweest van Stan Lowrey. Een harde man en een goede speurneus. Hij was al vroeg vertrokken, de enige van de oorspronkelijke eenheid die slim genoeg was om onbeschadigd uit het leger te stappen. Hij was naar Montana verhuisd om schapen te fokken en boter te karnen. Niemand wist waarom. Hij was er de enige zwarte man geweest in een gebied van duizend vierkante kilometer en hij had geen enkele ervaring met het boerenbestaan. Maar ze zeiden dat hij gelukkig was. Tot hij werd overreden door een vrachtwagen. In zijn kantoor zat een kapitein in gala-uniform. Een klein mannetje, dat zich voorbereidde om te getuigen. Er kon geen enkele andere reden zijn om er zo opgepoetst bij te lopen. Reacher zei: 'Neem me niet kwalijk,' en liep de gang weer op.

Kamer 203 was een opslag geweest voor bewijsmateriaal en dat was het nog steeds, 201 een archiefruimte en dat was het ook nog steeds. In 202 had de administratie van de eenheid gezeteld en dat was nog steeds zo. De man die er zat was een sergeant, relatief oud en grijs, die waarschijnlijk ieder jaar een gevecht moest leveren tegen gedwongen pensionering. Reacher knikte hem toe bij wijze van groet, liep achteruit de gang weer op en daalde de trap af.

De sergeant van de nachtploeg met het zure gezicht was vertrokken en Leach had diens plaats achter de balie weer ingenomen. Achter haar lag de gang naar de kantoren op de begane grond, de nummers 101 tot en met 110. Reacher bekeek ze allemaal. De kamers 109 en 110 waren de kantoren geweest van Jorge Sanchez en

Manuel Orozco. Er huisden nu vergelijkbare mannen van een nieuwe generatie. De kamers 101 tot en met 108 boden onderdak aan mensen die op geen enkele manier bijzonder waren, met uitzondering van 103, de post van de officier van dienst. Er zat een kapitein, een man met een aantrekkelijk uiterlijk van achter in de twintig. Zijn bureau was twee keer zo groot als een normaal bureau en stond vol met telefoons, terwijl overal notitieblokjes en memoblokken lagen, en een slordig schrijfblok waarvan de gebruikte vellen achterover waren geslagen als de immense kuif van een rocker uit de jaren vijftig. De huidige pagina stond vol met agressieve zwarte krabbels. Zwart gemaakte vierkanten en machines en spiraalvormige doolhoven waaruit ontsnappen onmogelijk was. De man bracht duidelijk veel tijd door aan de telefoon, in de wacht gezet of als hij moest wachten, in ieder geval tot vervelens toe. Toen hij iets zei, herkende Reacher onmiddellijk het zuidelijke accent. Hij had de man aan de telefoon gehad vanuit South Dakota, meer dan eens. De man had zijn gesprekken naar Susan Turner doorverbonden.

Reacher vroeg hem: 'Heb je hier nog meer mensen werken?'

De man schudde zijn hoofd. 'Dit is het; wat u ziet, is alles wat u krijgt. We hebben mensen elders in de Verenigde Staten en in het buitenland, maar niet in dit militaire district.'

'Hoeveel in Afghanistan?'

'Twee.'

'En wat doen die?'

'Daar kan ik u geen informatie over geven.'

'Gevechtsfunctie?'

'Is er nog iets anders? In Afghanistan?'

Het was iets in zijn stem.

Reacher vroeg: 'Is alles goed met ze?'

'Ze hebben zich gisteren niet volgens plan gemeld.'

'Is dat ongebruikelijk?'

'Het is nog nooit eerder gebeurd.'

'Weet jij wat hun order is?'

'Dat kan ik u niet zeggen.'

'Ik vraag je niet om het me te vertellen. Ik vraag alleen of jij het weet. Met andere woorden, hoe geheim is het?'

De man aarzelde even en zei: 'Nee, ik weet niet wat hun order is. Het enige wat ik weet, is dat ze ergens ver weg in de bush zitten en dat stilte het enige is wat doorkomt.'

Reacher zei: 'Bedankt, kapitein.' Hij liep terug naar de balie en vroeg Leach om een auto. Ze aarzelde en hij zei: 'Ik ben de rest van de dag vrij. Kolonel Morgan heeft me niet opgedragen om in een hoekje te gaan zitten. Dat was misschien wel een verzuim, maar ik heb het recht mijn orders zo goed mogelijk in mijn voordeel te interpreteren.'

Leach vroeg: 'Waar wilt u naartoe?'

'Fort Dyer,' zei Reacher. 'Ik wil met kolonel Moorcroft praten.'

'De advocaat van majoor Turner?'

Reacher knikte. 'En Dyer is absoluut minder dan acht kilometer hiervandaan. Het wordt op geen enkele manier medeplichtigheid aan een zwaar misdrijf.'

Leach aarzelde even, trok toen een la open en haalde een eenvoudige sleutel tevoorschijn. Ze zei: 'Het is een blauwe Chevrolet sedan. Ik moet hem voor het einde van de dag terug hebben. U kunt hem niet vannacht houden.'

'Van wie is die rode sportwagen buiten?'

Leach zei: 'Die is van majoor Turner.'

'Ken jij die lui in Afghanistan?'

Leach knikte. 'Dat zijn vrienden van me.'

'Zijn ze goed?'

'Beter vind je ze niet.'

11

Er stonden drie Chevrolet sedans op het parkeerterrein van het hoofdkwartier, twee ervan waren oud, maar er was er maar één die oud en blauw was. Hij was vuil en gebutst en stond laag op zijn vering en hij had minstens een miljoen stadskilometers op de teller staan. Maar hij startte direct en hij liep stationair als een zonnetje. Dat was ook nodig, want er was veel verkeer midden op de dag. Veel verkeerslichten, lange rijen wachtende auto's en veel verstopte wegen. Maar het kostte dit keer minder tijd om bij Dyer binnen te komen. De wachtposten bij de hoofdingang waren relatief vriendelijk. Reacher vermoedde dat Leach opnieuw moest hebben gebeld. Wat betekende dat ze langzamerhand een kleine bondgenoot werd. En dat beviel hem wel. Met een sergeant aan je zijde draaide de wereld soepel en probleemloos rond. Terwijl een sergeant die zich tegen je keerde, je dood kon betekenen.

Hij parkeerde de auto en liep naar binnen, waar het weer trager werd. Een vrouw achter een balie belde deze en gene, maar het lukte haar niet om Moorcroft te vinden. Niet in het bezoekerskwartier, niet in de kantoren van de juristen, niet in het wachtlokaal en niet in het cellencomplex. Dat betekende dat er nog maar één plek over was waar hij zou kunnen zijn. Reacher liep verder, dieper het complex in, tot hij een bordje zag met een pijl: OFFICIERSMESS. Het was een laat tijdstip voor ontbijt, maar laat ontbijten was natuurlijk gedrag voor personeel van de hogere rangen. En zeker als die personen met een hogere rang tevens academische intellectuelen waren, die even op bezoek waren.

De eetzaal van de officiersmess was een prettige, vriendelijke ruimte, laag, breed en lang, onlangs opnieuw ingericht, waarschijnlijk door dezelfde man die de eetzalen deed in middenklasse hotelketens. Veel hout in lichte tinten en zachtgroene stoffen. Veel hoekige scheidingswandjes en dus veel zitjes met privacy. Er lag tapijt op de vloer. Voor de ramen hing luxaflex die halfopen gedraaid was. Zomaar ineens herinnerde Reacher zich dat Manual Orozco in kamer 110 een standaardgrapje over jaloezieën had: *How do you make a venetian blind? You poke his eyes out.*

Reacher liep verder. De meeste zitjes waren verlaten, maar in een ervan zat Moorcroft. Het was een kleine, mollige man van middelbare leeftijd met een vriendelijke uitdrukking op zijn gezicht. Hij droeg een dagelijks tenue, zijn naam groot en duidelijk op de flap van zijn rechterborstzak. Hij at toast aan een grote, afgezonderde tafel voor vier.

En recht tegenover hem zat majoor Sullivan, Reachers advocaat voor de Big Dog-zaak. Sullivan at niet. Ze had al ontbeten, met Reacher, in het Griekse restaurant. Ze had beide handen om een kop koffie geslagen, verder niets, en praatte en luisterde, zo op het oog heel respectvol, zoals majoors vaak converseren met kolonels, en studenten met docenten.

Reacher stapte het kleine privégebied in, trok een stoel achteruit en ging tussen hen in aan tafel zitten. Hij zei: 'Bezwaar als ik erbij kom zitten?'

Moorcroft vroeg: 'Wie ben jij?'

Sullivan zei: 'Dit is majoor Reacher. Mijn cliënt. Over wie ik vertelde.'

Met neutrale stem.

Moorcroft keek Reacher aan en zei: 'Als er zaken zijn die je wilt bespreken, is majoor Sullivan vast wel genegen een afspraak met je te maken op een tijdstip dat het iets beter uitkomt.'

'Ik wil met u praten,' zei Reacher.

'Met mij? Waarover?'

'Susan Turner.'

'Heb jij een belang bij de zaak?'

'Waarom is er geen beroep aangetekend tegen haar voorlopige hechtenis?'

'Je zult eerst een geldig belang moeten aantonen voordat we op de zaak kunnen ingaan.'

'Elke burger heeft een geldig belang als het de eerlijke rechtsgang van een andere burger betreft.'

'Vind je dat mijn aanpak tot nu toe niet correct is?'

'Ik zal beter in staat zijn om daar een oordeel over te vellen als u mijn vraag hebt beantwoord.'

'Majoor Turner is beschuldigd van een ernstig misdrijf.'

'Maar voorlopige hechtenis mag niet het karakter van een straf hebben. Voorlopige hechtenis mag niet zwaarder zijn dan noodzakelijk, om te waarborgen dat de verdachte aanwezig zal zijn tijdens het proces. Zo zijn de regels.'

'Ben jij advocaat? Je naam doet geen belletje rinkelen.'

'Ik ben MP geweest. In feite *ben* ik MP. Weer helemaal opnieuw. Het betekent dat ik genoeg weet van wetgeving.'

'Echt? Ongeveer net zo als een loodgieter de principes kent achter vloeistofmechanica en thermodynamica?'

'Niet zo onbescheiden, kolonel, recht is geen rakettechnologie.'

'Leg het me dan maar eens uit, alsjeblieft.'

'De situatie van majoor Turner vereist geen voorlopige hechtenis. Ze is officier in het leger van de Verenigde Staten. Ze zal niet op de vlucht slaan.'

'Is dat een persoonlijke garantie?'

'Bijna. Ze is commandant van het 110th MP. Dat ben ik ook geweest. Ik zou niet zijn gevlucht. Dat zal zij ook niet doen.'

'Er zijn aspecten van landverraad in het spel.'

'In het spel misschien, maar niet in de echte wereld. Niemand denkt in termen van landverraad. Dan hadden ze haar niet naar Dyer gebracht. Dan had ze allang in de Caraïben gezeten.'

'Maar toch, het is wat anders dan een verkeersboete.'

'Ze slaat niet op de vlucht.'

'Nogmaals, is dat een persoonlijke garantie?'

'Het is een gewogen oordeel.'

'Kent u haar eigenlijk?'

'Niet echt.'

'Sodemieter dan op, majoor.'

'Waarom heeft ze u geïnstrueerd te voorkomen dat ik haar zou bezoeken?'

'Dat heeft ze niet gedaan, technisch gesproken. Die instructie was doorgegeven door de advocaat van dienst. Aan het einde van de middag op een niet nader gespecificeerd tijdstip. Dus de restrictie was al van kracht toen ik de zaak overnam, de volgende ochtend. Gisteren dus.'

'Ik wil dat u haar vraagt of ze er nog eens over wil nadenken.'

Moorcroft gaf geen antwoord. Sullivan leunde iets naar voren om deel te nemen aan het gesprek, keek Reacher aan en zei: 'Kapitein Edmonds heeft me verteld dat ze met je gesproken heeft. Over de zaak Candice Dayton. Ze zei dat ze je had aangeraden om proactieve stappen te ondernemen. Heb je dat al gedaan?'

Reacher zei: 'Dat komt nog.'

'Dat zou je hoogste prioriteit moeten hebben. Kleine nuances zijn belangrijk bij zo'n zaak.'

'Dat komt nog,' zei Reacher opnieuw.

'We hebben het over je dochter. Die woont in een auto. Dat is belangrijker dan theoretische zorgen om de mensenrechten van majoor Turner.'

'Het kind is bijna vijftien en ze woont in Los Angeles. Ze heeft ongetwijfeld eerder in een auto geslapen. En als ze mijn kind is, kan ze dat ook nog wel een paar dagen langer volhouden.'

Moorcroft zei: 'Ik denk dat majoor Sullivan en kapitein Edmonds proberen duidelijk te maken dat je geen paar dagen meer hebt. Afhankelijk van wat de aanklagers van plan zijn te doen met de zaak Rodriguez, bedoel ik. Ik kan me zo voorstellen dat ze zich glunderend in de handen wrijven. Want het is een perfecte storm. Duidelijk bewijsmateriaal en een rampzalig pr-aspect.'

'Dat duidelijke bewijsmateriaal is duidelijk gelul.'

Moorcroft glimlachte, doorgewinterd en coulant. 'Je bent niet de eerste aangeklaagde die dat beweert, weet je.'

'De man is dood. Maar ik heb het recht om de getuige à charge een kruisverhoor af te nemen. Dus hoe kan dit ooit rechtmatig zijn?'

'Dat is een ongelukkige bijzondere omstandigheid. De beëdigde verklaring regeert over het graf heen, het is en blijft een beëdigde verklaring. Een kruisverhoor zal niet mogelijk zijn.'

Reacher keek Sullivan aan. Uiteindelijk was zij zijn raadsvrouw. Ze zei: 'De kolonel heeft gelijk. Ik heb het je gezegd, ik kan een deal voor je regelen. Daar zou je op in moeten gaan.'

Toen vertrok ze. Ze dronk het restje van haar koffie op, kwam overeind, nam afscheid en liep weg. Reacher keek haar na en keerde zich toen weer naar Moorcroft.

Hij vroeg: 'Gaat u beroep aantekenen tegen de voorlopige hechtenis van majoor Turner?'

'Ja,' zei Moorcroft. 'Dat ga ik inderdaad doen. Ik ga vragen dat haar bewegingsvrijheid wordt beperkt tot de grenzen van het militaire district, en ik vermoed dat dat verzoek zal worden ingewilligd. Over niet al te lange tijd loopt ze weer buiten rond.'

'Wanneer start u dat proces op?'

'Ik zal de papierwinkel voor elkaar maken zodra je me de kans hebt gegeven mijn ontbijt af te maken.'

'Wanneer wordt daar een besluit over genomen?'

'Tegen de middag, verwacht ik.'

'Dat is goed.'

'Goed of slecht, het is allemaal niet jouw zaak, majoor.'

Moorcroft bleef nog een minuutje broodkruimels zoeken op zijn bord. Toen stond hij op zijn beurt op, zei: 'Een goede dag verder, majoor,' en wandelde de eetzaal uit. Hij waggelde een beetje bij het lopen. Meer academisch dan militair. Maar geen slechte kerel. Reacher had het gevoel dat de man het hart op de juiste plaats had zitten.

Samantha Dayton.

Sam.

Veertien jaar oud.

Dat komt nog.

Reacher liep dwars door het complex naar de noordkant, naar het wachtlokaal, waar een andere kapitein het bevel voerde. Niet Weiss, die er de vorige avond had gezeten. De man die er nu zat, was een benige zwarte man van meer dan twee meter, rank als een potlood, opgevouwen op een stoel die veel te klein voor hem was. Reacher vroeg of hij Susan Turner mocht bezoeken. De man keek in de groene ringband en wees het verzoek af.

Niet geschoten, altijd mis.

Dus liep Reacher terug naar waar hij de oude, blauwe Chevrolet had geparkeerd, en reed hij terug naar het hoofdkwartier van het 110th, waar hij de auto achterliet op dezelfde plek waar hij hem had aangetroffen. Hij ging naar binnen en gaf Leach de sleutel terug. Ze was opnieuw uit haar doen. Nerveus, gestrest en gespannen. Niet heel erg, maar wel zichtbaar. Reacher zei: 'Wat is er?'

Leach zei: 'Kolonel Morgan is er niet.'

'Je zegt het alsof dat niet goed is.'

'We hebben hem nodig.'

'Ik zou niet weten waarvoor.'

'Hij is de commandant.'

'Nee, majoor Turner is je commandant.'

'Maar die is er ook niet.'

'Wat is er gebeurd?'

'De jongens in Afghanistan hebben zich voor de tweede keer niet gemeld. We hebben nu al achtenveertig uur niets van ze gehoord. Daarom moeten we iets doen. Maar Morgan is er niet.'

Reacher knikte. 'Hij past waarschijnlijk een nieuw plassertje. In zijn achterwerk. Dat is waarschijnlijk een langdurige bezigheid.'

Hij liep verder, de gang op de begane grond in, naar het tweede kantoor links. Kamer 103, de post van de officier van dienst. De man was aanwezig. Hij zat achter zijn enorme bureau, een knappe maar bezorgde zuiderling. Zijn krabbels waren zwartgalliger dan ooit. Reacher vroeg: 'Heeft Morgan je niet verteld waar hij te bereiken is?'

'Pentagon,' zei de man. 'Vergadering.'

'Dat is alles wat hij heeft gezegd?'

'Geen details.'

'Heb je gebeld?'

'Natuurlijk. Maar het Pentagon is groot. Ze kunnen hem nergens vinden.'

'Heeft hij een mobiel?'

'Die staat uit.'

'Hoe lang is hij al weg?'

'Bijna een uur.'

'Wat zou hij volgens jou moeten doen?'

'Een verzoek voor een opsporingsoperatie goedkeuren natuurlijk. Elke minuut telt. En we hebben daar zat mensen. De 1ste infanteriedivisie. Special Forces. En helikopters, en drones, en satellieten en allerlei luchtverkenningsmaterieel.'

'Maar je weet niet eens waar jullie mensen zouden moeten zijn, of wat ze verondersteld worden te doen.'

De officier van dienst knikte en priemde met zijn duim naar het plafond. Naar de kantoren boven. Hij zei: 'De missie is opgeslagen in de computer van majoor Turner. Nu de computer van kolonel Morgan. Beveiligd met een wachtwoord.'

'Gaat de radiocontrole via Bagram?'

De man knikte opnieuw. 'Het zijn voornamelijk routinegegevens. Bagram stuurt ons een transcriptie. Maar als er iets urgents is, worden ze met ons doorverbonden, hier in dit kantoor. Via een beveiligde telefoonlijn.'

'Wat heb je de laatste keer doorgekregen? Routine of urgent?'

'Routine.'

'Oké,' zei Reacher. 'Bel Bagram en vraag of ze een schatting willen geven hoe ver weg de mannen zijn. Op grond van die laatste communicatie.'

'Weten ze dat bij Bagram?'

'Die radiomensen kunnen dat meestal aardig inschatten. Op grond van het geluid, en de sterkte van het signaal. Soms puur intuïtief. Het is hun werk. Vraag ze maar een zo goed mogelijke schatting, tot op tien kilometer nauwkeurig.'

De officier van dienst pakte een telefoon. Reacher liep terug naar Leach bij de balie in de hal. Hij zei: 'Pak de telefoon en bel de komende tien minuten iedereen die je maar kent in het Pentagon. Alles geoorloofd om Morgan te vinden.'

Leach pakte de telefoon.

Reacher wachtte.

Tien minuten later had Leach niets bereikt. Zo verwonderlijk was dat nu ook weer niet. Het Pentagon had meer dan zevenentwintig kilometer gangen en bijna vierhonderdduizend vierkante meter kantoorruimte, waar zich op een willekeurige dag meer dan dertigduizend mensen ophielden. Proberen daar iemand te vinden was zoiets als een speld zoeken in de meest geheimzinnige hooiberg ter wereld. Reacher liep terug naar 103. De officier van dienst zei: 'In de radiokamer in Bagram denken ze dat onze jongens op een afstand van driehonderdvijftig kilometer zitten, misschien driehonderdzestig.'

'Dat is iets om mee te beginnen,' zei Reacher.

'Niet echt, want we weten niet welke kant op.'

'Bij twijfel, gewoon gokken. Dat was altijd mijn motto.'

'Afghanistan is een groot land.'

'Ik weet het,' zei Reacher. 'En het is nergens erg plezierig, als ik het goed begrepen heb. Maar waar is het het ergste?'

'In de bergen. Langs de grens met Pakistan. Het stammengebied van de Pathanen. In grote lijnen het noordoosten. Daar gaat niemand voor zijn plezier heen.'

Reacher knikte. 'Precies het soort plek waar ze het 110th naartoe sturen. Bel de bevelhebber van de basis en vraag hem een zoekactie vanuit de lucht op te starten, te beginnen vanaf driehonderdvijfenvijftig kilometer ten noordoosten van Bagram.'

'Maar dat zou helemaal de verkeerde kant op kunnen zijn.'

'Zoals ik al zei, het is een gok. Weet jij iets beters?'

'Ze doen het sowieso niet. Niet als ik dat vraag. Voor zoiets moet minstens een majoor of zo de order geven.'

'Gebruik Morgans naam maar ijdel dan.'

'Dat kan ik niet doen.'

Reacher luisterde. Alles was stil. Er kwam niemand aan. De officier van dienst wachtte, zijn hand tot een vuist gebald, halverwege tussen zijn schoot en de telefoon.

Je bent terug in het leger, majoor.

Je behoudt je oude rang.

Je wordt ingedeeld in deze eenheid.

'Gebruik mijn naam,' zei Reacher.

12

De officier van dienst belde en vanaf dat moment nam het militaire apparaat het over, ver weg en onzichtbaar en ijverig, aan de andere kant van de wereld, negen tijdzones en bijna dertienduizend kilometer verderop: plannen, instrueren, voorbereiden, bewapenen, tanken. In het oude bakstenen gebouw in Rock Creek werd het stil.

Reacher vroeg: 'Hoeveel andere mensen hebben jullie buiten de poort actief?'

'Wereldwijd? Veertien.'

'Dichtstbijzijnd?'

'Op dit moment Fort Hood in Texas. Die klus van majoor Turner daar afronden.'

'Hoeveel in gevaarlijke situaties?'

'Dat is geen vast gegeven, toch? Acht à tien misschien.'

'Is Morgan wel eens eerder een tijd spoorloos geweest?'

'Dit is pas zijn derde dag hier.'

'Hoe was majoor Turner als commandant?'

'Ze was hier nog niet zo lang. Pas een paar weken.'

'Eerste indruk?'

'Uitstekend.'

'Is deze toestand in Afghanistan van haar, of heeft ze die geërfd?'

'Het is haar zaak,' zei de officier van dienst. 'Het is het tweede wat ze heeft gedaan, na Fort Hood.'

Reacher was nooit in Bagram geweest, of ergens anders in Afghanistan, maar hij wist hoe het werkte. Sommige dingen veranderen nooit. Niemand hield ervan om rond te lummelen en niets te doen, en niemand vond het leuk als eigen mensen in problemen raakten. Zeker niet in die stammengebieden, waar het leven zo wreed en primitief was dat je er niet eens over wilde nadenken. Dus ze zouden die zoektocht gretig ondernemen. Ze zouden luchtsteun nodig hebben, en een overweldigende lucht-grondvuurkracht. Veel bewegend materieel. Dat betekende dat het enige tijd zou vergen om de missie te plannen. Minstens twee uur, dacht Reacher, om alles op een rijtje te krijgen. Geen snelle oplossingen.

Reacher bracht de rest van de tijd die hij moest wachten wandelend door. Terug naar het motel, voorbij het motel, en toen linksaf en rechtsaf door de lange straten naar het vervallen blok winkels met het Griekse restaurant, dat hij negeerde omdat hij geen honger had. Hij negeerde de lijstenmaker omdat hij niets had om in te lijsten, en hij negeerde de wapenwinkel omdat hij geen wapen wilde kopen, en hij negeerde de tandarts-zonder-afspraak omdat er niets mankeerde aan zijn gebit. Hij ging naar de ijzerwinkel en kocht een bruine werkbroek van canvas, en een blauw werkhemd van canvas, en een korte, bruine jas met een gewatteerde voering die was gemaakt van een of ander gepatenteerd, isolerend wondermateriaal. Daarna liep hij naar de drogisterij, waar hij sokken kocht voor een dollar, een boxershort en twee witte t-shirts, die hij van plan was over elkaar heen te dragen onder zijn werkhemd, want de stof van de t-shirts leek hem dun, en het zag er nog niet naar uit dat het warmer zou worden. Hij kocht een pakje met drie wegwerpscheermesjes, de kleinste verpakking die ze hadden, een spuitbus scheerschuim, de kleinste die ze hadden, en twee pakjes kauwgum en een plastic kam.

Hij nam zijn aankopen mee naar het motel, twee lange straten door en maakte de deur van zijn kamer open. Tijdens zijn afwezigheid was er schoongemaakt. Het bed was opgemaakt en de povere toiletartikelen in de badkamer waren vervangen. Nieuwe handdoeken, droog maar nog steeds dun, een nieuw verpakt stukje zeep, nog steeds klein, en een nieuw piepklein flesje shampoo, chemisch nog steeds vergelijkbaar met afwasmiddel. Hij kleedde zich uit in de kou, propte zijn oude kleren in de prullenbakken, de helft in de badkamer en de andere helft in de kamer, want het waren kleine prullenbakjes, schoor zich zorgvuldig en ging voor de tweede keer die dag onder de douche.

Hij deed de verwarming onder het raam in de kamer aan en droogde zich af met de kleine handdoek in de rauwe heteluchtstroom van de verwarming, omdat hij de grote handdoek wilde bewaren voor een toekomstige gelegenheid. Hij trok zijn nieuwe kleren aan en zijn oude schoenen, en kamde zijn haar. Hij controleerde het resultaat in de badkamerspiegel en was tevreden met wat hij zag. Hij oogde in ieder geval schoon en fris, beter zou het nooit worden.

Over niet al te lange tijd loopt ze weer buiten rond.

Reacher liep terug naar het 110th. De vier lagen stof en het magische isolatiemateriaal deden wat ze moesten doen. Hij hield zijn lichaam prima op temperatuur. De poort van het hoofdkwartier was open. De wachtpost van de dagdienst zat in het wachthokje. De auto van Morgan stond weer op het parkeerterrein. De onopvallende personenwagen. De auto die Reacher de dag ervoor had gezien, 's avonds, met Morgan aan het stuur, keurig netjes. Reacher maakte een omweg langs de auto en legde zijn hand op de motorkap. Die was warm. Bijna heet. Morgan was nog maar net terug.

Dat verklaarde veel van het gedrag van Leach. Ze zat zwijgend en gespannen achter de balie in de hal. Achter haar, in de gang op de begane grond, stond de officier van dienst doodstil. Hij deed niets. Ze hoefden Reacher niets te vertellen. Hij keerde zich om en liep de oude stenen trap op. Derde kantoor rechts. Hij klopte en liep naar binnen. Morgan zat aan het bureau, met strak getrokken lippen en woedend, hij trilde bijna van kwaadheid.

Reacher zei: 'Aardig van u, kolonel, om even langs te komen.'

Morgan zei: 'Wat jij net hebt gedaan, kost het Pentagon meer dan dertig miljoen dollar.'

'Een prima uitgave.'

'Dat wordt nog een zaak voor de krijgsraad erbij.'

'Misschien,' zei Reacher. 'Maar dan wel uw zaak en niet de mijne. Ik weet niet waar u eerder gestationeerd bent geweest, kolonel, maar dit is geen amateursport. Niet hier. Niet bij deze eenheid. Twee van uw mannen waren in gevaar en u bent twee hele uren onbereikbaar geweest. U hebt niet doorgegeven waar u naartoe ging en uw telefoon stond uit. Dat is volstrekt onacceptabel.'

'Die mannen zijn niet in gevaar. Die snuffelen een beetje rond voor een onbelangrijk onderzoek.'

'Ze hebben zich twee keer achter elkaar niet gemeld via de radio.'

'Zaten waarschijnlijk niets te doen, net als de rest van deze klote-eenheid.'

'In Afghanistan? Waar? In de kroegen en de nachtclubs? Een verkenningstocht langs de bordelen? Een dagje aan het strand? Wordt volwassen, idioot. Radiostilte uit Afghanistan is automatisch slecht nieuws.'

'Het was mijn beslissing.'

'U zou een beslissing nog niet herkennen als die bij uw been omhoogkroop en u in uw kont beet.'

'Sla niet zo'n toon tegen mij aan.'

'Of anders?'

Morgan zei niets.

Reacher vroeg: 'Hebt u de zoektocht geannuleerd?'

Morgan gaf geen antwoord.

Reacher zei: 'En u hebt ook niet gezegd dat we op de verkeerde plaats zochten. Ik had dus gelijk. Die mannen zijn zoek bij de grens in het stammengebied. U had dit vierentwintig uur geleden moeten doen. Ze zitten echt in de problemen.'

'Je had het recht niet om je ermee te bemoeien.'

'Ik ben terug in het leger. Ik ben aan deze eenheid toegewezen en ik draag de rang van majoor. Dat betekent dat het woord bemoeien niet op zijn plaats is. Ik heb mijn werk gedaan en naar behoren. Net als ik altijd heb gedaan. U moet even goed luisteren en het een en ander in uw oren knopen, kolonel. Een tiental of meer van uw mannen zijn actief buiten de poort, zonder bescherming en kwetsbaar, en u zou aan niets anders moeten denken, dag en nacht. U zou de klok rond een exact telefoonnummer moeten achterlaten, en u zou uw mobiel op elk moment ingeschakeld moeten hebben, en u zou op elk moment klaar moeten staan om de telefoon aan te nemen, waar u dan ook mee bezig zou zijn.'

Morgan zei: 'Ben je klaar?'

'Ik ben nog maar net begonnen.'

'Het is je duidelijk dat je onder mijn bevel staat?'

Reacher knikte. 'Het leven hangt van mallotigheid aan elkaar.'

'Luister dan goed, majoor. Je orders zijn gewijzigd. Vanaf nu heb je kwartierarrest. Ga onmiddellijk terug naar je motel en blijf daar tot je weer van mij hoort. Verlaat je kamer onder geen enkele omstandigheid. Probeer niet om in contact te komen met wie dan ook van deze eenheid.'

Reacher zei niets.

Morgan zei: 'Je kunt inrukken, majoor.'

De officier van dienst stond nog steeds in de gang op de begane grond. Leach zat roerloos achter de balie. Reacher liep de trap af en haalde zijn schouders naar hen op. Deels verontschuldigend, deels alsof hij zielig was, deels de universele manier van militairen waar dan ook om uit te drukken: *zelfde gedonder als altijd*. Toen liep hij naar buiten, het stenen trapje af, de koude middaglucht in. De lucht klaarde op. Er zat hier en daar een beetje blauw in.

Reacher liep de heuvel af langs de weg. Een bus passeerde hem. De stad uit, niet de stad in. De wereld in, en weg. Hij liep verder, door een kom, tegen een flauwe helling op. Hij zag het motel voor zich, rechts, zo'n honderd meter verderop.

Hij bleef staan.

De auto met de gedeukte portieren stond op de parkeerplaats van het motel.

13

De auto was gemakkelijk te herkennen, zelfs van een afstand. Merk, model, vorm, kleur, de lichte vervorming in het staal aan de bestuurderskant. Hij stond alleen op de parkeerplaats, ongeveer ter hoogte van zijn kamer, dacht Reacher. Hij deed drie stappen vooruit, schuin over het trottoir naar de stoeprand, voor een betere hoek, en zag vier mannen die uit zijn kamer kwamen.

Twee van hen waren even gemakkelijk te herkennen als de auto. Het waren de twee van de vorige avond. Honderd procent zeker. Vorm, postuur, kleur. De andere twee waren nieuw. Niets bijzonders aan de eerste van de twee. Groot, jong, dom. Even erg als die twee maten van hem.

De vierde man was anders.

Hij leek een beetje ouder dan de anderen, en hij was iets groter dan hen, zodat hij dicht in de buurt kwam van Reachers afmetingen. Een meter negentig misschien, en honderdtien kilo. Maar een en al spieren. Gigantische dijen, smalle heupen, kolossale borst, als een zandloper, als een stripfiguur. En bultige schouders, en armen die los hingen van zijn lichaam, puur en alleen door de omvang van zijn borstspieren en triceps. Als een wereldkampioen turnen, maar dan twee keer zo groot.

Maar het was het hoofd dat pas echt bijzonder was. Het was geschoren en het zag eruit alsof het in elkaar was gelast met vlakke platen staal. Kleine ogen en zware wenkbrauwen en scherpe jukbeenderen en kleine, verkreukelde oren als pastavormpjes. Hij had een rechte rug en straalde kracht uit. Slavisch, op de een of andere manier. Als een jongen op een oude poster uit een wervingscampagne van het Rode Leger. Het ideaalbeeld van de sovjetheld. Hij had een vlag moeten dragen, met één hand, trots, zijn ogen gericht op een gouden toekomst ver weg.

De vier mannen sloften naar buiten en deden de deur achter zich dicht. Reacher liep verder, nog negentig meter, toen tachtig. Een sprinter op de Olympische Spelen zou de afstand in ongeveer acht seconden kunnen overbruggen, maar Reacher was geen sprinter, niet olympisch en op geen enkele andere wijze. De vier mannen liepen naar hun auto. Reacher liep verder. De vier mannen openden de portieren en vouwden zich op in de auto, twee achterin, twee voorin. Reacher liep verder. Zeventig meter, zestig. De auto reed over de parkeerplaats, stopte aan de rand van de weg en wachtte op een gaatje in het verkeer, wachtte om de weg op te draaien. Reacher wilde dat de auto zijn kant op zou draaien. *Linksaf*, dacht hij. *Alsjeblieft.*

Maar de auto sloeg rechts af, voegde zich in de verkeersstroom en reed weg in de verte en verdween uit zicht.

Een minuut later stond Reacher voor de deur van zijn kamer, hij deed hem van slot, opende hem en stapte naar binnen. Er was niets overhoop gehaald. Er was niets kapot gescheurd, omgegooid of vernield. Dat betekende dat ze niet grondig hadden gezocht. Alleen even rondgekeken, om een eerste indruk te krijgen.

En wat zou die moeten zijn dan?

Een natte douchebak, een natte handdoek en wat kleren in de prullenbakken en wat gebruikte toiletartikelen bij de wastafel. Alsof hij net was opgestaan en vertrokken. Wat ze hem hadden opgedragen, per slot van rekening. *Zorg als de bliksem dat je verdwijnt, nu. Iedere avond dat we je hier aantreffen, geven we je een pak op je donder.*

Misschien dachten ze wel dat hij naar hen had geluisterd.

Misschien ook niet.

Hij liep de kamer weer uit naar het kantoortje van het motel. In het kantoortje zat een verschrompeld mannetje van ongeveer veertig, een en al slechte huid en uitstekende botten, hoog op een kruk achter de balie. Reacher zei: 'Je hebt vier mannen in mijn kamer gelaten.'

De man zoog lucht tussen zijn tanden door en knikte.

Reacher zei: 'Leger?'

De man knikte opnieuw.

'Hebben ze zich gelegitimeerd?'

'Was niet nodig. Je kon het aan ze zien.'

'Doe je veel zaken met het leger?'

'Genoeg.'

'Genoeg om geen vragen te stellen?'

'Jij snapt het, chef. Als het om het leger gaat, ben ik zo meegaand als wat. Want de schoorsteen moet roken. Hebben ze iets verkeerds gedaan?'

'Helemaal niets,' zei Reacher. 'Heb je toevallig namen opgevangen?'

'Alleen die van jou.'

Reacher zei niets.

'Verder nog iets wat ik voor je kan doen?'

'Ik kan wel een schone handdoek gebruiken,' zei Reacher. 'En meer zeep, denk ik. En meer shampoo. En je zou mijn prullenbakken kunnen legen.'

'Je zegt het maar,' zei de man. 'Als het om het leger gaat, ben ik zo meegaand als wat.'

Reacher liep terug naar zijn kamer. Er was geen stoel. Dat was weliswaar geen inbreuk op de Conventie van Genève, maar kwartierarrest werd op die manier wel vermoeiend voor een grote, rusteloze man. Bovendien was het alleen maar een motel, zonder roomservice. Zonder eetzaal, en ook geen cafetaria voor een vette hap aan de overkant van de straat. En geen telefoon en dus ook geen bezorgservice. Dus Reacher sloot de deur weer af en liep naar de Griekse eettent, twee straten verderop. In theorie een zware overtreding in het licht van zijn orders, maar hoe het ook zou lopen, futiliteiten zouden niet zwaar wegen, niet de ene kant op en niet de andere kant op.

Tijdens de wandeling zag hij niets, behalve nog een stadsbus, die de stad uit reed, en een vuilniswagen die zijn ronde deed. Bij het restaurant gaf een hostess hem een tafel aan de andere kant van de ruimte, vergeleken met waar hij had ontbeten, en werd hij bediend door een andere serveerster. Hij bestelde koffie en een cheeseburger en een stuk taart en genoot van alle drie. Onderweg terug zag hij niets, behalve nog een bus die de stad uit reed, en een tweede vuilniswagen die zijn ronde deed. Minder dan een uur nadat hij zijn kamer verlaten had, was hij terug. De verkreukelde man had een schone handdoek gebracht, en een nieuw zeepje, en nieuwe shampoo. De prullenbakken waren leeg. Beter zou het er in de kamer niet op worden. Hij ging op het bed liggen, sloeg zijn enkels over elkaar en zijn handen achter zijn hoofd en overwoog een dutje te doen. Maar dat was hem niet vergund, want nog geen minuut nadat hij zijn hoofd op het kussen had gelegd, verschenen drie onderofficieren van het 75th MP om hem te arresteren.

14

Ze kwamen met een auto en reden hard. Reacher hoorde hen aankomen op de weg, hij hoorde hen van de weg de parkeerplaats op bonken en slippend keren en hard remmen om te stoppen. Hij hoorde drie portieren opengaan, drie afzonderlijke complexe geluiden ongecoördineerd na elkaar, allemaal binnen dezelfde seconde, en hij hoorde drie paar zware schoenen op de grond stampen, dus drie man, niet vier, en dat betekende dat het niet die vier van de auto met de gedeukte portieren waren. Even gebeurde er niets, met uitzondering van de voetstappen van iemand die snel wegliep. Iemand die om het blok heen rende om de achterkant te dekken. Verspilde moeite, want er was geen badkamerraam, maar dat wist de man natuurlijk niet, en je kon maar beter het zekere voor het onzekere nemen. Wat betekende dat hij te maken had met mannen die hun vak verstonden.

Hij haalde zijn handen achter zijn hoofd vandaan en ging rechtop op het bed zitten. Hij zwaaide zijn benen over de rand en zette zijn voeten op de vloer. Precies op dat moment begon het bonzen op de deur. Het leek in niets op het beleefde *klop, klop, klopperdeklop* van majoor Sullivan, die ochtend om zes uur. Dit was een ongeremd *boem, boem, boem*, door grote sterke kerels die waren getraind om een verlammende eerste indruk te maken. Niet zijn eigen tactiek. Hij had zich altijd ongemakkelijk gevoeld bij het maken van veel lawaai.

De mannen buiten hielden lang genoeg op met bonzen om een paar keer iets te roepen. *Openmaken, openmaken*, dacht Reacher. Toen begonnen ze weer te bonzen. Reacher stond op en liep naar de deur. Hij bonsde aan de binnenkant op de deur, even hard en even luid. Het bonzen buiten hield op. Reacher glimlachte. Niemand verwacht dat een deur iets terugzegt.

Hij deed de deur open en zag twee mannen in gevechtstenue. De een had een getrokken pistool, de ander een shotgun. Dat maakte het een verdomd serieuze aangelegenheid voor zomaar een middag in het stedelijke gebied van Virginia. Drie van de portieren van de auto achter hen stonden open. De motor liep stationair.

Reacher zei: 'Wat?'

De man aan de scharnierkant van de deur had de leiding. De veiligste plek voor de commandant. Hij zei: 'Meneer, u moet met ons meekomen.'

'Wie zegt dat?'

'Zeg ik.'

'Eenheid?'

'75th MP.'

'Order van?'

'Dat hoort u later.'

De naam van de man op het plaatje was Espin. Hij had ongeveer de afmetingen van een lichtgewicht bokser, donker haar, was stevig en gespierd, en had een platgeslagen neus. Hij zag eruit als iemand die deugde. Reacher had wel iets met onderofficieren. Niet zoveel als met sergeants, maar meer dan met de meeste officieren.

Hij vroeg: 'Is dit een arrestatie?'

'Wilt u dat graag?' vroeg Espin. 'Dan zou ik blijven praten.'

'Maak een keuze, soldaat. Het is het een of het ander.'

'Ik geef de voorkeur aan vrijwillige medewerking.'

'Blijf maar lekker dromen.'

'In dat geval arresteer ik u.'

'Hoe heet je?'

'Espin.'

'Voornaam?'

'Waarom?'

'Ik wil je naam onthouden zolang ik leef.'

'Is dat een dreigement?'

'Hoe heet je?'

'Pete,' zei de man.

73

'Mooi,' zei Reacher. 'Pete Espin. Waar gaan we heen?'

'Fort Dyer,' zei Pete Espin.

'Waarom?'

'Iemand wil u spreken.'

De derde man kwam terug vanachter het gebouw. Ondergeschikt aan Espin, maar louter in technische zin. Ze oogden alle drie als veteranen. Hadden alles al eens meegemaakt, alles al eens gedaan. Espin zei: 'We fouilleren u eerst.'

'Ga je gang,' zei Reacher. Hij spreidde zijn armen. Hij had niets te verbergen. Het enige wat hij in zijn zakken had, waren zijn paspoort, zijn pinpas, zijn tandenborstel, wat los geld, kauwgum en de sleutel van zijn motelkamer. Het kostte hen weinig tijd dat te constateren. De man met de shotgun gebaarde hem naar de auto. Naar de achterbank aan de passagierskant. De veiligste plek voor het vervoeren van een schurk in een vierpersoonsauto zonder veiligheidsscherm. De kleinste kans dat de schurk zich met de bestuurder bemoeit. De man die op zoek was gegaan naar het badkamerraam ging achter het stuur zitten. Espin ging naast Reacher zitten. De man met de shotgun deed het portier achter Reacher dicht en klom voorin naast de bestuurder. Alles soepel, probleemloos, professioneel. Een goed team.

Het was na lunchtijd en vóór het spitsuur, dus de wegen waren vrij en de rit verliep snel, langs een andere route dan de route die Reacher eerder had genomen, door een wirwar van straten naar de noordingang van Dyer, die veel minder leek te worden gebruikt dan de hoofdingang aan de zuidkant. Maar de beveiliging was er niet minder om. Het vergde enige tijd om binnen te komen. Drakentanden, slagbomen en controles, drie keer. Daarna reden ze met een grote boog terug over het complex en kwamen uit bij de achteringang van het wachtlokaal. Ze lieten Reacher uitstappen en door de ingang naar binnen gaan, waar iemand hem opwachtte. Niet echt een cipier. Meer een administratief medewerker of een leidinggevende. Hij was ongewapend, net als het meeste gevangenispersoneel, en had een bos sleutels aan zijn riem. Hij bevond zich in een kleine vierkante hal, met vergrendelde quarantainedeuren links en rechts.

Ze leidden Reacher door de deur links naar een verhoorkamer. Een kamer zonder ramen. Vier kale muren, een tafel die was vastgeschroefd aan de vloer met aan de ene kant twee stoelen, aan de andere kant één stoel. De kamer was niet ontworpen door de man die de eetzaal voor zijn rekening had genomen. Dat was duidelijk. Geen hout in lichte tinten of vloerbedekking. Alleen afgebladderde witte verf op gasbetonblokken en een betonnen vloer met scheuren en een gloeilamp in een korfarmatuur van staaldraad aan het plafond.

Iemand van Dyer die Reacher nog niet eerder had gezien kwam binnen met een plastic zak en nam al Reachers spullen mee. Reacher ging zitten aan de kant van de tafel waar één stoel stond. Het leek hem dat die plek voor hem bedoeld was. Espin ging tegenover hem zitten. Alle anderen vertrokken. Espin zei niets. Geen vragen, geen koetjes en kalfjes, geen lichte babbel om de tijd te doden.

Reacher zei: 'Wie wil mij spreken?'

Espin zei: 'Hij komt eraan.'

'Hij?'

'Een of andere Poolse naam.'

'Wie is het?'

'Dat ziet u wel.'

Dat gebeurde twintig minuten later. De deur ging open en een man in pak kwam binnen. Hij was bijna van middelbare leeftijd, hij had kort, donker haar dat hier en daar grijs werd, een bleek, pafferig, een beetje vermoeid gezicht, en een stevig, gedrongen lichaam, waaraan je kon zien dat hij de nodige tijd aan fitness besteedde. Zijn pak was zwart, niet goedkoop, maar sleets met hier en daar glimmende plekken. In de borstzak was een opengeklapte badgehouder gestoken. Het naamplaatje was van de Metro PD, de lokale politie van Washington D.C.

Een burger.

De man ging naast Espin zitten en zei: 'Ik ben rechercheur Podolski.'

'Dat is mooi,' zei Reacher.

'Ik heb een paar antwoorden nodig.'

'Op wat voor soort vragen?'

'Dat weet je wel, denk ik.'

'Nee.'

75

'Vragen over een geweldsmisdrijf.'

'Hoe oud deze keer? Twintig jaar? Honderd? Iets wat gebeurd is tijdens de Burgeroorlog?'

'Vertel eens wat over je ochtend.'

'Welke ochtend?'

'Deze ochtend. Vandaag.'

'Ik ben opgestaan, daarna heb ik met een advocaat gepraat, daarna met nog een advocaat, en toen heb ik met nog een advocaat gepraat. De hele ochtend stond stijf van de advocaten, eigenlijk.'

'Hun namen?'

'Sullivan, Edmonds en Moorcroft.'

'En met Moorcroft bedoel je kolonel Moorcroft, met een functie aan jouw JAG-school in Charlottesville, maar momenteel werkzaam buiten de basis?'

'Die JAG-school is niet van mij,' zei Reacher. 'Maar inderdaad, die.'

'En waar heb je met hem gesproken?'

'Hier, op deze basis. In de officiersmess.'

'En wanneer was dat?'

'Vanochtend, zoals ik al zei.'

'Hoe laat precies?'

'Valt een privégesprek tussen twee officieren in het leger op een legerbasis onder jouw jurisdictie, rechercheur?'

'Dit gesprek wel,' zei Podolski. 'Geloof me maar. Wanneer heb je met hem gepraat?'

'Toen het tijd was voor zijn ontbijt. Wat een stuk later was dan mijn ontbijt. Ik zou zeggen dat het gesprek begon om drieëntwintig minuten over negen.'

'Dat is heel precies.'

'Je vroeg me precies te zijn.'

Podolski zei: 'Waar ging dat gesprek met kolonel Moorcroft over?'

'Een juridische kwestie,' zei Reacher.

'Privé?'

'Nee, het ging over een derde partij.'

'En die derde partij zal dan wel majoor Susan Turner zijn, van het 110th, op dit moment door het leger verdacht van corruptie?'

76

'Dat is correct.'

'En majoor Sullivan was getuige van dat gesprek, klopt dat?'

'Ja, zij was erbij.'

'Ze zei dat je iets van kolonel Moorcroft gedaan wilde krijgen, klopt dat?'

'Ja.'

'Je wilde dat hij in beroep zou gaan tegen de voorlopige hechtenis van majoor Turner?'

'Dat klopt.'

'Maar dat wilde hij niet? Klopt dat? En in feite zei hij dat je moest opsodemieteren?'

'Op een bepaald moment, ja.'

'Jullie ruzieden eigenlijk. Op verhitte toon.'

'We ruzieden niet. We bespraken een technische kwestie. Niet op verhitte toon.'

'Maar het ging erom dat je iets gedaan wilde krijgen van kolonel Moorcroft en hij weigerde dat te doen. Is dat juist samengevat?'

Reacher zei: 'Waar gaat dit precies om?'

Podolski zei: 'Het gaat erom dat kolonel Moorcroft halfdood geslagen is, aan het einde van de ochtend, in het zuidoostelijke deel van Washington D.C. In mijn district.'

15

Podolski haalde een aantekenboekje en een pen tevoorschijn en legde ze netjes op de tafel. Hij zei: 'Je advocaat zou hierbij moeten zijn.'

Reacher zei: 'Ik ben vandaag niet in het zuidoosten van D.C. geweest. Of waar dan ook in D.C. Ik ben zelfs de rivier niet over geweest.'

'Wil je een advocaat?'

'Ik heb al een advocaat. Twee, in feite. Maar ik heb niet zoveel aan ze. Vooral de één, daar heb ik tot nu toe weinig aan.'

'Je bedoelt majoor Sullivan?'

'Ze vertrok voordat het gesprek was afgelopen. Moorcroft zou de papierwinkel in orde maken. Net nadat Sullivan was vertrokken, ging hij akkoord.'

'Dat kwam goed uit.'

'Het is nog waar ook. Zegt Moorcroft iets anders?'

'Moorcroft zegt helemaal niets. Hij ligt in coma.'

Reacher zei niets.

'Jij had een auto, toch?' vroeg Podolski. 'Een blauwe Chevrolet personenwagen, geleend van het 110th, hoofdkwartier?'

'Ja, en?'

'Je zou Moorcroft meegenomen kunnen hebben de rivier over.'

'Mogelijk, denk ik, maar dat is niet gebeurd.'

'Het was grof geweld.'

'Dat zal wel, als jij het zegt.'

'Dat zeg ik. Alles moet onder het bloed hebben gezeten.'

Reacher knikte. 'Bij grof geweld zit meestal alles onder het bloed.'

'Vertel eens van je kleren.'

'Welke kleren?'

'De kleren die je aanhebt.'

Reacher keek omlaag. 'Die zijn nieuw. Ik heb ze net gekocht.'

'Waar?'

'In een winkelcentrum twee straten vanaf mijn motel.'

'Waarom heb je ze gekocht?'

Over niet al te lange tijd loopt ze weer buiten rond.

'Daar was het tijd voor,' zei Reacher.

'Waren je oude kleren vuil?'

'Ik denk het.'

'Was er iets op gekomen?'

'Zoals wat?'

'Bloed, bijvoorbeeld?'

'Nee, er zat geen bloed op.'

'Waar zijn ze nu?'

Reacher zei niets.

Podolski zei: 'We hebben met de portier van het motel gepraat. Hij zei dat jij er een punt van maakte dat hij je prullenbak moest legen.'

'Daar heb ik niet echt een punt van gemaakt.'

'Maar toch, hij heeft je prullenbak leeggegooid. Net voordat de vuilniswagen kwam. Dus nu zijn je oude kleren verdwenen.'

'Toeval.'

'Maar het kwam wel goed uit,' zei Podolski opnieuw. 'Toch?'

Reacher gaf geen antwoord.

Podolski zei: 'De portier heeft de kleren bekeken. Zo'n soort man is het. Ze waren hem te groot, natuurlijk, maar misschien waren ze nog iets waard. Dat waren ze niet. Te vuil, zei hij. Te veel vlekken. Waaronder, zo leek het, bloedvlekken.'

'Niet het bloed van Moorcroft,' zei Reacher.

'Van wie dan wel?'

'Ik droeg die kleren al een hele tijd. Mijn leven is zwaar.'

'Je vecht vaak?'

'Zo min mogelijk. Maar soms snij ik me bij het scheren.'

'Je had ook gedoucht, of niet?'

'Wanneer?'

'Toen je die kleren weggooide. De portier zei dat je hem om schone handdoeken had gevraagd.'

'Dat klopt, ik heb gedoucht.'

'Douch je altijd twee keer per dag?'

'Soms.'

'Had je vandaag een speciale reden om twee keer te douchen?'

Over niet al te lange tijd loopt ze weer buiten rond.

Reacher zei: 'Niet bepaald, nee.'

'Misschien om bloed weg te wassen?'

'Ik bloedde niet.'

'Als we de afvoer onderzoeken, wat vinden we dan?'

'Vuil water,' zei Reacher.

'Weet je dat zeker?'

'De hele kamer is vuil.'

'Er loopt een aanklacht voor doodslag tegen je, is het niet? Van zestien jaar geleden? Juan Rodriguez? Iemand die jij in elkaar hebt geslagen?'

'Valse beschuldiging.'

'Dat heb ik eerder gehoord. En dat zei kolonel Moorcroft waarschijnlijk ook? Majoor Sullivan heeft me verteld dat je de zaak bij hem aankaartte. Maar dat hij niet met je meevoelde. Heeft dat je boos gemaakt?'

'Het frustreerde me een beetje.'

'Tuurlijk, het moet vermoeiend zijn als niemand je begrijpt.'

Reacher zei: 'Hoe erg is Moorcroft eraan toe?'

'Voel je je schuldig?'

'Ik maak me zorgen, over hem en over zijn cliënt.'

'Ik heb gehoord dat je die vrouw nog nooit hebt ontmoet.'

'Maakt dat wat uit?'

'De artsen zeggen dat Moorcroft misschien wel een keer weer bijkomt. Het is gewoon niet te zeggen wanneer, en ook niet hoe hij eraan toe zal zijn als hij bijkomt. Als hij bijkomt.'

Reacher zei: 'Ik ben een deel van de ochtend in het hoofdkwartier van het 110th geweest.'

Podolski knikte. 'In totaal ongeveer twintig minuten. Dat hebben we nagetrokken. Wat heb je de rest van de ochtend gedaan?'

'Gelopen.'

'Waar?'

'Hier en daar.'

'Heeft iemand je gezien?'

'Ik denk het niet.'

'Dat komt goed uit,' zei Podolski voor de derde keer.

'Je praat met de verkeerde man, rechercheur. De laatste keer dat ik Moorcroft heb gezien, was toen hij hier de officiersmess uit liep, tevreden met een volle maag. Wie hem dan ook heeft aangevallen, loopt nog ergens rond en bescheurt zich omdat je je tijd aan mij verknoeit.'

'Met andere woorden: iemand anders heeft het gedaan?'

'Duidelijk.'

'Dat heb ik eerder gehoord,' zei Podolski opnieuw.

'Heb je het wel eens bij het verkeerde eind gehad?'

'Maakt niet uit. Wat wel uitmaakt, is: heb ik het nu bij het verkeerde eind? En dat denk ik niet. Ik heb iemand met een gewelddadig verleden, die volgens een getuige ruziede met het slachtoffer pal voor het tijdstip van het misdrijf, die een volledige set kleren net na het tijdstip van het misdrijf weggooide, voor de tweede keer die dag ging douchen, die kon beschikken over een voertuig en

wiens gangen niet voor honderd procent kunnen worden nagegaan. Jij bent zelf een politieman geweest, toch? Wat had jij gedaan?'

'Ik zou de dader zoeken. Ik weet zeker dat ik dat een keer ergens heb gelezen.'

'Stel dat de dader zegt dat hij de dader niet is?'

'Gebeurde voortdurend. Je moet een vakkundig oordeel vellen.'

'Dat doe ik.'

'Jammer,' zei Reacher.

'Laat je handen eens zien.'

Reacher legde zijn handen op tafel, plat, de handpalmen omlaag.
Ze zagen er groot en gelooid uit, versleten en ruw. Beide rijen knokkels waren iets roze en licht opgezwollen. Van de vorige avond. De
twee mannen in de T-shirts. De linkse hoek en de rechtse uppercut.
Flinke klappen. Niet de zwaarste ooit, maar stevig. Podolski staarde er lange tijd naar.

'Niet doorslaggevend,' zei hij. 'Misschien heb je een wapen gebruikt. Een of ander stomp voorwerp. Dat hoor ik wel van de artsen.'

Reacher zei: 'En wat nu?'

'Dat moet de officier van justitie bepalen. Ondertussen ga je eerst
met mij mee. Ik wil je op het bureau in een cel.'

Het werd stil in de verhoorkamer. Op dat moment sprak Espin
voor het eerst.

'Nee,' zei hij. 'Niet acceptabel. Hij blijft hier. Onze doodslag wint
het van jouw geweldspleging.'

Podolski zei: 'Vanochtend wint het van zestien jaar geleden.'

Espin zei: 'Hebben is hebben en krijgen is de kunst. Denk eens
aan de papierwinkel.'

Podolski gaf geen antwoord.

Espin zei: 'Maar je mag met hem komen praten wanneer je maar
wilt.'

'Sluit je hem op?' vroeg Podolski.

'Absoluut.'

'Deal,' zei Podolski. Hij stond op, pakte zijn aantekenboekje en
pen en liep de verhoorkamer uit.

81

Daarna ging het linea recta richting voorlopige hechtenis. Reacher werd opnieuw gefouilleerd, ze namen hem zijn schoenveters af, en hij werd half voortgeduwd, half geleid door een lange, kale gang, langs twee grotere verhoorkamers tegenover elkaar, twee keer een hoek om, het hele eind naar het cellenblok. Dat zag er heel wat beschaafder uit dan een aantal cellenblokken die Reacher in het verleden had gezien. Het had meer weg van de kamers achteraf in een hotel van een hotelketen dan van een gevangenis. Het was een doolhof met kleine gangetjes en halletjes, en de cel zelf leek wel een motelkamer. Uitgerust met schuiven en grendels natuurlijk, een stalen deur die naar buiten toe openging, betonnen wanden en een dertig centimeter hoog raam in de vorm van een gleuf in de wand met tralies ervoor, net onder het plafond, en roestvrijstalen sanitair in de badkamer, en een smalle brits als bed, alsof je terug was in de barak, maar het was er toch ruim en redelijk comfortabel. Beter dan het motel waar hij de afgelopen nacht had doorgebracht. Dat was verdomd duidelijk. Er stond zelfs een stoel naast het bed. Joint Base Dyer-Helsington House, in al zijn weelderige glorie. Gevangenen met een hoge status hadden het hierbinnen beter dan officieren met een lage status buiten.

Reacher ging op de stoel zitten.

Espin stond te wachten op de drempel.

Je moet er het beste van hopen, maar je voorbereiden op het ergste.

Reacher zei: 'Ik moet de kapitein van dienst spreken, zo snel mogelijk.'

Espin zei: 'Die komt wel langs. Hij moet u de regels uitleggen.'

'Ik ken de regels. Ik ben ooit zelf kapitein van dienst geweest. Maar ik moet hem toch zo snel mogelijk spreken.'

'Ik zal de boodschap doorgeven.'

Toen vertrok Espin.

De deur sloeg dicht, werd op slot gedraaid en de grendels schoven in de beugels.

Twintig minuten later klonken dezelfde geluiden in omgekeerde volgorde. De grendels werden teruggeschoven, het slot draaide de andere kant op en de deur ging open. De kapitein, die zo mager was als een lat, bukte zich en liep naar binnen. Hij zei: 'Gaat u ons problemen bezorgen?'

Reacher zei: 'Ik zou niet weten waarom, zolang jullie je allemaal fatsoenlijk gedragen.'

De lange man glimlachte. 'Wat kan ik voor u doen?'

'Je kunt iemand voor me opbellen. Sergeant Leach bij het 110th. Vertel haar waar ik ben. Misschien heeft ze een boodschap voor me. Als dat zo is, kun je me die komen vertellen.'

'En moet ik dan ook uw hond eten geven en uw spullen ophalen bij de stomerij?'

'Ik heb niets bij de stomerij. En ik heb ook geen hond. Maar je mag majoor Sullivan voor me bellen, bij JAG. Dat is mijn advocaat. Zeg maar tegen haar dat ik haar wil spreken, tegen het einde van de werkdag. Zeg maar dat ik een cliëntgesprek wil. Zeg maar dat het uiterst belangrijk is.'

'Dat is alles?'

'Nee. Daarna mag je kapitein Edmonds bellen, bij HRC. Dat is mijn andere advocaat. Zeg maar dat ik direct na majoor Sullivan met haar wil spreken. Zeg maar dat ik belangrijke zaken moet overleggen.'

'Nog meer?'

'Hoeveel kostgangers heb je vandaag?'

'Alleen u en nog iemand.'

'En dat is majoor Turner, klopt?'

'Klopt.'

'Is ze in de buurt?'

'Dit is het enige cellenblok dat we hebben.'

'Zij moet weten dat haar advocaat niet langer beschikbaar is. Ze heeft een andere advocaat nodig. Je moet naar haar toe gaan en een advocaat voor haar regelen.'

'Het is raar dat u daarover begint.'

'Wat er met Moorcroft is gebeurd, daar heb ik niets mee te maken gehad. Daar kom je snel genoeg achter. En de beste manier om eierstruif van je gezicht te halen, is zorgen dat je om te beginnen niet door een ei geraakt wordt.'

'Toch blijft het raar dat u dat zegt. Wie heeft u tot voorman van de burgerrechtenbeweging benoemd?'

'Ik heb gezworen dat ik de grondwet zou naleven. Jij ook. Majoor Turner heeft te allen tijde recht op deskundige vertegenwoordiging. Dat is de theorie. En als majoor Turner het een tijd zonder moet stellen, maakt dat een slechte indruk als beroepszaken worden behandeld. Dus zeg tegen haar dat ze een nieuwe advocaat moet inschakelen. Zo snel mogelijk. Vanmiddag nog, dat zou heel goed zijn. Zorg ervoor dat ze dat goed begrijpt.'

'Nog meer?'

'Dat is alles,' zei Reacher. 'Bedankt, kapitein.'

'Tot uw dienst,' zei de lange man. Hij keerde zich om, liep dubbelgevouwen door het deurgat en stapte de gang in. De deur sloeg dicht, werd op slot gedraaid en de grendels schoven in de beugels.

Reacher bleef zitten waar hij zat, op de stoel.

Vijftien minuten later klonken opnieuw dezelfde geluiden. De grendels, het slot, de scharnieren. Deze keer bleef de kapitein van dienst op de gang staan. Beter voor zijn nek. Hij zei: 'Bericht van sergeant Leach, op jullie hoofdkwartier. De twee mannen in Afghanistan zijn dood aangetroffen. Op een geitenpad in de Hindoekoesj. In het hoofd geschoten. Negen millimeter, waarschijnlijk. Een dag of drie geleden, zo op het oog.'

Reacher aarzelde even. Toen zei hij: 'Bedankt, kapitein.'

Je moet er het beste van hopen, maar je voorbereiden op het ergste.

Het ergste was gebeurd.

16

Reacher bleef op zijn stoel zitten, dacht diep na en gooide in gedachten een munt op. De eerste keer: kop of munt? Vijftig procent kans natuurlijk. Omdat het een denkbeeldige munt was. De verdeling bij een echte munt, die door een mens van vlees en bloed werd opgegooid, kwam dichter in de buurt van 51-49, voor de kant die bij de eerste keer opgooien boven had gelegen. Niemand kon verklaren waarom, maar het fenomeen was keer op keer aangetoond in experimenten. Misschien had het iets te maken met meervoudige assen waaromheen de munt rondwentelde, of met aerodynamica en het universele verschil tussen theorie en praktijk. Maar de munt van Reacher was denkbeeldig. Dus bij de tweede keer opgooien: kop of munt? Opnieuw precies vijftig procent kans natuurlijk. En de derde keer, en de vierde keer. Elke worp was een volstrekt unieke gebeurtenis, met gelijke kansen, statistisch gezien onafhankelijk van alles wat er daarvoor was gebeurd. Altijd vijftig procent kans, steeds maar weer. Maar dat betekende niet dat de kans dat je vier keer achter elkaar kop zou gooien ook vijftig procent was. Integendeel. De kans dat je vier keer achter elkaar kop zou gooien, was ongeveer zes procent. Veel minder dan vijftig. Simpel rekenwerk.

En Reacher had vier keer kop achter elkaar nodig. In de zin van: zou Susan Turner diezelfde middag al een nieuwe advocaat krijgen? Antwoord: ja of nee. Vijftig procent kans. Net als kop of munt, net als het opgooien van een munt. En dan: zou die nieuwe advocaat een blanke man zijn? Antwoord: ja of nee. Vijftig procent kans. En dan: zou majoor Sullivan of kapitein Edmonds op hetzelfde moment in het gebouw zijn als de nieuwe advocaat van Susan Turner? Ervan uitgaande dat ze een nieuwe advocaat zou krijgen? Antwoord: ja of nee. Vijftig procent kans. En tot slot: zouden alle drie de advocaten langs dezelfde ingang het complex binnenkomen? Antwoord: ja of nee. Vijftig procent kans.

Vier keer een antwoord ja of nee, stuk voor stuk zelfstandige gebeurtenissen. Stuk voor stuk met een waarschijnlijkheid van vijftig procent. Maar de kans op vier juiste antwoorden op een rij was maar zes procent.

Je moet er het beste van hopen. Dat deed Reacher. Tot op zekere hoogte gerechtvaardigd, vond hij. Statistiek was koud en onverschillig. En dat was de echte wereld niet, niet echt. Het leger was een niet-perfect instituut. Zelfs bij onderdelen die niet rechtstreeks deelnamen aan gevechtshandelingen, zoals het JAG Korps, waren mannen en vrouwen niet evenredig vertegenwoordigd. Vooral mannen bekleedden de hogere rangen. En voor de verdediging van een majoor die werd beschuldigd van corruptie, zou iemand met een hogere rang vereist zijn. Dat betekende dat de kans dat de nieuwe advocaat van Susan Turner een man was, geen vijftig procent bedroeg. Eerder zeventig procent. Moorcroft was uiteindelijk ook een man geweest. En blank. Het zwarte deel van de bevolking was goed vertegenwoordigd in het militaire apparaat, maar dat ging ongeveer gelijk op met de verdeling blank en zwart onder de hele bevolking, ongeveer één op acht dus. Een kans van zevenentachtig procent dus dat de advocaat blank zou zijn.

En Reacher zou minstens één van zijn eigen beide advocaten vrijwel eindeloos kunnen ophouden in het gebouw. Hij hoefde hen alleen maar aan de praat te houden. Gewoon steeds nieuwe futiliteiten aan de orde stellen. Een grote show opvoeren dat hij zich zorgen maakte. Hij kon hen eindeloos aan het lijntje houden, tot het hen zou gaan vervelen, of hun geduld zou opraken en ze hun professionele instelling en goede manieren zouden laten varen. Dat betekende dat de kans dat één van zijn advocaten en die van Turner tegelijkertijd in het complex aanwezig zouden zijn, veel groter was dan vijftig procent. Misschien ook wel zeventig procent. Of misschien nog wel meer.

Regelmatige bezoekers van Dyer zouden misschien wel weten dat de ingang aan de noordkant dichter bij het wachtlokaal lag, en je mocht er dus van uitgaan dat ze langs die ingang binnen zouden komen. Misschien. Wat de kans voor de kwestie met de ingang ook groter dan vijftig procent maakte. Als de nieuwe advocaat van Turner tenminste een regelmatige bezoeker zou zijn. En dat was hij misschien wel niet. Intellectuele hoogvliegers zou je hier misschien niet elke dag tegenkomen. Misschien een kans dan van vijfenvijftig procent. Een marginaal verschil in gunstige zin. Niet overweldigend.

Niettemin, alles bij elkaar was de kans dat het plan zou slagen wel iets groter dan zes procent.

Maar niet zo heel veel.

Als Turner tenminste een nieuwe advocaat zou inschakelen.

Je moet er het beste van hopen.

Reacher wachtte. Ontspannen, geduldig, in rust. Hij telde in gedachten de tijd af. Drie uur 's middags. Halfvier. Vier uur. De stoel zat goed. Het was aangenaam warm in de cel. En hij was redelijk geluidsdicht. Je hoorde maar heel weinig geluid van buiten. Niet meer dan een doffe akoestische klank. Het leek dan ook op geen enkele manier op een gewone gevangenis. Het was een beschaafd onderkomen, voor beschaafde mensen.

Dat zou allemaal meehelpen, hoopte Reacher.

Eindelijk, om halfvijf, werden de grendels weggeschoven, werd de deur van het slot gedraaid en ging de deur open. De kapitein die zo mager was als een lat, zei: 'Majoor Sullivan is hier voor u.'

Showtime.

17

De lange man deed een stap achteruit en liet Reacher voor zich lopen. De gang maakte een haakse bocht naar links en daarna naar rechts. Reacher stelde een plattegrond samen met behulp van het weinige wat hij had gezien. Hij vermoedde dat het grote kantoor nog drie haakse bochten verder was. Nog een eindje verderop. Daarvoor zou dan eerst de kleine hal liggen, met de beide vergrendelde quarantainedeuren, de administratief medewerker, en de achteringang. Daarvoor zouden de verhoorkamers liggen, aan weerszijden van een korte aparte gang. De haveloze ruimten voor politie en verdachten zouden aan de rechterkant liggen, terwijl links de iets luxueuzere ruimten zouden zijn die hij op weg naar zijn cel had gezien. Dat waren er twee. Zijn bestemming, vermoedde hij. Meer kwaliteit, voor gesprekken tussen cliënten en advocaten. De deuren hadden ramen, smalle rechthoekige vensters met gewapend glas, decentraal boven de deurkruk geplaatst.

Hij liep zonder aarzelen voorbij de eerste deur, wierp zo onopvallend mogelijk een blik door het raam en zag Sullivan zitten, aan de linkerkant van de tafel, keurig in haar dagelijkse tenue, de handen gevouwen op haar gesloten aktetas, en bleef doorlopen tot aan de tweede deur. Daar stond hij stil en keek hij openlijk door het smalle raampje naar binnen.

Het tweede vertrek was leeg

Geen cliënt, geen advocaat, mannelijk of anderszins.

Geen kop en geen munt.

Nog niet.

Achter hem zei de lange man: 'Ho maar, majoor. U moet hier zijn.'

Reacher keerde zich om en liep terug. De deur was niet op slot. De lange man drukte gewoon de kruk omlaag en deed de deur open. Reacher luisterde naar de geluiden die dat produceerde. Een massieve metalen klik van de deurkruk, een aanhoudend, duidelijk afgebakend knersen van de scharnieren, het zuchtende geluid waarmee siliconenstrips loslieten. Niet hard, maar wel heel herkenbaar. Reacher stapte naar binnen. Sullivan keek op. De lange man zei: 'Bellen als u klaar bent, raadsvrouw.'

Reacher ging tegenover Sullivan zitten. De lange man deed de deur dicht en liep weg. De deur werd niet vergrendeld omdat er aan deze kant geen deurkruk was. Alleen een vlakke plaat, waarop iets miste, onverwacht, als een gezicht zonder neus. Naast het kozijn was een deurbel. *Bellen als u klaar bent.* De kamer zelf was eenvoudig en plezierig. Geen ramen, maar het was er schoner en frisser dan in het wachtlokaal. De lamp brandde helderder.

Sullivan hield haar aktetas gesloten en haar handen eroverheen gevouwen. Ze zei: 'Ik vertegenwoordig je niet voor de mishandeling van Moorcroft. In feite wil ik je helemaal niet meer als cliënt.'

Reacher gaf geen antwoord. Hij probeerde erachter te komen wat hij kon horen van wat er op de gang gebeurde. Dat was niet veel, maar misschien net genoeg.

Sullivan zei: 'Majoor?'

Reacher zei: 'Ik ben wat ze je toeschuiven, dus wen er maar aan.'

'Kolonel Moorcroft is een vriend van me.'

'Je oude docent?'

'Een van hen.'

'Dan weet je hoe die kerels zijn. In hun hoofd laten ze hun werk nooit los. Socratisch, of hoe ze het maar noemen. Hij zat mij te voeren, puur voor de lol. Hij sprak mij tegen, voor de lol, gewoon, omdat ze dat altijd doen. Toen jij vertrokken was en hij zijn toast op had, zei hij dat hij de papieren in orde zou maken. Dat was hij de hele tijd al van plan geweest. Maar rechttoe rechtaan antwoord geven is niet zijn stijl.'

'Ik geloof je niet. Er zijn vanochtend geen papieren ingediend.'

'De laatste keer dat ik hem heb gezien, was toen hij vanochtend de officiersmess uit liep. Ongeveer twee minuten na jou.'

'Dus je ontkent dit keer ook?'

'Denk eens even na, mevrouw de advocaat. Het was mijn bedoeling om majoor Turner uit haar cel te krijgen. Wat heb ik er dan aan om Moorcroft aan te vallen? Het levert op zijn minst een dag vertraging op, of twee, of drie.'

'Waarom maak je je zo druk om majoor Turner?'

'Ik vond haar stem aardig over de telefoon.'

'Misschien was je kwaad op Moorcroft.'

'Zag ik er kwaad uit?'

'Een beetje.'

'Helemaal fout, majoor. Ik zag er helemaal niet kwaad uit. Omdat ik niet kwaad was. Ik zat daar heel geduldig. Hij was niet de eerste docent die ik in mijn leven ben tegengekomen. Ik heb per slot van rekening op school gezeten.'

'Ik voelde me niet gemakkelijk.'

'Wat heb je tegen Podolski gezegd?'

'Alleen dat. Er ontstond een discussie, en ik voelde me ongemakkelijk.'

'Heb je gezegd dat het een verhitte discussie was?'

'Je sprak hem tegen. Je ruziede.'

'Wat had ik dan moeten doen? Opstaan en salueren? Hij is nou niet bepaald de opperrechter van het hooggerechtshof.'

'Er is nogal wat bewijsmateriaal tegen je. Die kleren met name. Dat is klassiek.'

Reacher gaf geen antwoord. Hij luisterde opnieuw. Hij hoorde voetstappen in de gang. Twee mensen. Twee mannen. Lage stemmen. Korte, onbeduidende zinnen. Een alledaagse uitwisseling van informatie in weinig woorden. De voetstappen verwijderden zich. Geen geluiden van een deur. Geen klik, geen knersen, geen zuchten.

Sullivan zei: 'Majoor?'

Reacher zei: 'Heb je een portefeuille in je aktetas?'

'Wat?'

'Je hebt me wel gehoord.'

'Waarom zou ik?'

'Omdat je geen tasje bij je hebt en, als je me niet kwalijk neemt, je uniform zit je als gegoten, geen bobbels in de zakken.'

Sullivan hield haar handen op haar aktetas en zei: 'Ja, ik heb hier een portefeuille.'

'Hoeveel geld zit erin?'

'Ik weet het niet. Dertig dollar misschien.'

'Hoeveel heb je de laatste keer uit een pinautomaat gehaald?'

'Tweehonderd.'

'Heb je daar ook een mobiel?'

'Ja.'

'Dan is er evenveel bewijsmateriaal tegen jou als tegen mij. Het is duidelijk dat je een handlanger hebt gebeld en hem honderdzeventig dollar hebt geboden om je oude docent een pak slaag te geven. Misschien omdat je niet tevreden was met je cijfers van destijds. Misschien ben je daar nog steeds wel kwaad over.'

'Dat is belachelijk.'

'Dat zeg ik.'

Sullivan gaf geen antwoord.

Reacher vroeg: 'Hoe waren je cijfers?'

Sullivan zei: 'Niet perfect.'

Reacher luisterde opnieuw. Het was stil in de gang.

Sullivan zei: 'Rechercheur Podolski zal opdracht geven om te zoeken op de stortplaats. Dan vindt hij je kleren. Dat is niet zo moeilijk. *Last in, first out.* Wat er het laatste is gestort, vind je als eerste. Doorstaan die kleren een DNA-analyse?'

'Geen probleem,' zei Reacher. 'Ik heb het niet gedaan.'

Toen, opnieuw voetstappen in de gang. Zacht, rustig, twee mensen. Een optocht, misschien. De ene persoon die de andere voorgaat. Ze stonden stil, er werd iets uitgelegd, op een zakelijke, ontspannen toon. Misschien: *Deze kamer, kolonel. Die andere is bezet.* En: geluiden van een deur. Het heldere metalen klikken van de deurkruk, het precieze knarsen van de scharnieren en het zuchten van de siliconenstrips.

De aankomst van een advocaat. Die van Turner natuurlijk. Omdat zij de enige andere klant in het complex was. Terwijl de advocaat van Reacher er ook nog steeds was. Zijn eerste advocaat, op dit moment. Voorlopig alles goed.

Kop en nog eens kop.

Twee-nul.

Reacher zei: 'Vertel eens over die beëdigde verklaring van Rodriguez.'

Sullivan zei: 'Bij een beëdigde verklaring zweer je dat het waar is wat erin staat.'

'Dat weet ik,' zei Reacher. 'Zoals ik al zei tegen jouw oude vriend Moorcroft, het is niet bepaald rakettechnologie. In het Latijn heet zoiets een *affidavit*, en dat betekent letterlijk *hij heeft onder ede verklaard*. Maar is zo'n verklaring werkelijk rechtsgeldig over het graf heen? In praktische zin? In de echte wereld?'

Voor de eerste keer haalde Sullivan haar handen van haar aktetas. Ze bewoog ze heen en weer. Nuancerend. Allerlei academische gebarentaal. *Misschien, misschien niet.* Ze zei: 'In de Amerikaanse jurisprudentie is het vrij ongebruikelijk om te vertrouwen op een beëdigde verklaring zonder verdere ondersteuning, vooral als de persoon die de verklaring heeft afgelegd niet aan een kruisverhoor kan worden onderworpen. Maar ze worden wel toelaatbaar geacht, als het in het belang van de rechtsgang is. Of in het belang van de beeldvorming, als je het cynisch wilt benaderen. De aanklager zal bovendien betogen dat de verklaring van Rodriguez wel degelijk wordt ondersteund. Hij heeft de dagelijkse rapportages van het 110th, waaruit blijkt dat jij hem hebt opgezocht, en hij heeft het rapport van de spoedpoli direct daarna, met alles wat daarin staat. Hij zal betogen dat die drie dingen bij elkaar een sluitend en samenhangend verhaal vormen.'

'Kun jij daar iets tegen inbrengen?'

'Natuurlijk,' zei Sullivan. 'Maar onze verdediging ziet er ineens heel zwak uit. Wat zij zeggen, zal heel logisch klinken, op een heel alledaagse manier. Dit is gebeurd, en toen dat, en toen dit. Daar moeten wij het middelste *dat* uithalen en vervangen door iets wat zo op het oog heel onwaarschijnlijk lijkt. Bijvoorbeeld dat jij bent vertrokken en dat op datzelfde moment iemand anders heel toevallig op diezelfde plaats opdook en de man tot moes sloeg.'

Reacher gaf geen antwoord. Hij luisterde opnieuw.

Sullivan zei: 'Ons probleem is de vraag of een poging tot verdediging de rechtbank zo zal irriteren dat het oordeel uiteindelijk slechter zal uitvallen dan na een schuldbekentenis in ruil voor strafvermindering. Dat is een reëel risico. Mijn advies is om voorzichtig te zijn en een deal te sluiten. Twee jaar is beter dan vijf of tien.'

Reacher gaf geen antwoord. Hij luisterde nog steeds. Eerst naar niets. Alleen stilte. Toen: opnieuw voetstappen in de gang. Twee mensen. De een liep achter de ander aan.

Sullivan zei: 'Majoor?'

Toen: geluiden van een deur. Dezelfde deur. Hetzelfde heldere, metalen klikken van de deurkruk, hetzelfde precieze knarsen van de scharnieren en hetzelfde zuchten van de siliconenstrips. Daarna even stilte, en toen dezelfde geluiden opnieuw, in omgekeerde volgorde, bij het sluiten van de deur. Daarna de voetstappen van één persoon die wegliep.

Dus nu was Turner samen met haar advocaat in het vertrek ernaast, en was de gang leeg.

Showtime.

Reacher zei: 'Ik heb een serieus probleem met mijn cel, majoor. Ik wil dat je met me meekomt om ernaar te kijken.'

18

Sullivan zei: 'Wat voor probleem heb je met je cel?' Ze zei het een beetje vermoeid, maar niet ongeduldig. Ze wees de zaak niet onmiddellijk af. Strafpleiters kregen met allerlei flauwekul te maken. Verdachten waren altijd naar van alles en nog wat op zoek. Voor het onvermijdelijke beroep. Elke vermeende schending van rechten of onrechtvaardigheid moest worden onderzocht en beoordeeld. Reacher wist dat. Hij wist hoe het spel werd gespeeld.

Hij zei: 'Ik wil je niet op gedachten brengen. Ik wil je eerlijke mening niet beïnvloeden. Ik wil dat je dit zelf ziet.'

'Nu?'

'Waarom niet?'

'Oké,' zei ze, een beetje vermoeid.

Ze stond op. Ze liep naar de deur. Ze drukte op de bel.

Ze liet haar aktetas op tafel staan.

Reacher stond op en wachtte achter haar.

Eén minuut.

Twee.

Toen werd het donker achter het smalle raampje in de deur, de deur ging open en de kapitein van dienst vroeg: 'Helemaal klaar, mevrouw?'

Sullivan zei: 'Nee, hij heeft een probleem met zijn cel.'

De lange man keek Reacher aan, met een vragende uitdrukking op zijn gezicht, deels berustend, deels verrast, alsof hij wilde zeggen: *Echt? Jij? Dat soort onzin?*

Maar hij zei: 'Oké, zal wel. Laten we maar gaan kijken.'

Zoals het hoorde. Hij wist hoe het spel werd gespeeld.

Reacher liep voorop. Dan kwam Sullivan. De lange man liep achteraan. Ze liepen op een rijtje achter elkaar, de haakse bochten door, links en daarna rechts, naar de celdeur, die niet op slot zat en niet was vergrendeld, omdat Reacher niet in de cel was. Reacher trok de deur open voor de beide anderen. De lange man glimlachte, nam de deur van hem over en gebaarde: *na jou*. Hij was misschien dom, maar hij had geen hersenletsel.

Reacher ging als eerste naar binnen. Achter hem kwam Sullivan. En tot slot de lange man. Reacher bleef staan en wees.

'Daar,' zei hij. 'In die kier.'

Sullivan zei: 'Welke kier?'

'In de vloer, bij de muur. Onder het raam.'

Sullivan deed een stap naar voren. De lange man bleef bij het bed staan. Sullivan zei: 'Ik zie geen kier.'

Reacher zei: 'Er zit iets in. Het kronkelt.'

Sullivan bevroor. De lange man boog voorover. De menselijke natuur. Reacher leunde opzij, een subtiele beweging, maar de massa van de lange man bewoog de ene kant op en de massa van Reacher de andere kant. Reacher gaf de lange man een duw, pal onder zijn schouder op zijn bovenarm, hard, als een zwemmer die zich afzet bij het keerpunt, en de lange man tuimelde over het bed alsof hij van een paar stelten viel. Sullivan keerde zich om en Reacher liep naar de deur, stapte de gang in, sloot de deur en schoof de grendel ervoor.

Toen rende hij terug, onhandig op zijn schoenen zonder veters, voorbij het vertrek met de aktetas van Sullivan, naar de tweede verhoorkamer. Hij deed een stap achteruit en keek door het smalle raampje naar binnen.

En zag Susan Turner voor de eerste keer.

Ze was de moeite van het wachten waard, vond hij.

Zonder meer.

Ze zat aan de rechterkant van de tafel. Ze droeg het gevechtstenue van de landmacht, alle strepen en chevrons en plaatjes waren verwijderd, en bruine kistjes, zonder veters. Ze leek een centimeter of vijf langer dan doorsnee. Ze had een fijne botstructuur en was slank, het donkere haar was naar achteren getrokken en bij elkaar gebonden, ze had een gebruinde huid en diepliggende bruine ogen. Op haar gezicht was vooral vermoeidheid af te lezen, maar ook karakter, en intelligentie, en een soort afstandelijke, ironische schalksheid.

Spectaculair, was Reachers vaste overtuiging.

Absoluut de moeite van het wachten waard, dacht hij opnieuw.

Haar advocaat zat aan de linkerkant van de tafel, een volwaardige kolonel in alledaags tenue. Grijs haar en een getekend gezicht. Middelbare leeftijd en doorsnee lengte.

Een man.

Een blanke man.

Kop.

Drie-nul.

Reacher liep verder, het hele eind naar de quarantainedeur die hem scheidde van de rest van de hal. Er zat geen kruk aan deze kant van de deur. Alleen een belknop, net als bij de verhoorkamers. Hij schopte zijn schoenen uit en drukte op de bel, dringend, keer op keer opnieuw. In minder dan vijf seconden ging de deur open. De administratief medewerker stond aan de andere kant met de deurkruk in de hand. Zijn sleutels zaten aan een vierkante metalen sleutelring met afgeronde hoeken, zo'n ding dat bergbeklimmers gebruiken, vast aan een lus van zijn broekriem.

Reacher zei, buiten adem: 'Je kapitein heeft een beroerte gehad, of een hartaanval of zo. Hij ligt te trappelen. Je moet bij hem gaan kijken. Nu meteen, soldaat.'

Natuurlijk gezag. Daar werd in het leger veel waarde aan gehecht. De man aarzelde geen seconde en stapte toen de gang in. De deur begon achter hem dicht te zwaaien. Reacher schoof zijn linkerschoen in de kier en draaide zich toen om. Hij rende zonder schoenen en geruisloos achter de man aan, haalde hem in en trok de eerste de beste celdeur open. Niet op slot en niet vergrendeld, omdat de cel leeg was.

Maar niet voor lang.

'Hier,' zei hij.

De administratief medewerker liep naar binnen, snel en haastig. Reacher greep de sleutelbos van de man en rukte die van zijn broek, inclusief de riemlus. Toen gaf hij de man een duw zodat die languit voorover op de vloer viel. Reacher sloot de deur en schoof de grendel ervoor.

Hij haalde diep adem en blies zijn adem weer uit.

Nu kwam het moeilijke deel.

19

Reacher liep op sokken terug naar de verhoorkamer waar de aktetas van Sullivan nog steeds op tafel stond. Hij duwde de deur wagenwijd open, schoot naar binnen, greep de aktetas, keerde zich razendsnel om en ving de deur op voordat die achter hem dicht kon slaan. In de gang knielde hij om de aktetas open te maken. Hij negeerde de dossiers en alle juridische papieren en rommelde in de tas tot hij een autosleutel vond. Die stopte hij in zijn broekzak. Daarna vond hij de portefeuille. Hij haalde de legitimatie van het leger eruit. De voornaam van Sullivan was Helen. Hij stopte de ID-kaart in zijn borstzak. Hij haalde het geld uit de portefeuille en stopte dat in zijn andere broekzak. Hij vond een pen, scheurde een driehoekje van een fotokopie van een document en schreef *Beste*

Helen, ik ben je $30 schuldig. Hij tekende met *Jack Reacher.* Hij stopte het briefje in het vakje waaruit hij het geld had gehaald, sloeg de portefeuille dicht en sloot de aktetas.

Toen stond hij op, met de aktetas in zijn hand.

Hij haalde diep adem en blies zijn adem weer uit.

Showtime.

Hij liep drie meter, naar de tweede verhoorkamer, en keek snel door het smalle raampje. Susan Turner was aan het woord, geduldig, voerde argumenten aan, gebruikte haar handen, scheidde het ene punt van het andere. Haar advocaat luisterde, zijn hoofd scheef, en maakte aantekeningen op een schrijfblok met geel papier. Zijn aktetas stond open op tafel, opzijgeschoven. Er zat minder in dan in de aktetas van Sullivan, maar hij had meer in zijn zakken. Zijn uniform zat niet als gegoten. Het zat flodderig en ruim om zijn lichaam. Op het naamplaatje op de flap van zijn borstzak stond Temple.

Reacher liep opnieuw door, het hele eind naar de quarantainedeur die hem scheidde van de hal. Hij verving zijn schoen door de autosleutel van Sullivan, zodat de deur niet dicht kon vallen, en trok zijn schoenen weer aan, los en zonder veters. Toen liep hij terug naar de verhoorkamer waar Turner zat en bleef voor de deur staan.

Hij haalde diep adem en blies zijn adem weer uit.

Toen deed hij de deur open, snel en moeiteloos, en stapte het vertrek binnen. Hij keerde zich om, bukte en zette de aktetas van Sullivan tegen de deurstijl om te voorkomen dat de deur zou dichtvallen. Hij keerde zich opnieuw om en zag hoe zowel Turner als haar advocaat naar hem opkeek, de advocaat met een uitdrukkingloos gezicht, maar op het gezicht van Turner leek zich iets van een beginnende herkenning af te tekenen.

Hij zei: 'Kolonel, mag ik uw legitimatie zien?'

De man zei: 'Wie ben jij?'

'Militaire inlichtingendienst. Louter routine, meneer.'

Natuurlijk gezag, iets waar in het leger veel waarde aan werd gehecht. De man aarzelde even en haalde toen zijn legitimatie uit een binnenzak. Reacher stapte naar hem toe, pakte de legitimatie aan en keek er geconcentreerd naar. *John James Temple.* Hij haalde zijn wenkbrauwen op, alsof hij verbaasd was, keek nog een keer, en liet toen de legitimatie in de borstzak van zijn shirt glijden, bij de legitimatie van Sullivan.

Hij zei: 'Het spijt me, kolonel, ik moet u even spreken.'

Hij liep terug naar de deur en hield die open. *Na u.* De man keek even onzeker, maar stond toen op, langzaam. Reacher keek over zijn schouder naar Turner en zei: 'Wilt u hier even wachten, mevrouw? We zijn zo terug.'

De advocaat aarzelde even en schuifelde toen voor Reacher de kamer uit. Reacher zei: 'Naar rechts graag, meneer,' en schuifelde achter de man aan, letterlijk, vanwege de schoenen zonder veters. Dat was een zwak punt. Advocaten waren nu niet de meest oplettende personen, maar ze hadden hersens en over het algemeen dachten ze in vrij logische patronen. En deze fase van het plan moest in een laag tempo worden uitgevoerd. Zonder drang. Zonder haast, geen paniek. Bijna in slow motion. De man had dus tijd om na te denken.

En daar maakte hij duidelijk gebruik van.

Ongeveer zes meter voor de eerste lege cel stond hij plotseling stil, keerde zich om en keek omlaag. Rechtstreeks naar Reachers schoenen. Onmiddellijk draaide Reacher hem weer terug en hield de man in een soort greep-voor-het-arresteren-van-hogere-officieren die iedere MP heel vroeg in zijn carrière leert, die nergens in de handboeken staat en alleen met suggesties en voorbeelden wordt onderwezen. Reacher greep de man van achteren bij zijn rechterpols, met zijn linkerhand, kneep hard, trok de pols omlaag en naar voren. Zoals altijd had het slachtoffer het zo druk met zich verzetten tegen de neerwaarts gerichte kracht, dat het niet tot hem doordrong dat er ook voorwaarts gerichte kracht was, waartegen hij zich zou moeten verzetten. Hij struikelde vooruit, als een krab, gedraaid en gebogen, een beetje hijgend, niet echt van pijn, maar meer van verontwaardiging. Dat vond Reacher prima. Hij wilde de man geen pijn doen. De man kon er ook niets aan doen.

Reacher manoeuvreerde de man naar een lege cel waarvan de deur openstond, misschien wel de cel van Turner, zo leek het, duwde hem naar binnen, sloot de deur achter hem en schoof de grendel ervoor.

Toen bleef hij in de gang staan, even, haalde diep adem en blies de adem weer uit.

Tijd om in actie te komen.

Hij schuifelde terug naar de tweede verhoorkamer en stapte naar binnen. Susan Turner stond tussen de tafel en de deur. Hij stak zijn hand uit. Hij zei: 'Ik ben Jack Reacher.'

'Dat weet ik,' zei ze. 'Ik heb je foto gezien. In je dossier. En ik herkende je stem. Van de telefoon.'

En hij herkende haar stem. Van de telefoon. Warm, een beetje hees, je hoorde haar licht ademen, het klonk bijna intiem. Even mooi als hij zich kon herinneren. Mooier misschien wel, in het echt.

Hij zei: 'Ik ben erg blij je te zien.'

Ze schudde zijn hand. Warm, niet zacht, niet hard. Ze zei: 'Ik ben ook blij jou te zien. Maar wat ben je precies aan het doen?'

Hij zei: 'Je weet wat ik doe. En waarom. Tenminste, dat hoop ik. Want als je het niet weet, is het niet de moeite waard om het te doen.'

'Ik wilde jou er niet in betrekken.'

'Vandaar die toestand met geen bezoek?'

'Ik had een vermoeden dat je zou opdagen. Misschien. En als je zou opdagen, wilde ik dat je rechtsomkeert zou maken en als de bliksem weer zou verdwijnen. Voor je eigen bestwil.'

'Maar dat werkte niet.'

'Hoeveel kans hebben we om hieruit te komen?'

'Tot nu toe hebben we geluk gehad.' Hij zocht in zijn borstzak en haalde de legitimatie van Sullivan tevoorschijn. Hij vergeleek de foto met het gezicht van Turner. Zelfde geslacht. Ongeveer dezelfde kleur haar. Maar dat was dan ook alles. Hij gaf haar de legitimatie. Ze zei: 'Wie is dat?'

'Mijn advocaat. Eén van mijn advocaten. Ik heb haar vanmorgen voor het eerst ontmoet.'

'Waar is ze nu?'

'In een cel. Ze staat waarschijnlijk op de deur te bonzen. We moeten opschieten.'

'En jij neemt de legitimatie van mijn advocaat?'

Reacher tikte op zijn borstzak. 'Hier zit hij.'

'Maar je lijkt helemaal niet op hem.'

'Daarom moet jij rijden.'

'Is het al donker?'

'Het gaat de goede kant op.'

'Oké, dan gaan we,' zei ze.

Ze liepen de gang in, naar de quarantainedeur. De autosleutel van Sullivan hield hem nog steeds op een kier. Reacher trok de deur open, Turner raapte de sleutel op en ze stapten de kleine vierkante hal in. De deur sloot zich achter hen met een zuigend geluid. De buitendeur was afgesloten met een klein, verfijnd mechaniek, ongetwijfeld zeer duur en heel erg veilig. Reacher haalde de sleutels van de administratief medewerker tevoorschijn en probeerde ze stuk voor stuk. Er waren acht sleutels. De eerste deed niets. De tweede evenmin. Noch de derde. Of de vierde.

Maar de vijfde sleutel verrichtte het wonder. Het slot klikte open. Reacher draaide de deurkruk om en trok de deur open. Koude lucht kwam van buiten naar binnen. Het middaglicht verflauwde.

Turner zei: 'Wat voor auto zoeken we?'

'Een donkergroene personenwagen.'

'Dat schiet op,' zei ze, 'op een militaire basis.'

Warm, een beetje hees, je hoorde haar licht ademen, het klonk bijna intiem.

Ze stapten samen naar buiten. Reacher sloot de deur achter hen en deed hem op slot. Dat gaf hen een minuut extra, schatte hij. Links voor hen lag een kleine parkeerplaats, een meter of dertig verderop, een strook zwart asfalt. Er stonden zeventien auto's. Vooral privéauto's. Slechts twee personenwagens die in aanmerking kwamen, maar geen van beide groen. Aan het einde van het parkeerterrein verdween een weg met een bocht naar het westen. Rechts van hen voerde diezelfde weg om een hoek van het gebouw en verdween uit zicht.

'En nu?' vroeg Turner.

'Bij twijfel, linksaf,' zei Reacher. 'Daar heb ik me altijd aan gehouden.'

Ze gingen naar links en stuitten om de hoek van het gebouw op een tweede parkeerplaats. Klein, niet meer dan een verbreding van de weg met diagonale witte strepen. Er stonden zes auto's, allemaal met de achterkant naar de weg. Allemaal identieke donkergroene personenauto's.

Turner zei: 'Dat is beter.'

Ze ging midden achter de rij achterbumpers staan en drukte op de afstandsbediening van de sleutel.

Er gebeurde niets.

Ze probeerde het een tweede keer. Niets. Ze zei: 'Misschien is de batterij leeg.'

'In de auto?' zei Reacher.

'In de sleutel,' zei ze.

'Hoe is Sullivan dan hier gekomen?'

'Door de sleutel in het slot te steken. Net zoals we vroeger deden, destijds. We zullen ze stuk voor stuk moeten proberen.'

'Dat kunnen we niet doen. Dan lijken we autodieven.'

'Dat zijn we ook.'

'Misschien is het niet één van deze auto's,' zei Reacher. 'Ik heb het kenteken niet gezien. Het was vanochtend donker.'

'Misschien hadden we naar rechts moeten gaan.'

Ze liepen dezelfde weg terug, zo kordaat en onopvallend als maar mogelijk was op schoenen zonder veters, voorbij de deur van het wachtlokaal, en verder naar de andere hoek van het gebouw. Het voelde goed om te lopen. Vrijheid en frisse lucht. Reacher had de eerste dertig meter buiten altijd het beste onderdeel gevonden van een vrijlating uit een gevangenis. En het deed hem goed hier met Turner te lopen. Ze was bloednerveus, maar hield zich sterk. Ze oogde zelfverzekerd. Ze leken gewoon twee mensen die daar liepen, net als oplichters over de hele wereld: *doe alsof het doodnormaal is wat je doet.*

Voorbij de oosthoek was nog een parkeerplaats in de vorm van een verbreding van de weg, zes schuine parkeerplaatsen, identiek aan de parkeerplaats die ze aan de westkant hadden gezien. Er stonden drie auto's. Slechts één daarvan was een personenwagen. Donkergroen. Turner drukte op de afstandsbediening van de sleutel.

Er gebeurde niets.

Ze liep naar de auto toe en probeerde de sleutel in het portierslot.

Hij paste niet.

Ze zei: 'Waar komt een advocaat die bij het wachtlokaal moet zijn, het terrein op? Door de hoofdingang, denk ik? Is er aan de voorkant ook een parkeerterrein?'

'Vast,' zei Reacher. 'Maar ik zou bijna hopen van niet. Daar vallen we veel te veel op.'

'We kunnen hier niet langer rondhangen. We zijn regelrechte schietschijven.'

Ze liepen verder, naar de voorkant van het gebouw, en bleven iets daarvoor staan, verborgen in de schaduwen. Reacher vermoedde een open ruimte verderop, en misschien licht, en misschien verkeer.

'Bij drie,' zei Turner. 'Een, twee, drie.'

Ze sloegen de hoek om. *Doe alsof het doodnormaal is wat je doet.* Ze liepen snel, alsof ze druk bezette mensen waren op weg ergens naartoe. Er was een brandgang langs de voorgevel van het gebouw, dan een gebogen stoeprand en daar voorbij een lange rij parkeerplaatsen, vol auto's, er was slechts één plek vrij. Links daarvan stond een groene personenwagen.

'Dat is 'm,' zei Reacher. 'Ik herken 'm min of meer.'

Turner liep er recht op af en drukte op de sleutel. Het binnenlicht van de auto ging aan en de richtingaanwijzers floepten aan en weer uit en de sloten in de portieren werden met een metalen klik ontgrendeld. Links, verderop, kwam een auto stapvoets hun kant op rijden, de voorzichtige snelheid van een auto op de basis, de koplampen aan in de schemering. Reacher en Turner liepen elk een kant op, Reacher naar rechts, Turner naar links, langs de zijkant van de groene personenwagen, Reacher naar het portier aan de passagierskant, Turner naar het portier aan de bestuurderskant. Ze trokken de portieren open en klommen naar binnen, zonder onhandigheden, zonder aarzelen. De auto kwam dichterbij. Ze sloten de portieren, twee keer een klap, als overwerkte personeelsleden die zich moesten haasten om op tijd te zijn bij een volgende levensbelangrijke afspraak. Turner stak de sleutel in het contact en startte de motor.

De auto die hen tegemoetkwam, draaide de parkeerplaats op en reed in hun richting, van links, het licht van de koplampen voluit op hen gericht.

'Rijden,' zei Reacher. 'Nu meteen.'

Maar Turner begon niet te rijden. Ze schakelde in de achteruit en gaf gas, maar de auto kwam niet in beweging. Hij bokte alleen tegen de handrem. Turner zei: 'Shit' en wrikte de handrem omlaag, en tegen die tijd was het te laat. De andere auto bevond zich recht achter hen. Daar stopte hij, blokkeerde hen, en toen draaide de bestuurder aan het stuur en de auto kroop weer vooruit, met de bedoeling te parkeren op de lege plek naast hun auto.

De bestuurder was kapitein Tracy Edmonds. Reachers advocaat. Van het HRC, Candice Dayton. Zijn tweede afspraak die middag.

Reacher dook in elkaar op zijn stoel en verborg zijn gezicht achter zijn hand, alsof hij hoofdpijn had.

Turner zei: 'Wat is er?'

'Dat is mijn andere advocaat. Kapitein Edmonds. Ik had twee afspraken na elkaar gepland.'

'Waarom?'

'Ik wilde zeker weten dat ik uit mijn cel zou zijn als jouw advocaat kwam opdagen.'

'Zorg dat ze je niet ziet.'

'Dat lijkt me het minste van onze problemen. De vlam slaat in de pan zodra ze een minuut binnen is, denk je ook niet?'

'Je had erop moeten rekenen dat één advocaat genoeg zou zijn.'

'Had jij dat gedaan?'

'Waarschijnlijk niet.'

Naast hen reed Edmonds een paar keer vooruit en achteruit tot ze keurig netjes geparkeerd stond. Ze deed de koplampen uit, Turner deed haar koplampen aan, reed recht achteruit en draaide hard aan het stuur. Edmonds deed haar portier open en klom uit de auto. Reacher sloeg zijn andere hand voor zijn gezicht. Turner schakelde in de vooruit, draaide bij en begon te rijden, langzaam. Edmonds wachtte netjes tot ze haar manoeuvre had voltooid. Turner bedankte haar met een wuivend gebaar en trapte op het gas.

'De zuidpoort,' zei Reacher. 'Vind je niet? Ik vermoed dat al deze mensen aan de noordkant het terrein op zijn gekomen.'

'Mee eens,' zei Turner. Ze reed naar het zuiden, in een flink tempo, maar niet suïcidaal, het hele terrein over, langs grote en kleine gebouwen, sloeg hier en daar af, remde hier en daar af, bleef stilstaan bij kruisingen met een stopbord, keek naar links en naar rechts, reed weer door, totdat uiteindelijk de laatste gebouwen van de basis achter hen verdwenen en ze zich op de uitvalsweg bevonden, in de richting van de eerste controlepost.

De eerste van drie controleposten.

20

De eerste controlepost was een eitje. *Doe alsof het doodnormaal is wat je doet.* Turner pakte Reachers geleende legitimatie aan en hield die, samen met die van haarzelf, als een waaier in haar hand, als een paar drieën. Ze remde af, reed stapvoets en zoemde haar raam omlaag en drukte op de knop om de kofferbak open te laten springen, terwijl ze tot stilstand kwam, de hele operatie één vloeiende reeks handelingen, alsof ze haar hele leven niet anders had gedaan.

De wachtpost in het wachthokje reageerde automatisch op het toneelstukje, wat Reacher al had gehoopt. Hij wierp slechts een vluchtige blik op de beide ID-kaarten, en een vluchtige blik in de kofferbak, voor hij die weer voor hen dichtdrukte.

Turner gaf een beetje gas en reed door.

En liet haar adem ontsnappen.

Reacher zei: 'Edmonds moet nu wel zo ongeveer binnen zijn.'

'Heb je nog slimme ideeën?'

'Gewoon gas geven als er een probleem opduikt. Dwars door de slagboom. De problemen zullen niet veel groter worden als we een stuk ijzer met strepen erop aan barrels rijden.'

'We zouden een wachtpost kunnen aanrijden.'

'Die springt wel opzij. Wachtposten zijn ook mensen.'

'We maken deuken in een auto van het leger.'

'Dat heb ik al gedaan. Gisteravond. Met de hoofden van twee kerels.'

'Het lijkt wel of jij iets hebt met het veroorzaken van deuken in materieel van het leger met behulp van hoofden,' zei ze. Warm, een beetje hees, je hoorde haar licht ademen, het klonk bijna intiem. 'Dat bureau in mijn kantoor, bijvoorbeeld..'

Hij knikte. Hij had haar het verhaal verteld over de telefoon. Vanuit South Dakota. Een oud onderzoek, en de daaruit voortvloeiende frustratie. Een kort verhaal, eindeloos uitgerekt. Alleen maar om nog meer van die stem van haar te horen.

Ze vroeg: 'Wie waren die twee kerels gisteravond?'

'Ingewikkeld,' zei hij. 'Dat vertel ik je later wel.'

'Ik hoop dat je dat dan nog kunt,' zei ze.

Ze reden naar de tweede controlepost. Daar bleek het beschadigen van de slagboom geen optie. Het was net vijf uur geweest. Spitsuur, in legerstijl. Er stond een bescheiden rij auto's te wachten om het terrein te verlaten, en een bescheiden rij auto's die het terrein op wilde rijden. Er stonden al twee auto's achter elkaar op de rijstrook naar buiten, en drie op de rijstrook naar binnen. In het wachthokje hadden twee man dienst. De een holde van links naar rechts, liet een wagen naar buiten, dan één naar binnen, weer één naar buiten, links en rechts, keurig om de beurt.

De andere man zat in het wachthokje.

Aan de telefoon. Hij luisterde geconcentreerd.

Turner zette de auto stil, als derde in de rij, een smalle rijstrook, de wachtpost links voor haar, en een ononderbroken rij drakentanden rechts, stuk voor stuk massieve afgeknotte piramide van bijna een meter hoog, stuk voor stuk ongetwijfeld van gewapend beton en diep ingegraven.

De tweede wachtpost was nog steeds aan de telefoon.

Bij de andere rijstrook ging de slagboom omhoog. Een auto reed naar binnen. De eerste wachtpost kwam terug naar hun kant en controleerde een legitimatie, controleerde een kofferbak, drukte op een knop, de slagboom ging omhoog en een auto reed naar buiten.

Reacher zei: 'Misschien is het spitsuur in ons voordeel. Het gaat allemaal nogal oppervlakkig.'

Turner zei: 'Het hangt ervan af waar dat telefoongesprek over gaat.'

Reacher stelde zich voor hoe Edmonds het wachtlokaal binnenkwam door de hoofdingang, het kantoortje in liep en constateerde dat de kapitein van dienst er niet was. Misschien zat er nog een administratief medewerker, die zou knikken en weer in zijn papieren zou duiken. Hoeveel geduld zou Edmonds hebben? Hoeveel geduld zou zo'n medewerker hebben? Rang zou een rol spelen. Edmonds was kapitein, net als de kapitein van dienst. Officieren met dezelfde rang. Ze zou hem het voordeel van de twijfel geven. Ze zou niet onmiddellijk hoog van de toren blazen, wat een majoor of een kolonel misschien wel zou doen. En zo'n medewerker zou zich zeker gedeisd houden.

In het wachthokje was de tweede wachtpost nog steeds aan de telefoon. Buiten haastte de eerste wachtpost zich nog steeds van de ene kant naar de andere. Een tweede auto reed naar binnen en een tweede auto reed naar buiten. Turner reed door en stopte, was nu de eerste om te worden doorgelaten naar buiten, maar ze was ook aan alle kanten ingesloten, links en rechts, twee auto's achter haar en de gestreepte slagboom voor haar. Ze haalde diep adem, drukte op de knop om de kofferbak open te laten springen, wuifde met de ID-kaarten en zoemde haar raam omlaag.

De tweede wachtpost beëindigde het telefoongesprek. Hij legde de hoorn neer en keek naar de rijstrook buiten. Hij liet zijn ogen erover gaan van voren naar achteren, en weer van achteren naar voren. Hij begon bij Turner en eindigde weer bij Turner. Hij kwam het wachthokje uit en liep naar haar raam.

Hij zei: 'Het spijt me dat u moest wachten.'

Hij wierp een vluchtige blik op hun legitimatie, wierp een vluchtige blik in de kofferbak, deed die voor hen dicht en drukte op een knop op de zijkant van het wachthokje. De slagboom ging omhoog en Turner begon te rijden.

En liet haar adem ontsnappen.

Reacher zei: 'Nog één. Alle het goede komt in drieën.'

'Geloof je dat echt?'

'Nee, niet echt. De kans dat drie proposities met een tegenstelling alle drie hetzelfde resultaat opleveren, is ongeveer twaalf procent.'

Voor hen leek de derde controlepost een exacte kopie van de tweede. Er stond een rij van drie auto's op de rijstrook naar buiten, een rij van drie auto's op de rijstrook naar binnen, er waren twee wachtposten, de één haastte zich van links naar rechts en weer terug, de ander was aan de telefoon.

Geconcentreerd luisterend.

Turner zei: 'Dat moeten belangrijke telefoongesprekken zijn. Ik bedoel, die jongens hebben op het moment wel iets beters te doen. Een hele club hoge officieren loopt vertraging op. En sommigen van hen zijn marinier. Die vinden dat niet leuk.'

'Wij wel?'

'Anders dan de mariniers. Wij staan niet voortdurend op het punt om de hele wereld te redden.'

'Mijn vader was marinier.'

'Heeft hij de wereld gered?'

'Hij was geen hoge officier.'

'Ik wou dat ik wist wie er aan de telefoon was.'

Reacher dacht terug aan de tijd dat hij zelf kapitein was. Hoe lang zou hij zelf hebben gewacht tot een andere kapitein klaar was met zijn beslommeringen? Niet heel erg lang waarschijnlijk. Maar misschien was Edmonds vriendelijker. Geduldiger. Of misschien zou ze zich niet op haar gemak voelen, in een wachtlokaal. Al was ze wel advocaat. Ze moest al in tal van wachtlokalen zijn geweest. Tenzij ze vooral bureauwerk deed. Een papiervreter. Dat was heel goed mogelijk. Per slot van rekening was ze ingedeeld bij HRC. Dat moest iets betekenen. Hoeveel werk deed HRC in cellenblokken?

Hij zei: 'Dit is een grote basis. Die telefoongesprekken hoeven niet per se afkomstig te zijn uit het wachtlokaal.'

'Wat kan er nog meer zo belangrijk zijn?'

'Misschien moet de weg worden geëffend voor een generaal. Of misschien bestellen ze pizza bij een bezorgservice. Of geven ze aan hun vriendin door dat ze over niet al te lange tijd thuis zullen zijn.'

'Laten we het hopen,' zei Turner. 'Eén van die opties. Of allemaal.'

De slagboom van de andere rijstrook ging omhoog en een auto reed naar binnen. De wachtpost haastte zich naar de rijstrook naar buiten, controleerde legitimatie, controleerde een kofferbak, drukte op een knop, de slagboom ging omhoog en een auto reed naar buiten. Turner schoof één plekje op. De wachtpost binnen was nog steeds aan de telefoon.

Hij luisterde nog steeds geconcentreerd.

Turner zei: 'Ze hoeven niet eens te bellen. Ik draag mijn strepen en plaatjes niet. Die hebben ze me afgenomen. Ik zie er precies uit als een ontsnappende gevangene.'

'Of een veteraan van de Special Forces. Undercover en anoniem. Bekijk het maar van de zonnige kant. Zorg alleen dat ze je schoenen niet zien.'

Een volgende auto reed naar binnen en een volgende auto reed naar buiten. Turner schoof op naar het begin van de rij. Ze drukte op de knop om de kofferbak open te laten springen, wuifde met de ID-kaarten en zoemde haar raam omlaag. De wachtpost binnen was nog steeds aan de telefoon. De wachtpost buiten was druk bezig op de rijstrook naar binnen. Voor hen, aan de andere kant van de slagboom, lagen geen drakentanden meer. De weg werd breder en veranderde in een doorsnee straat in Virginia.

Langs de straat stond een patrouillewagen van de Arlington County Police.

Turner zei: 'Moet ik nog steeds dwars door die slagboom?'

'Alleen als het nodig is,' zei Reacher.

De wachtpost buiten was klaar met controleren en drukte op de knop om de slagboom naar binnen omhoog te laten gaan. De wachtpost binnen maakte een einde aan het telefoongesprek en legde de hoorn neer. Hij kwam naar buiten en bukte en keek naar de legitimatiebewijzen in Turners hand. Geen vluchtige blik. Zijn ogen gingen van de foto's naar de gezichten. Reacher keek weg en staarde door de voorruit naar buiten. Hij liet zich zo diep mogelijk in zijn stoel zakken en probeerde de indruk te wekken dat hij van middelbare leeftijd was en een doorsnee lengte had. De man bij het raam stapte naar de kofferbak. Meer dan een vluchtige blik. Toen legde hij zijn hand op de klep van de kofferbak en duwde hem kalm dicht.

Hij liep naar de zijkant van het wachthokje.

En drukte op de knop.

De slagboom zwaaide omhoog, Turner gaf een beetje gas, de auto begon te rijden, onder de slagboom door, voorbij de laatste

drakentanden, de keurige straat op, die breed was, voorspoed uitstraalde, waar bomen langs stonden, en toen verder, voorbij de geparkeerde patrouillewagen, en weg.

Reacher dacht: kapitein Edmonds moet wel een verdomd gedul-
dige vrouw zijn.

21

Susan Turner leek de lokale wegen te kennen. Ze sloeg links af en
rechts af, reed langs de noordrand van de begraafplaats, sloeg opnieuw af en reed een eind langs de oostkant. Ze zei: 'Ik neem aan
dat we naar Union Station rijden. Om de auto te dumpen en hen
te doen geloven dat we de trein hebben genomen.'

'Prima,' zei Reacher.

'Hoe wil je daar naartoe rijden?'

'Wat is de stomste route?'

'Op dit moment van de dag? Binnendoor, denk ik. Constitution
Avenue, in ieder geval. Dat gaat traag en we zijn voortdurend in
beeld, het hele eind.'

'Dan doen we dat. Ze verwachten ongetwijfeld iets anders.'

Dus Turner sorteerde voor om de rivier over te steken. Het verkeer was hopeloos. In de burgerwereld was het blijkbaar ook spitsuur. Bumper aan bumper, als een zich verplaatsend parkeerterrein.
Ze trommelde met haar vingers op het stuur en keek in de spiegel,
probeerde van de ene rijstrook in de andere te glippen om een minieme winst te boeken.

'Relax,' zei Reacher. 'Het spitsuur is onze vriend op het moment.
Ze hebben geen schijn van kans om ons te achtervolgen.'

'Tenzij ze een helikopter inzetten.'

'Maar dat doen ze niet. Niet hier. Ze zouden zich veel te veel
zorgen maken dat ze zouden neerstorten, boven op een congreslid.
En dat zou hun budget geen goed doen.'

Ze kropen de brug op, langzaam, en over het water, en lieten
Arlington County achter zich. Turner zei: 'Over budgetten gespro-

ken, ik heb geen geld. Ze hebben al mijn spullen afgenomen en in een plastic zak gestopt.'

'Die van mij ook. Maar ik heb dertig dollar geleend van mijn advocaat.'

'Waarom leent zij jou geld?'

'Ze weet niet dat ze dat heeft gedaan. Nog niet. Maar ze komt er snel genoeg achter. Ik heb een briefje in haar portefeuille gestopt.'

'We zullen meer nodig hebben dan dertig dollar. Om te beginnen heb ik kleren nodig waarmee ik over straat kan.'

'En ik heb schoenveters nodig,' zei Reacher. 'We moeten op zoek naar een pinautomaat.'

'We hebben geen pasjes.'

'Er zijn allerlei soorten pinautomaten.'

Ze reden de brug af, langzaam, stilstaan en optrekken, het District of Columbia zelf in. Het jachtgebied van het Metro Police Department. Reacher zag verderop meteen twee patrouillewagens. Ze stonden met de neus naar elkaar toe geparkeerd op de stoeprand achter het Lincoln Memorial. Met draaiende motor. Samen hadden ze een stuk of tien radioantennes. In elk van de beide auto's zat een politieagent, lekker warm en comfortabel. Een standaard voorzorgsmaatregel, hoopte Reacher. Turner zocht een andere rijstrook en reed langs de patrouillewagens aan de andere kant van een stilstaande rij auto's die bumper aan bumper stonden te wachten. Ze reageerden op geen enkele manier.

Ze reden verder, door de toenemende duisternis, langzaam en haperend, anoniem voortschuivend in een gletsjer van vijftigduizend voertuigen die allemaal door een paar straten moesten. Ze reden naar het noorden door 23rd, dezelfde straat waar Reacher de dag ervoor had gelopen, en sloegen toen rechts af Constitution Avenue op, die zich voor hen schier eindeloos leek uit te strekken, recht en lang, een machtige rivier van rode achterlichten.

Turner zei: 'Vertel eens over die twee kerels van gisteravond.'

Reacher zei: 'Ik was met de bus gekomen en ben rechtstreeks naar Rock Creek gegaan. Ik was van plan je uiteten te vragen. Maar je was er niet, natuurlijk. En de man die op jouw plek zat, hing een lulverhaal op dat ik was beschuldigd van geweldpleging. Een bendelid naar wie we maar liefst zestien jaar geleden onderzoek hadden gedaan. Ik was niet onder de indruk, dus hij toverde een Deel 10 uit de hoge hoed en lijfde me weer in bij het leger.'

'Hè? Zit je weer in het leger?'

'Sinds gisteravond.'

'Geweldig.'

'Zo voelt het niet. Tot nog toe.'

'Wie zit er op mijn plek?'

'Een luitenant-kolonel met de naam Morgan. Een manager, zo te zien. Hij heeft me ingekwartierd in een motel aan de noordwestkant van het gebouw. Nog geen vijf minuten nadat ik had ingecheckt, doken er twee kerels op in een auto. Onderofficieren, geen twijfel mogelijk, achter in de twintig, een heleboel blabla dat ik de eenheid in diskrediet had gebracht, en dat ik moest opsodemieteren om ze de schande van een krijgsraad te besparen, en dat ze me op mijn donder zouden geven als ik niet zou opsodemieteren. Dus heb ik hun hoofden tegen de zijkant van die auto geslagen.'

'Wat waren dat in hemelsnaam voor kerels? Heb je namen? Dat soort lui wil ik niet in mijn eenheid.'

'Ze waren niet van het 110th. Dat was volstrekt duidelijk. Het was warm in hun auto. Ze hadden een heel eind verder gereden dan de anderhalve kilometer van Rock Creek. En hun vechttechniek liet ernstig te wensen over. Dat waren geen mensen van jou. En dat weet ik zeker, want ik heb een soort officieus appèl gehouden in het gebouw. Ik ben het hele gebouw door gezworven en ze waren er niet.'

'Wat waren ze dan wel?'

'Ze waren twee kleine stukjes in een legpuzzel.'

'En wat is het plaatje op de doos?'

'Geen idee, maar ik heb ze vandaag weer gezien. Van een afstandje. Ze waren weer bij het motel, met versterking. Twee andere kerels, met z'n vieren dus. Ik vermoed dat ze controleerden of ik was vertrokken, en zo niet, dat ze van plan waren me nog een beetje aan te moedigen.'

'Als ze niet van het 110th waren, waarom zouden ze jou dan uit de weg willen hebben?'

'Precies,' zei Reacher. 'Ze kenden me nog niet eens. Meestal willen mensen me pas na een tijdje uit de weg hebben.'

Ze kropen verder, langs de Vietnam Wall. Daar stond weer een Metro patrouillewagen. Lopende motor, een en al antenne. Reacher zei: 'We moeten ervan uitgaan dat de vlam zo onderhand wel in de pan is geslagen, niet?'

'Tenzij jouw kapitein Edmonds bij het wachten in slaap is gevallen,' zei Turner.

Ze kropen langs de geparkeerde patrouillewagen, zo dichtbij dat Reacher de politieagent in de wagen kon zien zitten. Een lange, zwarte man, mager als een lat. Het had de broer kunnen zijn van de kapitein van dienst in Dyer. Dat zou dan ongelukkig zijn geweest.

Turner vroeg: 'Waar ging die beschuldiging van geweldpleging van zestien jaar geleden over?'

Reacher zei: 'Een bendelid in L.A., die zwaar geschut verkocht op de zwarte markt, uit de nasleep van Desert Storm. Een grote, dikke idioot die zich Dog liet noemen. Ik kan me herinneren dat ik met hem heb gepraat. Zo iemand vergeet je niet. Hij was zo groot als een huis. Hij is net overleden, blijkbaar. En hij heeft een verklaring onder ede achtergelaten waarin mijn naam voortdurend wordt genoemd. Maar ik heb hem niet aangeraakt. Met geen vinger. Ik zie het ook niet echt voor me. Ik zou tot mijn elleboog in het vet hebben gezeten voordat ik iets substantieels had kunnen raken.'

'Wat is er dan gebeurd?'

'Ik denk dat een of andere ontevreden klant zich heeft gemeld met een stelletje maten en een partij honkbalknuppels. En dat de vetzak zich een tijdje later begon af te vragen wat dat kon opleveren aan schadeloosstelling. Je weet wel, iets voor niets, zoals dat gaat in die proceszieke maatschappij van ons. Dus heeft hij een rat van een advocaat ingeschakeld, die er geen been in zag om achter die kerels met die honkbalknuppels aan te gaan. Maar misschien heeft de vetzak laten vallen dat hij bezoek had gehad van het leger, en bedacht de advocaat dat Uncle Sam geld zat had, en hebben ze samen die claim verzonnen. Van dat soort moeten er door de jaren heen duizenden zijn bedacht. De dossiers van het leger moeten ervan uitpuilen. En volledig terecht wordt ernaar gekeken en om gelachen, en vervolgens worden ze onder in een la gelegd en nooit meer tevoorschijn gehaald. Behalve deze dan, die het daglicht opnieuw heeft mogen aanschouwen.'

'Want?'

'Het is ook een stukje van de legpuzzel. Morgan zei dat er aan mijn dossier een alarm was gekoppeld. Hij zei dat het niet had gewerkt toen jij mijn dossier opvroeg, maar wel toen je het weer terugbracht. Dat geloof ik niet. Zo slecht zijn onze bureaucraten niet. Ik denk dat er helemaal geen alarm aan mijn dossier was gekoppeld. Ik denk dat er in alle haast van alles bij elkaar is geprutst. Dat er iemand heel paniekerig is geworden.'

'Vanwege jou?'

Reacher schudde zijn hoofd. 'Nee, vanwege jou, in eerste instantie. Vanwege jou en Afghanistan.'

Toen hield hij zijn mond dicht, want blauw en rood licht vulde de auto. Via de spiegels. Een patrouillewagen, achter hen, die zich door het verkeer worstelde. De sirene loeide in alle digitale toonaarden die maar denkbaar waren, hard en dringend. Het krijsende, manische kakelen, het klagende tweetonige loeien. Reacher draaide zich om op zijn stoel. De patrouillewagen bevond zich ongeveer twintig auto's achter hen. Voor de patrouillewagen schoven auto's naar de stoeprand, uit elkaar, probeerden ze een extra rijstrook te maken op de volle weg.

Turner wierp een blik in de spiegel. Ze zei: 'Relax. Dat is een patrouillewagen van de Metro Police. Het leger gaat zelf achter ons aan. Wij gebruiken de Metro Police niet. De FBI soms misschien, maar niet die clowns.'

'Metro zoekt mij voor Moorcroft,' zei Reacher. 'Jouw advocaat. Een rechercheur die Podolski heet, denkt dat ik dat heb gedaan.'

'Waarom?'

'Ik was de laatste die met hem heeft gesproken, en daarna heb ik mijn oude kleren weggegooid, en ik was alleen en ik had geen alibi toen het gebeurde.'

'Waarom heb je je kleren weggegooid?'

'Goedkoper dan wassen, als puntje bij paaltje komt.'

'Waar heb je met Moorcroft over gepraat?'

'Ik wilde dat hij jou uit de cel zou halen.'

De patrouillewagen reed nu tien auto's achter hen en wrong zich door het verkeer, vrij snel.

Reacher zei: 'Trek je jack uit.'

Turner zei: 'Normaal gesproken wil ik eerst een drankje en een film voordat ik mijn kleren uittrek.'

'Ik wil niet dat hij je uniform ziet. Als hij mij zoekt, zoekt hij jou ook.'

'Hij heeft ongetwijfeld ons kenteken.'

'Misschien ziet hij dat niet. We rijden bumper aan bumper.'

De auto's voor hen schoven in de richting van de goot. Turner volgde ze, stuurde met links en was met haar rechterhand in de weer met haar jack. Ze trok de overslag opzij en de rits omlaag. Ze boog voorover en wurmde haar linkerschouder uit het jack, daarna haar rechterschouder. Ze trok haar linkerarm uit de mouw, daarna de rechterarm. Reacher trok het jack achter haar rug weg en liet het achter de voorstoelen vallen. Ze droeg een T-shirt onder haar jack, legergroen, korte mouwen. Waarschijnlijk XS, dacht Reacher, wat haar uitstekend paste, zij het dat het een beetje te kort was. Het kwam amper tot aan haar broekband. Reacher zag een paar centimeter huid, glad en stevig en gebruind.

Hij keek opnieuw achterom. De patrouillewagen reed nu twee auto's achter hen en liep nog steeds in, met flikkerend blauw en rood licht, nog steeds krijsend, kakelend en jankend.

Hij zei: 'Was je ingegaan op mijn uitnodiging om te gaan eten als je in je kantoor was geweest gisteravond? Of vanavond, als Moorcroft je vrij had gekregen?'

Ze zei, haar ogen op de spiegel gericht: 'Moet je daar op dit moment een antwoord op hebben?'

Een paar meter verder was 17th Street. Voor hen lichtte in het schemerdonker het Washington Monument op.

De patrouillewagen kwam naast hen rijden.

En bleef naast hen staan.

22

De patrouillewagen bleef naast hen staan, omdat de auto voor de patrouillewagen niet helemaal aan de kant was gegaan, en omdat in de rijstrook ernaast een brede pick-up stond met overdreven bolle spatborden boven dubbele achterwielen. Er was niet genoeg ruimte om hem te passeren. De politieman was een blanke man met een dikke nek. Reacher zag dat hij een blik op Turner wierp, vluchtig en volstrekt ongeïnteresseerd, en dat hij weer wegkeek, en omlaag naar de instrumenten op zijn dashboard, waar kennelijk ook de schakelaars van de sirene waren geplaatst, want op dat moment veranderde het geluid in een continu kakelend geloei, manisch en eindeloos, en onvoorstelbaar hard.

Maar kennelijk was er ook iets anders tussen de stoelen te zien, en kennelijk was dat veel interessanter dan alle schakelaars van de sirene bij elkaar. Want de man bleef omlaag kijken. Hij staarde ergens naar, intens. Het scherm van een laptop, dacht Reacher. Of een ander modern communicatieapparaat. Hij had die dingen wel eens gezien. Van tijd tot tijd had hij in patrouillewagens van de burgerpolitie gezeten. In sommige waren platte grijze panelen ingebouwd, op een dunne flexibele stang, met actuele berichten, dienstmededelingen en waarschuwingen.

Hij zei: 'We hebben een probleem.'

Turner zei: 'Wat voor probleem?'

'Volgens mij is die man ook op weg naar Union Station. Of naar het busstation. Om uit te kijken naar ons. Volgens mij heeft hij daar berichten en foto's. Het is niet zo moeilijk om aan foto's te komen, toch? Van het leger? Volgens mij heeft hij die nu voor zich. Zie je hoe hij zijn uiterste best doet om niet naar ons te kijken?'

Turner wierp een blik opzij. De politieman keek nog steeds omlaag. Zijn rechterarm bewoog. Misschien probeerde hij zijn microfoon te pakken te krijgen. Voor hen kwam het verkeer een beetje in beweging. De auto voor de patrouillewagen ging opzij. De pick-up met de brede spatborden schoof 15 centimeter op. Er was ruimte voor de patrouillewagen om te passeren.

Maar de politieman keek niet op. En zijn auto kwam niet in beweging.

De sirene bleef loeien. De man begon te praten. Onmogelijk om uit te maken wat hij zei. Toen hield hij zijn mond dicht en luisterde. Ze vroegen hem iets. Misschien wel een formeel protocol bij radiocommunicatie, dat zoiets betekende als: *Weet je het zeker?* Want op dat moment keek de man opzij. Hij knikte zijn hoofd iets voorover om goed uit het raam aan de passagierskant te kunnen kijken. Hij staarde een seconde naar Turner en liet zijn ogen toen op Reacher rusten.

Zijn lippen bewogen.

Een enkele lettergreep, kort, onhoorbaar, maar heel duidelijk een stemhebbende medeklinker, gevolgd door een lange vocaal. Dus vrijwel zeker: *Ja.*

Toen maakte hij zijn autogordel los en ging zijn rechterhand in de richting van zijn heup.

Reacher zei: 'Tijd om het schip te verlaten.'

Hij gooide het portier aan zijn kant open en liet zich half rollend naar buiten vallen. Turner krabbelde achter hem aan, weg van de politieman, over de middenconsole, over Reachers stoel. De auto rolde zacht vooruit en kwam rustig tot stilstand tegen de bumper van de auto ervoor, als een kus. Turner tuimelde naar buiten, een en al armen en benen, onhandig op haar schoenen zonder veters. Reacher pakte haar hand en trok haar overeind en ze haastten zich dwars over het trottoir naar de Mall. Kale bomen en duisternis sloten hen in. Achter zich hoorden ze niets dan het kakelende geloei van de sirene. Ze zochten hun weg naar het begin van de Reflecting Pool. Turner had alleen haar T-shirt aan, verder niets daarover, en de lucht was koud. Reacher trok zijn jack uit en gaf het aan haar.

Hij zei: 'Trek maar aan. En dan gaan we uit elkaar. Dat is veiliger. Over een kwartier bij de Vietnam Wall. Blijf rennen als ik niet kom opdagen.'

Ze zei: 'Jij ook als ik er niet ben.' Toen ging zij de ene kant op en hij de andere kant.

Reacher viel onder alle omstandigheden op, vanwege zijn lengte, dus het eerste wat hij zocht, was een bankje. Hij dwong zichzelf kalm en ontspannen te lopen, met zijn handen in zijn zakken, niets om zich druk over te maken, omdat een rennende man honderd keer zoveel aandacht trekt dan een wandelende man. Weer zo'n erfenis uit de evolutie. Roofdier en prooi, beweging en roerloosheid. En hij keek ook niet om. Geen steelse blikken. Hij bleef recht en onverstoord voor zich uit kijken en liep in de richting van wat hij zag. Het werd snel helemaal donker, maar op de Mall was het druk. Niet zoals in de zomer, maar er waren genoeg winterse toeristen aan het einde van de dag, en verderop bevond zich de gebruikelijke menigte bij de Vietnam Wall, sommigen om te rouwen, anderen om in het algemeen hun respect te betuigen, en weer anderen die tot de troep vreemde vogels behoorden op wie de Wall een merkwaardige aantrekkingskracht leek te hebben. Hij zag Turner nergens. De sirene loeide niet meer, maar nu klonk getoeter. Waarschijnlijk was de politieman nu uit de auto en waarschijnlijk blokkeerden zijn patrouillewagen en de auto van Sullivan nu het verkeer.

Reacher zag twintig meter verder in het schemerdonker een bankje, vrij, aan het stille water van de vijver, en hij slenterde ernaartoe, langzaam en ontspannen, en bleef aarzelend staan alsof hij een besluit nam, ging zitten, voorovergebogen, zijn ellebogen op zijn knieën. Hij keek peinzend omlaag, alsof er van alles door zijn hoofd ging. Iemand die lang en oplettend naar hem keek, zou hem doorzien, maar op het eerste gezicht zou niets aan zijn pose verraden dat hij een *lange* man was en *voortvluchtig*. Het enige opvallende was dat hij geen jack droeg. Terwijl het toch niet echt weer was om zonder jas buiten te lopen.

Dertig meter achter hem klonken nog steeds de claxons.

Hij wachtte, hoofd gebogen, rustig en stil.

Toen zag hij veertig meter verderop vanuit een ooghoek de politieman met de dikke nek, die zich zijn kant op haastte, met een zaklantaarn in zijn hand, maar geen pistool. De man draaide naar links en naar rechts, nerveus zoekend, met in gedachten waarschijnlijk de schimpscheuten van zijn chef omdat hij zo dichtbij was geweest maar ze niet te pakken had gekregen. Reacher hoorde twee nieuwe sirenes, beide ver weg, de ene in het zuiden, misschien wel ergens bij C Street, de andere verder naar het noorden, op 15th, misschien 14th, ter hoogte van het Witte Huis of het Aquarium.

Reacher wachtte.

De politieman met de dikke nek was op weg naar de Wall, was halverwege, stopte toen en draaide een keer helemaal rond. Reacher voelde hoe de blik van de man over hem gleed. Een man die rustig naar het water zat te staren was op geen enkele manier interessant, terwijl er genoeg mensen in de buurt waren die zich misschien wel verdacht gedroegen, zoals een groep van een man of dertig, veertig die op weg was naar het monument, een groep op rondleiding of een toevallige verzameling vreemdelingen die allemaal toevallig op hetzelfde moment dezelfde kant op liepen, of een combinatie van beide. Bewegende prooien. Evolutie. De politieman liep achter hen aan. Geen slechte gok, dacht Reacher. Iedereen zou uitgaan van beweging. Stilzitten viel niet mee.

De sirenes in de verte kwamen dichterbij, maar niet veel. Een of andere vorm van zwaartekracht leek ze naar het oosten te trekken. Ook dat was geen slechte gok. De Metro PD kende natuurlijk het eigen terrein. Aan de oostkant waren de musea en de galerieën, en dus de mensen, en daar voorbij was het Capitool, en daar weer voorbij waren de beste vluchtroutes naar het noorden en het zuiden, over de weg en per trein.

Reacher wachtte, roerloos, zonder rond te kijken, en staarde naar het water. Op het moment dat de stopwatch in zijn hoofd precies op tien minuten stond, kwam hij traag overeind en verrichtte zoveel niet-voortvluchtige handelingen als hij maar kon bedenken. Hij geeuwde, zette zijn beide handen onder in zijn rug, rekte zich uit en geeuwde nog een keer. Toen zette hij zich in beweging naar het westen, slenterend, alsof hij alle tijd van de wereld had, met de vijver links, via een lange, slome bocht onder de kale bomen, tot hij vier minuten later bij de Wall was. Hij stond aan de rand van de menigte, een van de vele bedevaartgangers, en keek of hij Susan Turner zag.

Hij zag haar nergens.

23

Reacher liep boven de Wall langs, volgde de rijzende en dalende lijn, de knik, van 1959 tot 1975, en toen onderlangs terug, van 1975 naar 1959, twee keer langs meer dan achtenvijftigduizend namen, zonder Susan Turner ergens te zien. *Blijf rennen als ik niet kom opdagen*, had hij gezegd, en zij had geantwoord: *Jij ook als ik er niet ben*. De vijftien minuten waren lang en breed verstreken. Maar Reacher bleef. Hij liep nog een keer langs de Wall, van de eenzame eerste gesneuvelden op de lage, twintig centimeter hoge panelen, voorbij de meer dan drie meter hoge panelen met gesneuvelden tijdens het hoogtepunt van de strijd in 1968 en 1969, tot aan de laatste, eenzame gesneuvelden, opnieuw op lage panelen van twintig centimeter hoog, en keek naar iedereen die hij kon zien, rechtstreeks of weerspiegeld in het zwarte graniet, maar niemand van hen was Turner. Hij kwam uit bij het einde van de oorlog. Voor hem bevond zich de gebruikelijke verzameling verkopers van souvenirs en memorabilia, sommige waren veteranen, andere die deden alsof ze veteranen waren. Ze ventten allemaal oude insignes van eenheden en gegraveerde Zippo-aanstekers, en allerlei andere prullaria, die hooguit een emotionele waarde hadden. Zoals altijd waren er toeristen die een keuze maakten en betaalden en weer verder liepen, en zoals altijd zwierf er ook een groep kleurrijke en van de samenleving vervreemde types rond, min of meer permanent.

Reacher glimlachte.

Omdat een van die vervreemde types een magere jonge vrouw was met een gordijn van donker, loshangend haar, die een veel te grote jas droeg die ze twee keer om zich heen had gewikkeld, die tot op de knie hing, waaronder ze een camouflagebroek droeg. De lip hing uit haar schoenen. De mouwen van de jas waren opgerold tot haar polsen, ze had de handen in de zakken. Ze stond in elkaar gedoken, hoofd omlaag, verdwaasd, nauwelijks waarneembaar te wiebelen van de ene voet op de andere, helemaal van de wereld, als een junk.

Susan Turner, die helemaal opging in haar rol, die versmolt met de menigte, die zich zichtbaar voor iedereen verschool.

Reacher liep naar haar toe en zei: 'Dat doe je echt heel goed.'

'Moest wel,' zei ze. 'Er liep een smeris langs. Net zo dichtbij als jij bent. Dezelfde man die we eerder hebben gezien, in die patrouillewagen daarginds op de straat.'

'Waar is hij nu?'

'Hij liep naar het oosten. Als een oprukkend kordon. Hij passeerde me. Jou ook, neem ik aan.'

'Ik heb hem niet gezien.'

'Hij liep aan de overkant van de vijver. Je tilde je hoofd niet op.'

'Keek je naar mij?'

'Ja, en jij deed het ook heel netjes.'

'Waarom keek je naar me?'

'Voor het geval je hulp nodig zou hebben.'

Reacher zei: 'Als zij naar het oosten opschuiven, kunnen wij beter naar het westen verder gaan.'

'Lopend?'

'Nee, met een taxi,' zei Reacher. 'Onzichtbaarder dan in een taxi is praktisch onmogelijk in deze stad.'

Bij elke belangrijke toeristische attractie langs de Mall stonden twee, drie taxi's. De Wall vormde daarop geen uitzondering. Voorbij het laatste stalletje met souvenirs stonden gedeukte auto's die slecht in de lak zaten, met een taxibord op het dak. Reacher en Turner stapten in de voorste taxi in de rij.

'Arlington Cemetery,' zei Reacher. 'Hoofdingang.'

Hij las de gedrukte kennisgeving op het portier. Het starttarief was drie dollar, en dan één dollar en vierendertig cent per kilometer. Plus fooi. Dat zou hen ongeveer zeven dollar gaan kosten, in totaal. Zodat ze dan nog ongeveer drieëntwintig dollar over zouden houden. Dat was beter dan niets, maar bij lange na niet wat ze nodig zouden hebben.

Ze zaten laag op een doorzakkende achterbank en de taxi hobbelde en bonkte alsof hij op vierkante wielen reed. Maar hij deed wat hij moest doen. Ze reden achter het Lincoln Memorial langs, over de rivier bij de Memorial Bridge, terug Arlington County in. Naar de bushalte bij de ingang van de begraafplaats. Precies de plek waar Reacher bijna precies vierentwintig uur eerder was begonnen. Een merkwaardig soort progressie.

Bij de bushalte stond een groepje mensen te wachten, stuk voor stuk kleine latino's, arbeiders, moe en geduldig en berustend. Reacher en Turner sloten zich bij hen aan. Turner viel niet op, Reacher wel. Hij was meer dan een kop groter en twee keer zo breed als alle anderen. En veel bleker. Hij viel op als een vuurtoren op donkere rotsachtige kust. Dat maakte het wachten gespannen. En langdurig. Maar er reden geen patrouillewagens langs en uiteindelijk kwam de bus. Reacher betaalde voor de kaartjes, Turner zat bij het raam en Reacher bij het gangpad, zo ver in elkaar gedoken als maar mogelijk was. De bus begon te rijden, traag en log, langs dezelfde route die Reacher een dag eerder had genomen, voorbij de bushalte waar hij was uitgestapt aan het begin van de weg de heuvel op, en omhoog de helling op naar het hoofdkwartier van het 110th.

Turner zei: 'Ze zullen de FBI bellen, omdat ze ervan uitgaan dat we de grens van de staat overgaan. De vraag is alleen wie er als eerste zal bellen. Ik gok op de Metro PD. Waarschijnlijk wacht het leger tot morgenochtend.'

'Het komt wel goed,' zei Reacher. 'De FBI zal geen wegblokkades opwerpen. Niet hier aan de Oostkust. Waarschijnlijk komen ze helemaal niet van hun luie reet. Ze zetten gewoon ons ID en onze pinpas op de surveillancelijsten en dat maakt niet uit, want we hebben geen ID of pinpas.'

'Ze zouden de lokale politie kunnen vragen om busstations in het oog te houden.'

'Daar letten we wel op.'

'Ik heb nog steeds kleren nodig,' zei Turner. 'Op zijn minst een broek en een jack.'

'We hebben negentien dollar. Je moet kiezen.'

'Dan een broek. En je kunt je jack terugkrijgen als ik je hemd mag.'

'Als jij mijn hemd aantrekt, is het net een circustent.'

'Ik heb wel eens eerder vrouwen gezien die een mannenhemd droegen. Als een soort omslagdoek, chic en losjes.'

'Maar het is veel te koud.'

'Ik ben in Montana geboren. Ik heb het nooit koud.'

De bus zwoegde tegen de heuvel op langs het hoofdkwartier van het 110th. Het oude bakstenen gebouw. De poort stond open. De wachtpost zat in het wachthokje. De wachtpost met dagdienst. De auto van Morgan stond nog steeds op de parkeerplaats. De geverfde deur was dicht. Achter alle ramen brandde licht. Turner draaide zich helemaal om op haar stoel om zo lang mogelijk naar het gebouw te kunnen kijken. Tot het allerlaatste moment. Toen liet ze het los en draaide weer terug en zei: 'Ik hoop dat ik daar weer terugkom.'

Reacher zei: 'Dat gaat gebeuren.'

'Ik heb zo hard gewerkt om daar te komen. Het is een fantastisch commando. Maar dat wist je al.'

'Overal elders haten ze ons.'

'Alleen als we ons werk goed doen.'

De bus sloeg af boven op de heuvel, de straat in van Reachers motel. Het miezerde. Een beetje, maar toch zoveel dat de chauffeur zijn ruitenwissers had aangezet.

Turner zei: 'Leg nog eens uit waarom dit allemaal mijn schuld is. Van mij en Afghanistan.'

De helling vlakte af en de bus ging harder rijden. Hij rammelde langs Reachers motel zonder in te houden. De parkeerplaats was leeg. Er stond geen auto met gedeukte portieren.

Hij zei: 'Dat is de enige logische verklaring. Je had een vos losgelaten in iemands kippenhok en diegene wilde jou buitenspel zetten. Wat niet zo heel moeilijk was, want verder bleek niemand in de eenheid er iets van af te weten. Je kapitein van dienst niet. En sergeant Leach ook niet. Of iemand anders. Dus jij als enige. Ze hebben je erin geluisd met een bankrekening op de Kaaimaneilanden en je gearresteerd, zodat je communicatielijnen werden afgesneden. En die bleven afgesneden toen ze je advocaat Moorcroft in elkaar sloegen op het moment dat het erop begon te lijken dat hij wilde proberen je vrij te krijgen. Probleem opgelost. Je was geïsoleerd. Je kon met niemand praten. Alles kits. Behalve dat uit de logboeken bleek dat je uren met iemand in South Dakota had zitten telefoneren. En het gerucht ging dat die kerel eerder commandant was geweest van het 110th. Je kapitein van dienst wist het zeker, want dat heb ik hem verteld, de eerste keer dat ik belde. Misschien waren er wel een heleboel mensen die het wisten.

Er waren in ieder geval heel wat mensen die me van naam bleken te kennen toen ik gisteren kwam opdagen. En je zou kunnen veronderstellen dat jij en ik gedeelde interesses zouden hebben. Misschien hadden we wel over belangrijke zaken gepraat. Gewoon om ergens over te praten, of misschien wel omdat je mij om advies had gevraagd.'

'Maar ik heb Afghanistan helemaal niet genoemd in die gesprekken met jou.'

'Maar dat wisten zij niet. In het gesprekkenlogboek van de telefoon staat alleen vermeld hoe lang een gesprek duurde, niet wat de inhoud was. Dus in principe was ik een los eindje. Misschien wist ik wat jij wist. Niet echt een probleem, want het was niet erg waarschijnlijk dat ik zou opdagen. Het lijkt erop dat ze mijn gangen zijn nagegaan. Ze beweren dat ze weten hoe ik leef. Maar hoe dan ook, ze hebben wel plannen gemaakt, voor het geval dat. Ze hadden bijvoorbeeld de Big Dog stand-by.'

'Ik zie niet wat ze daaraan hadden. Daarmee kwam je in het systeem, met tijd genoeg om te praten.'

'Het was de bedoeling dat ik de benen zou nemen,' zei Reacher. 'Het was de bedoeling dat ik zou verdwijnen en nooit meer in de buurt van het leger zou komen, voor de rest van mijn leven. Dat was het plan. Dat was het punt waar het om ging. Ze kwamen zelfs naar mijn motel om ervoor te zorgen dat het goed tot me zou doordringen. En die zaak met Big Dog was perfect voor dat doel. De man is dood en er is een beëdigde verklaring. Zoiets kun je niet echt aanvechten. Het zou volstrekt logisch zijn geweest als ik ervandoor was gegaan. Sergeant Leach dacht dat ik wel op de vlucht zou slaan, als ze maar een manier kon bedenken om me te waarschuwen.'

'Waarom ben je niet gevlucht?'

'Omdat ik jou uit eten wilde vragen.'

'Nee, echt?'

'Dat is niet mijn stijl. Dat heb ik ontdekt toen ik een jaar of vijf oud was. Je vecht of je rent weg. Het is een binaire keuze, en ik ben een vechter. Bovendien hadden ze nog iets achter de hand.'

'En dat was?'

'Nog iets wat was bedoeld om mij in gang te krijgen, wat ook niet lukte.'

'En dat was?'

Samantha Dayton.

Sam.

Veertien jaar oud.

Dat komt nog.

'Dat vertel ik je later nog wel,' zei Reacher. 'Dat is een ingewikkeld verhaal.'

De bus zwoegde verder, een en al lage versnellingen en luidruchtige diesel, voorbij het blok met winkels dat Reacher kende, met de ijzerwinkel, de naamloze drogist, de lijstenmaker, de wapenwinkel, de tandarts-zonder-afspraak en het Griekse restaurant. Toen reed hij een gebied binnen dat Reacher niet eerder had gezien. De wereld in en weg.

Hij zei: 'Bekijk het maar van de zonnige kant. Jouw probleem is nu niet bepaald rakettechnologie. Het konijn waarnaar jij op jacht was in Afghanistan, zit achter deze hele rotzooi. Dus we moeten vandaar terugwerken. We moeten erachter komen wie zijn vriendjes zijn, en we moeten uitzoeken wie wat heeft gedaan, en wanneer, en hoe, en waarom, en dan moeten we de bom laten barsten.'

Turner zei: 'Er is één probleem.'

Reacher knikte.

'Weet ik,' zei hij. 'Het wordt niet gemakkelijk. Niet van buitenaf. Alsof we aan het werk moeten met een hand op de rug gebonden. Maar we kunnen wel ons best doen.'

'Helaas is dat niet het probleem dat ik bedoel.'

'Wat dan wel?'

'Iemand denkt dat ik iets weet, wat ik niet weet. Dat is het probleem.'

'Wat is het wat je niet weet?'

'Ik weet niet wie het konijn is,' zei Turner. 'Of wat hij in godsnaam aan het doen is, of waar, of waarom. Of hoe. In feite weet ik totaal niet wat er aan de hand is in Afghanistan.'

'Maar je hebt er twee man naartoe gestuurd.'

'Al veel eerder. Om een heel andere reden. Naar Kandahar. Pure routine. Had hier niets mee te maken. Maar toen ze daar waren, hoorden ze een gerucht van een Pathaanse informant dat een

Amerikaanse officier was gezien, op weg naar het noorden voor een ontmoeting met een stamoudste. Ze wisten niet wie die Amerikaanse officier was, wat zijn bedoelingen waren, maar ze hadden het gevoel dat het niets goeds was. We trekken ons terug. Het is de bedoeling dat we naar het zuiden trekken, niet naar het noorden, in de richting van Bagram en Kaboel, om uiteindelijk als de bliksem te maken dat we er wegkomen. Het is niet de bedoeling dat we diep in de binnenlanden geheime ontmoetingen op touw zetten met kerels met een theedoek op hun kop. Dus ik heb mijn mannen order gegeven het gerucht te onderzoeken. Meer niet.'

'Wanneer?'

'De dag voordat ik werd opgepakt. Dat betekent dat ik zelfs geen naam heb, totdat ze weer aan mij rapporteren. En dat kunnen ze niet, zolang ik niet weer binnen ben.'

Reacher zei niets.

Turner zei: 'Wat is er?'

'Het is erger.'

'Hoe kan het nog erger zijn?'

'Ze kunnen nooit meer rapporteren,' zei Reacher. 'Want ze zijn dood.'

24

Reacher vertelde Turner over de uitgebleven radiocommunicatie en de bezorgdheid in het oude bakstenen gebouw, de min of meer geautoriseerde zoektocht vanuit Bagram en de twee stoffelijke overschotten op het geitenpad. Turner zat stil. Ze zei: 'Dat waren goede mannen. Natty Weeks en Duncan Edwards. Weeks was een oude veteraan en Edwards was veelbelovend. Ik had ze niet moeten laten gaan. De Hindoekoesj is te gevaarlijk voor twee man zonder begeleiding.'

'Ze zijn niet vermoord door krijgsheren,' zei Reacher. 'Ze zijn door het hoofd geschoten met 9 mm kogels. Waarschijnlijk handwapens van het Amerikaanse leger. Beretta M9, waarschijnlijk. Die krijgsheren zouden hen onthoofd hebben. Of een AK47 hebben gebruikt. Dan ziet het gat er heel anders uit.'

'Dan moeten ze dus in de buurt van de foute Amerikaan zijn geweest.'

'Zonder het zelfs maar te weten,' zei Reacher. 'Denk je niet? Met een pistool tegen het hoofd is wel heel dichtbij en een beetje persoonlijk. En dat hadden ze vast niet toegelaten natuurlijk, als ze ook maar een flauw vermoeden hadden gehad.'

'Heel fijn,' zei Turner. 'Ze hebben de lijnen afgesneden, aan twee kanten. Hier en daar. Voordat ik ook nog maar iets in handen had. Ik bedoel, nu heb ik helemaal niets. Nada. Ze maken me kapot. Ze krijgen me eronder, Reacher. Ik zie geen uitweg.'

Reacher zei niets.

Ze stapten uit de bus in Berryville, Virginia, de laatste stop voor de eindhalte. Dat leek hen beter. Een chauffeur zou misschien een paar buitenissige passagiers onthouden als ze tot het eindstation waren blijven zitten. Zeker als er signalementen werden verspreid via radio en tv, of als het aankwam op routineverhoren door de politie, of posters met foto's in postkantoren.

Het was opgehouden met regenen, maar de lucht was nog steeds vochtig en koud. Het centrum van Berryville leek een aangename plek om te vertoeven, maar ze liepen terug langs de weg waarover ze met de bus waren gekomen, over een spoorwegovergang, voorbij een pizzeria, naar een doe-het-zelfwinkel die ze vanuit de bus hadden gezien. De winkel stond op het punt om te sluiten, wat niet ideaal was, want winkelpersoneel onthoudt over het algemeen de eerste en de laatste klant van de dag. Maar ze dachten dat het erger zou zijn om nog langer rond te lopen in gevechtstenue. Dus gingen ze naar binnen, waar Turner een bruine werkbroek van canvas vond van hetzelfde soort als Reacher droeg. De kleinste maat die ze hadden in de winkel zou haar nog steeds ruim vallen om het middel, en de pijpen zouden te lang zijn. Niet perfect. Maar Turner vond dat juist goed. Ze vond het een pluspunt, geen bezwaar, zo zei ze het. Omdat de pijpen over haar legerschoenen zouden vallen en ze deels aan het oog zouden onttrekken, zodat ze minder zouden opvallen.

Ze kochten de broek en drie paar schoenveters. Eén paar voor Reachers schoenen, één paar voor de schoenen van Turner en een paar dat ze als broekriem kon gebruiken. Ze deden hun inkopen zo onopvallend mogelijk. Niet overdreven beleefd, ook niet onbeleefd, niet haastig en niet aarzelend, zonder al te veel te zeggen. Turner maakte geen gebruik van de toiletten. Ze wilde graag haar nieuwe broek aantrekken, maar ze waren het erover eens dat het vast wel zou blijven hangen in het geheugen van de verkoper als de laatste klant van de dag naar het toilet zou gaan in gevechtstenue, en er weer uit zou komen in haar nieuwe aankoop.

Maar aan één kant van de winkel was een groot parkeerterrein, dat leeg en donker was, dus Turner trok haar nieuwe broek aan in de schaduw en gooide haar gevechtstenue weg in een afvalcontainer achter het gebouw. Toen ruilde ze het jack voor zijn hemd en gingen ze naast elkaar op de stoeprand zitten om de veters in hun schoenen te rijgen.

Klaar om verder te gaan, met nog vier dollar in Reachers broekzak.

Er zijn landen op de wereld waar vier dollar een weekloon is, maar in Berryville, Virginia, was het niet veel waard. Het was te weinig voor vervoer de staat uit, het was te weinig voor een nacht in een motel, en het was te weinig voor een fatsoenlijke maaltijd die je zittend zou kunnen nuttigen, in wat voor restaurant of diner dan ook.

Turner zei: 'Jij zei dat er allerlei soorten pinautomaten zijn.'

'Dat is ook zo,' zei Reacher. 'Vijftig kilometer verderop, of vijftig kilometer terug, maar niet hier.'

'Ik heb honger.'

'Ik ook.'

'Het heeft geen zin om op die vier dollar te blijven zitten.'

'Vind ik ook,' zei Reacher. 'Laten we eens gek doen.'

Ze liepen terug naar de spoorwegovergang, in een fris tempo en vol zelfvertrouwen op hun vers geveterde schoenen, naar de pizzeria die ze hadden gezien. Geen sterrenrestaurant, maar dat was maar goed ook. Ze kochten beiden een stuk pizza, pepperoni voor Reacher, kaas voor Turner, en een blikje cola dat ze deelden. Toen hadden ze nog tachtig cent over. Ze aten en dronken zittend op een rail bij de spoorwegovergang.

Turner vroeg: 'Heb jij mensen verloren toen je commandant was?'

'Vier,' zei Reacher. 'Onder wie een vrouw.'

'Voelde je je toen rot?'

'Ik stond niet bepaald te springen van vreugde. Maar het hoort er allemaal bij. Dat weten we allemaal als we onze handtekening zetten.'

'Ik wou dat ik zelf was gegaan.'

Reacher vroeg: 'Ben jij ooit op de Kaaimaneilanden geweest?'

'Nee.'

'Heb je ooit een bankrekening gehad in het buitenland?'

'Doe me een lol. Waarom zou ik? Ik ben een officier met de rang 04. Ik verdien minder dan sommige docenten in het voortgezet onderwijs.'

'Waarom heb je een dag gewacht voordat je de naam doorgaf van de contactpersoon van die kerel in Fort Hood?'

'Wat is dit, een verhoor?'

'Ik probeer te denken,' zei Reacher. 'Meer niet.'

'Je weet waarom ik heb gewacht. Ik wilde hem zelf pakken. Om zeker te weten dat het op de goede manier zou gebeuren. Ik had mezelf vierentwintig uur de tijd gegeven. Maar ik kon hem niet vinden. Toen heb ik de FBI ingeschakeld. Ze hadden dankbaar moeten zijn. Ik had mezelf ook een week kunnen geven.'

'Dat had ik misschien wel gedaan,' zei Reacher. 'Of een maand.'

Ze werkten de laatste happen van de pizza weg en dronken het laatste restje cola op. Reacher veegde zijn mond af met de rug van zijn hand en veegde toen de rug van zijn hand af aan zijn broek.

Turner vroeg: 'Wat doen we nu?'

'We lopen naar de andere kant van de stad en liften naar het westen.'

'Vanavond?'

'Lijkt me beter dan slapen onder een struik.'

'Hoe ver naar het westen?'

'Het hele eind,' zei Reacher. 'We gaan naar Los Angeles.'

'Waarom?'

Samantha Dayton.

Sam.

Veertien jaar oud.

'Dat vertel ik je later nog wel,' zei Reacher. 'Dat is een ingewikkeld verhaal.'

Ze liepen door het centrum van het stadje, door een straat die East Main heette en die na een groot kruispunt overging in West Main. Alle etalages waren donker. Alle rolluiken voor de deuren waren omlaag getrokken. Berryville was ongetwijfeld een prachtige Amerikaanse stad, geen poespas en niet pretentieus, maar het was ook geen centrum van bruisend leven. Dat was verdomd duidelijk. Alles was dicht en in slaap verzonken, ook al was het nog maar halverwege de avond.

Ze liepen verder. Turner zag er goed uit in haar hemd, ook al had ze er gemakkelijk samen met haar zuster in gepast. Maar ze had de mouwen opgerold, en ze had haar schouders opgehaald en wat gekronkeld zoals vrouwen dat doen, en het hemd had zich op een soort natuurlijke manier om haar lichaam geplooid. Op de een of andere manier benadrukte de enormiteit van het hemd hoe slank ze was. Ze bewoog met een soepele, elastische energie, steeds met een alerte, waakzame blik in de ogen, maar zonder angst. Geen spanning. Meer een soort honger. Waarnaar wist Reacher niet precies.

Absoluut de moeite van het wachten waard, dacht hij.

Ze liepen verder.

Aan de westkant van de stad kwamen ze bij een motel.

Op de parkeerplaats stond de auto met de gedeukte portieren.

25

Het motel was een keurig etablissement, helemaal in stijl met wat ze verder in de stad hadden gezien. Gedeeltelijk rode baksteen, gedeeltelijk wit geverfd, met een vlag en een adelaar boven de deur van de receptie. Er stond een frisdrankautomaat, een ijsmachine, en er was waarschijnlijk een twintigtal kamers in twee rijen, beide aflopend van de weg, tegenover elkaar met een brede binnenplaats.

De auto met de gedeukte portieren stond schuin voor de receptie, achteloos en tijdelijk, alsof iemand even snel naar binnen was gelopen om iets te vragen.

'Weet je het zeker?' vroeg Turner, kalm.

'Geen enkele twijfel,' zei Reacher. 'Dat is hun auto.'

'Hoe is het mogelijk?'

'Wie het dan ook is die deze kerels aanstuurt, hij is goed op de hoogte, en hij is behoorlijk slim. Zo is het mogelijk. Het valt niet anders te verklaren. Hij heeft gehoord dat we zijn ontsnapt, en hij heeft gehoord dat we dertig dollar bij ons hadden, en hij heeft gehoord dat die smeris van de Metro PD ons op Constitution Avenue heeft gezien. En toen is hij gaan zitten nadenken. Waar kun je naartoe met dertig dollar? Er zijn maar vier mogelijkheden. Of je duikt onder in de stad en zoekt een plek om te slapen in een park, of je probeert op Union Station te komen, of op het busstation daarachter, en dan ga je naar Baltimore of Philadelphia of Richmond, of anders ga je naar het westen, met de lokale bus. En wie al dat denkwerk ook doet, heeft bedacht dat die onbeduidende lokale bus de meest waarschijnlijke keuze was. Omdat hij goedkoper is en omdat het veel te gemakkelijk is voor de politie om Union Station en het busstation in de gaten te houden, net zo goed als de stations aan de andere kant in Baltimore en Philadelphia en Richmond, en omdat slapen in het park alleen maar uitstel van executie is, want dan word je morgenvroeg opgepakt in plaats van vanavond. Maar boven alles omdat ze beweren dat ze weten hoe ik leef, en ik breng niet zoveel tijd door aan de Oostkust. Ik had altijd al de neiging om meer naar het westen te trekken.'

'Maar je was het ermee eens om naar Union Station te gaan.'

'Ik probeerde democratisch te zijn. Om niet al te vastgeroest te reageren op de situatie.'

'Maar hoe wisten ze dat we in Berryville zouden uitstappen?'

'Dat wisten ze niet. Ik wil wedden dat ze alle haltes al hebben gecontroleerd vanaf Leesburg of zo. Elk zichtbaar motel. Hamilton, Purcellville, Berryville, Winchester. Als ze ons hier niet vinden, gaan ze daarnaartoe.'

'En vinden ze ons hier?'

'Dat hoop ik van harte,' zei Reacher.

De receptie van het motel had smalle ramen, voor de sier, om een beetje te lijken op een oud koloniaal huis, en achter de ramen hing een soort vitrage. Het was niet te zien of er iemand binnen was. Turner liep naar een raam, hield haar hoofd dicht bij het glas en keek naar binnen, recht vooruit, naar links en naar rechts, omhoog en omlaag. Ze fluisterde: 'Niemand. Alleen de portier, denk ik. Of misschien is het de eigenaar. Hij zit, achterin.'

Reacher probeerde de portieren van de auto. Ze waren op slot. Evenals de kofferbak. Hij legde zijn hand op de motorkap, net boven het chroom van de grille. Het metaal was warm. De auto had er nog niet lang gestaan. Hij liep naar links, naar de ingang van de binnenplaats. Niemand te zien. Niemand die alle kamers langs ging, niemand die deuren probeerde open te doen en door ramen naar binnen gluurde.

Hij liep terug en zei: 'Oké, laten we maar eens met de man gaan praten.'

Turner trok de deur van de receptie open en Reacher liep als eerste naar binnen. De receptie was heel wat aangenamer dan wat Reacher gewend was. Heel wat aangenamer bijvoorbeeld dan het motel anderhalve kilometer van Rock Creek. Er lag duur vinyl op de vloer, de muren waren behangen en overal hingen ingelijste aanbevelingen van toeristenorganisaties. De balie was in feite een echt bureau, waaraan iemand als Thomas Jefferson een brief had kunnen schrijven. Erachter stond een roodleren stoel waarop een man zat. De man was een jaar of zestig, lang en grijs, en indrukwekkend. Hij zag eruit alsof hij leiding gaf aan een grote international in plaats van een klein motel.

Turner zei: 'We zoeken onze vrienden. Hun auto staat hierbuiten.'

'Die vier heren?' zei de man, met een kleine, sceptische aarzeling voor het woord *heren*.

'Ja,' zei Turner.

'Ik ben bang dat u ze net hebt gemist. Ze zochten u een minuut of tien geleden. Tenminste, ik neem aan dat u het was die ze zochten. Een man en een vrouw, zeiden ze. Ze vroegen of u al had ingecheckt.'

'En wat hebt u ze verteld?' vroeg Reacher.

'Nu, natuurlijk heb ik hun verteld dat u nog niet was gearriveerd.'

'Oké.'

'Wilt u nu inchecken?' vroeg de man op een toon die verraadde dat hij het allerminst een probleem zou vinden als ze dat niet deden.

'We moeten eerst onze vrienden vinden,' zei Reacher. 'We moeten met ze praten. Waar zijn ze heen gegaan?'

'Ze vroegen zich af of u misschien iets was gaan eten. Ik heb hun de weg gewezen naar de Berryville Grill. Dat is het enige restaurant dat om deze tijd van de avond open is.'

'De pizzeria telt niet mee?'

'Dat is niet echt een restaurant, wel?'

'En waar is de Berryville Grill?'

'Twee straten achter ons. Kan niet missen.'

'Dank u,' zei Turner.

Je kon op twee manieren naar twee straten achter het motel lopen. Door de linkerzijstraat en door de rechterzijstraat. Als ze beide mogelijkheden wilden afdekken, zouden ze uit elkaar moeten gaan, met als risico een confrontatie voor een van beiden van één tegen vier. Reacher had zelf geen probleem met die verhouding, maar hij wist niet hoe dat voor Turner lag. Ze was de helft kleiner dan hij, letterlijk, en ongewapend. Geen pistool, geen mes.

Hij zei: 'We zouden hier moeten wachten. We moeten ze naar ons toe laten komen.'

Maar ze kwamen niet. Reacher en Turner stonden in de schaduw, vijf lange minuten, maar er gebeurde niets. Turner deed een paar stappen opzij, zodat het licht anders op de auto viel. Ze fluisterde: 'Dat zijn behoorlijke deuken.'

Reacher zei: 'Hoeveel tijd heb je nodig om bij een restaurant te kijken?'

'Misschien zijn ze weer doorgestuurd, ergens anders naartoe.

Misschien is er nog een kroeg waar ze ook hamburgers verkopen. Of een paar van die tenten. En die tellen niet als restaurant, voor de man van het motel.'

'Ik hoor geen kroegen.'

'Hoe hoor je een kroeg?'

'Geroezemoes, glazen, flessen, ventilatoren. Het is een herkenbaar geluid.'

'Het kan wel te ver weg zijn om het te horen.'

'In dat geval zouden ze teruggekomen zijn om hun auto op te halen.'

'Ze moeten ergens zijn.'

'Misschien zitten ze te eten bij die Grill,' zei Reacher. 'Misschien hebben ze iets besteld. Een impulsief besluit. Misschien hadden ze honger. Wij hadden ook honger.'

'Ik heb nog steeds honger.'

'Misschien zou het gemakkelijker zijn om in een restaurant met ze af te rekenen. Weinig bewegingsruimte, waardoor ze een beetje terughoudend worden. En messen op de tafels. Dan kunnen wij hun bestelling opeten. Ze hebben inmiddels vast al besteld. Biefstuk, hoop ik.'

'De ober zou de politie bellen.'

Reacher keek in de rechterzijstraat. Niets te zien. Hij keek in de linkerzijstraat. Leeg. Hij liep terug naar de plek waar Turner stond te wachten. Ze zei: 'Ze zitten te eten. Moet wel. Wat kunnen ze anders aan het doen zijn? Zo onderhand hadden ze heel Berryville wel kunnen doorzoeken. Twee keer. Dus ze zitten in het restaurant. Dat kan nog wel een uur duren. En we kunnen hier niet veel langer blijven. We staan op privéterrein. En ik ben ervan overtuigd dat Berryville een politieverordening heeft. En een politiebureau. Misschien hangt die man van het motel over twee minuten wel aan de telefoon.'

'Oké,' zei Reacher. 'We gaan kijken.'

'Links of rechts?'

'Links,' zei Reacher.

Bij de hoek keken ze voorzichtig de straat in. Maar de linkerzijstraat was leeg. Het was meer een steeg dan een straat. Aan de ene kant liep de houten schutting van het motel erlangs en aan de andere kant de blinde bakstenen muur van een warenhuis. Na honderd meter kruiste de zijstraat een bredere straat die parallel liep aan West Main. Het tweede blok was kleiner en meer gevarieerd, met een paar vrijstaande panden en enkele smalle, braakliggende stroken grond, en dan verderop de achtergevels van de panden die aan de volgende parallelstraat stonden. Het pand rechts had een lange roestvrijstalen keukenschoorsteen, waar een flinke wolk stoom uit kwam. De Berryville Grill, vast en zeker, volop in bedrijf halverwege de avond.

Turner zei: 'Achterdeur of voordeur?'

'Raam aan de voorkant,' zei Reacher. 'Verkennen is het halve werk.'

Ze sloegen rechts af vanuit de zijstraat de parallelstraat in en gingen weer voorzichtig te werk. Het eerste pand was een in duister gehulde winkel, misschien een bloemenwinkel. Daarna kwam het restaurant, het tweede pand vanaf de hoek. Het was groot, met meer diepte dan breedte. Er waren vier ramen, twee links en twee rechts van de deur. De ramen liepen helemaal door tot op de grond. Misschien konden ze wel open, 's zomers. Misschien zetten ze dan wel tafels op het trottoir.

Reacher bleef dicht bij de muur en sloop naar het eerste raam. Onder die hoek kon hij ongeveer een derde zien van het interieur. Een flinke ruimte. En goed gevuld. De tafels waren klein en stonden dicht bij elkaar. Het was een restaurant gericht op het gezin. Niets luxueus. Het leek erop dat al het bedienende personeel uit meisjes bestond die nog naar school gingen. De tafels waren van hout. Ongeveer de helft ervan was bezet. Door paren, door mensen die met zijn drieën waren, en gezinnen. Oude mensen met volwassen kinderen. Sommigen hadden plezier, anderen zagen er gespannen en stil uit.

Maar aan niet één van de tafels zaten vier mannen. Niet in het deel dat Reacher kon zien. Hij deed een stap achteruit. Turner stapte om hem heen en liep kordaat voor het restaurant langs terwijl ze de andere kant op keek. Ze bleef voorbij het laatste raam stilstaan. Reacher keek naar de deur. Geen reactie. Niemand kwam naar buiten. Turner drukte zich tegen de muur, kroop terug naar het raam en gluurde langs de rand naar binnen. Reacher dacht dat ze vanuit die positie ook een derde deel van het interieur moest kunnen zien, net als hij, maar dan de andere kant van de ruimte. Er bleef alleen een wig in het midden over.

Ze schudde haar hoofd. Hij kwam in beweging en zij kwam in beweging en ze ontmoetten elkaar voor de deur. Hij trok de deur open en zij liep als eerste naar binnen. In de wig in het midden stonden genoeg tafels. Maar aan niet één van de tafels zaten vier mannen. Er was geen ober, ook geen receptie. Niets dan de kale vloer achter de deur. Een jonge vrouw haastte zich naar hen toe. Een meisje, eigenlijk. Misschien zeventien. Aangewezen om de gasten te ontvangen. Ze droeg een zwarte broek en een zwarte polo met korte mouwen met een geborduurd logo van de Berryville Grill. Ze had een vurige moedervlek op haar onderarm. Ze zei: 'Een tafel voor twee?'

Turner zei: 'We zijn op zoek naar een paar mensen. Misschien hebben ze naar ons gevraagd.'

Het meisje werd stil. Ze keek van Turner naar Reacher, terwijl het tot haar doordrong: *een man en een vrouw.*

'Zijn ze hier geweest?' vroeg Reacher. 'Vier mannen, drie grote kerels en de vierde nog groter?'

Het meisje knikte en wreef over haar onderarm, onbewust. Of zenuwachtig. Reacher wierp een blik omlaag.

Het was geen moedervlek.

De plek veranderde van vorm. En van kleur.

Het was een bloeduitstorting.

Hij vroeg: 'Hebben zij dat gedaan?'

Het meisje knikte.

'Die grote,' zei ze.

'Met dat kaalgeschoren hoofd en die kleine oren?'

'Ja,' zei het meisje. 'Hij kneep me in mijn arm.'

'Waarom?'

'Hij wilde weten waar jullie nog meer zouden kunnen zijn. En dat wist ik niet.'

Het was een grote blauwe plek. Van een grote hand. Meer dan vijftien centimeter breed.

Het meisje zei: 'Ik was echt bang voor hem. Hij heeft wrede ogen.'

Reacher vroeg: 'Wanneer waren ze hier?'

'Ongeveer tien minuten geleden.'

'Waar zijn ze heen gegaan?'

'Dat weet ik niet. Ik kon ze niet vertellen waar ze moesten zoeken.'

'Geen kroegen, geen hamburgertenten?'

'Dat vroeg hij ook. Maar zoiets hebben we hier niet.'

Het huilen stond het meisje nader dan het lachen.

Reacher zei: 'Ze komen niet terug.'

Het was het enige wat hij kon bedenken om te zeggen.

Ze lieten het meisje dat over haar arm wreef achter en liepen door de andere zijstraat terug. Het was een vergelijkbare steeg, nauw, onverlicht, onregelmatig bebouwd in het begin en dan het laatste stuk een massieve muur links en de schutting van het motel rechts. Ze sloegen voorzichtig de hoek om nadat ze eerst hadden gekeken.

De parkeerplaats voor het motel was leeg.

De auto met de gedeukte portieren was verdwenen.

26

Driehonderd meter verder bereikten Turner en Reacher de stadsgrens van Berryville. West Main ging over in de goede oude State Route 7. Turner zei: 'Als die lui konden bedenken waar we naartoe zijn gegaan, moeten we ervan uitgaan dat het leger dat ook kan. En de FBI, denk ik.'

Wat van het liften een nachtmerrie maakte. Het was pikkedonker. Een winternacht, in een uithoek. Een lange rechte weg. Tegemoetkomende koplampen kon je al een kilometer lang zien aankomen, maar je kon op geen enkele manier zien wat er achter die koplampen schuilging. Wie zat er achter het stuur? Burger of niet? Vriend of vijand?

Te veel risico om maar een gokje te wagen.

Dus kozen ze voor een compromis, met wat geven en nemen, waarvan Reacher het idee had dat de voordelen en de nadelen tegen elkaar opwogen. Ze liepen terug. Turner bleef staan in de berm, een meter of vijftig voor het laatste verlichte blok huizen van de stad, terwijl Reacher verder liep, naar een plek waar hij op de hoek van een gebouw tegen de muur kon leunen, half-en-half in een zijstraat, waar nog wat licht op het asfalt viel. Niet zo'n goed idee, omdat iedere auto die verderop naar het westen afsloeg, als een verloren kans op een lift moest worden beschouwd, maar wel een goed idee, omdat het Reacher de gelegenheid bood zich snel een oordeel te vormen over automobilisten die aan zouden komen rijden door de stad. Als die zouden komen. Ze spraken af dat hij meer dan voorzichtig zou zijn, maar als hij het idee had dat het goed zat, zou hij naar voren stappen en Turner een teken geven. Vervolgens zou zij dan naar de stoeprand lopen en haar duim opsteken.

Wat uiteindelijk, dacht hij aanvankelijk, misschien wel meer nemen dan geven was. Want hun geïmproviseerde methode was een nabootsing van een heel oude lifterstruc. Een aantrekkelijk meisje steekt haar duim op, een automobilist stopt, een en al enthousiasme, en dan komt de grote, onooglijke vriend aanhollen en stappen beiden in.

Maar een halfuur later zag Reacher het toch meer als een kwestie van geven dan nemen. Er kwam weinig verkeer langs en hij kreeg absoluut geen tijd om zich een oordeel te vormen. Hij zag koplampen aankomen, wachtte, de auto flitste in een fractie van een seconde voorbij en zijn hersens verwerkten de gegevens, *personenwagen, van binnenlandse makelij, bouwjaar, specificaties*, en lang voordat hij een conclusie had getrokken, was de wagen Turner voorbijgesneld en verdwenen in het duister.

Dus schakelde hij over naar een benadering met filters. Hij besloot dat hij alle gewone personenwagens en alle suv's jonger dan vijf jaar zou laten lopen, en dat hij alle pick-ups en alle oudere suv's zou accepteren. Het leger had nog nooit achter iemand aan gezeten in een pick-up, en hij nam aan dat alle voertuigen van het leger werden ingeruild voordat ze vijf jaar oud waren. En bij de fbi zou het vast en zeker niet anders zijn. Het resterende risico werd gevormd door lokale deputy's buiten diensttijd, die in hun eigen auto wilden meegenieten van de lol. Maar ze moesten een zeker risico nemen, anders zouden ze daar de hele nacht staan, en dat zou tot hetzelfde resultaat leiden als slapen in een park in D.C. Zodra de zon opkwam morgenochtend zouden ze worden gepakt, in plaats van bij zonsondergang vandaag.

Hij wachtte. Een minuut lang gebeurde er niets, toen zag hij koplampen aankomen, vanuit het oosten, niet echt snel, gewoon een mooie, veilige snelheid om door de stad te rijden. Hij leunde naar voren. Hij wachtte. Hij zag een vorm voorbijflitsen.

Een gewone personenwagen.

Afgekeurd.

Hij leunde weer tegen de muur.

Hij wachtte opnieuw. Vijf minuten. Toen zeven. Toen acht. Toen: nieuwe koplampen. Hij leunde naar voren. Hij zag een pick-up.

Hij liep in het kielzog van de pick-up het trottoir op, stak zijn linkervuist hoog in de lucht en vijftig meter verderop sprong Turner naar de stoeprand en stak haar duim op. Geweldige precisie. Als een dubbelspel, *beng-beng*, tijdens de play-offs, snel en beslissend in de koude nachtlucht. Het schijnsel van de koplampen van de pick-up gleed over de onbeweeglijke gestalte van Turner, alsof ze daar al die tijd al had gestaan.

De pick-up stopte niet.

Shit, dacht Reacher.

De volgende potentiële kandidaat was een oude Ford Bronco, die ook niet stopte. Evenmin als een iets minder oude F150, en een nieuwe Dodge Ram. Daarna werd het weer rustig op de weg. De klok in Reachers hoofd tikte door naar halfelf. Het werd kouder. Hij droeg twee t-shirts en zijn jack met de magische voering. Hij begon zich zorgen te maken over Turner. Ze droeg alleen een t-shirt en een gewoon hemd. En haar t-shirt had er van het vele wassen maar dunnetjes uitgezien. *Ik ben in Montana geboren*, had ze gezegd. *Ik heb het nooit koud.* Hij hoopte maar dat ze de waarheid had gesproken.

Nog eens vijf minuten lang kwam er niets uit het oosten. Toen, nieuwe koplampen, breed uit elkaar en laag, die het stijgen en dalen van het wegdek volgden met rubberachtige, goed geveerde bewegingen. Waarschijnlijk een personenwagen. Hij leunde maar een heel klein beetje naar voren, bij voorbaat pessimistisch.

Toen schoot hij achteruit, snel. Het was inderdaad een personenwagen, slank en snel, een Ford Crown Victoria, glanzend en donker van kleur, met geblindeerde ramen en antennes op de kofferbak. Waarschijnlijk MP, of FBI, of Federal Marshalls, of Virginia State Police. Maar misschien ook wel niet. Misschien wel een heel andere opsporingsdienst, bezig met iets heel anders. Hij leunde weer iets naar voren en keek de wagen na. Het licht van de koplampen bereikte Turner die in de schaduw stond, niet. De wagen snelde voort, de duisternis in.

Hij wachtte. Nog een minuut. Toen twee. Niets dan duisternis.

Toen opnieuw koplampen, ver weg, misschien nog wel op East Main, voor het grote kruispunt, die gestaag dichterbij kwamen, nu zeker op West Main, dichterbij. Het licht was geel en zwak. Ouderwets en vaag. Niets moderns. Geen halogeen. Reacher leunde naar voren vanuit zijn schuilplaats. De koplampen kwamen nog altijd dichterbij, traag, maar gestaag. Ze passeerden hem.

Een pick-up.

Hetzelfde dubbelspel. Zijn linkervuist, haar duim.

De pick-up remde meteen af.

Hij stopte.

Turner stapte van de stoep af en boog naar het raampje aan de passagierskant en begon te praten. Reacher begon op een draf aan de vijftig meter.

Dit keer belde Julia Romeo, wat ongebruikelijk was. Meestal kwam het nieuws van Romeo. Maar de taken waren verdeeld en dus had Julia soms de nieuwe informatie.

Hij zei: 'Geen enkel spoor van de twee, het hele eind naar Winchester.'

Romeo zei: 'Weten ze dat zeker?'

'Ze hebben nauwkeurig gecontroleerd.'

'Oké, maar houd ze daar in de buurt. Die buslijn is onze beste optie.'

'Doe ik.'

Reacher was een beetje buiten adem. Hij zag dat de pick-up een oude Chevrolet was, een eenvoudig standaardmodel, gebouwd en gekocht voor de bruikbaarheid, niet voor de sier. De chauffeur was een tanige, oude kerel van een jaar of zeventig, een en al vel en botten en dun wit haar. Turner introduceerde Reacher met de woorden: 'Deze meneer gaat naar Mineral County in West Virginia. Hij moet in de buurt zijn van Keyser, niet al te ver van de grens met Maryland.'

Wat geen enkele bel deed rinkelen bij Reacher, zij het dat West Virginia een stap in de goede richting was vanuit Virginia. Hij boog naast Turner naar het raampje en zei: 'Meneer, we zouden graag willen meerijden.'

De oude baas zei: 'Klim dan maar aan boord, dan gaan we.'

Er was een bank over de volle breedte, maar de cabine was smal. Turner stapte eerst in en als Reacher zich tegen het portier aan drukte, was er tussen hem en de oude kerel net genoeg ruimte voor haar. Maar de bank was zacht en het was warm in de cabine. En de pickup rolde monter voort. Tevreden met negentig kilometer per uur. Het voelde aan alsof hij zo eindeloos zijn weg kon vervolgen.

De oude baas vroeg: 'En wat is jullie uiteindelijke doel?'

'We zoeken werk,' zei Reacher, denkend aan het jonge stel in Ohio, in de rode Silverado met dubbele cabine, en de verharende hond. 'Dus eigenlijk is overal goed genoeg.'

'En wat voor werk zoeken jullie?'

Dat vormde het begin van een standaardlifterconversatie, waarbij alle partijen zich overgaven aan lange verhalen gebaseerd op halve waarheden en opgeblazen ervaringen. Reacher was al een hele tijd uit het leger, en als het moest, deed hij al het werk dat maar werd aangeboden. Hij had bij de deur gestaan van nachtclubs, hij had zwembaden gegraven, had hout gestapeld, huizen gesloopt, appels geplukt, dozen in vrachtwagens geladen, en hij vertelde erover alsof hij zijn hele leven niets anders had gedaan. Turner vertelde over werk als serveerster, kantoorbanen en het van deur tot deur verkopen van keukengerei, allemaal baantjes waarvan Reacher vermoedde dat ze die had gehad in de weekenden toen ze nog op school zat en naar college ging. De oude kerel vertelde over het verbouwen van tabak in North en South Carolina, en het fokken van paarden in Kentucky, en vervoer van steenkool in West Virginia met achttienwielers.

Ze reden door Winchester, staken twee keer de I-81 over, en verder naar de staatsgrens, het land van de Appalachen in, over de laatste, noordelijke uitlopers van Shenandoah Mountain, de weg rijzend en slingerend naar Georges Peak, de motor zwoegend, het zwakke gele schijnsel van de koplampen heen en weer schietend bij scherpe bochten. Rond middernacht waren ze in West Virginia, in doodstille, hooggelegen wildernis, reden ze aan weerszijden ingesloten door bossen in de richting van het Alleghenygebergte, ver weg.

Toen zag Reacher een vuur, ver voor hen uit in het westen, op een beboste helling, net ten zuiden van de weg. Een gele en oranje gloed tegen de zwarte lucht, als een vreugdevuur of een baken. Ze reden door een slaapstadje met de naam Capon Bridge, en het vuur kwam dichterbij. Iets meer dan anderhalve kilometer weg, en vervolgens plotseling veel dichterbij, omdat de weg afboog in de richting van het vuur.

Reacher zei: 'Meneer, we willen er hier wel graag uit, als dat geen probleem is.'

De oude baas zei: 'Hier?'

'Dit is een goede plek.'

'Waarvoor?'

'Ik denk dat hier wel is wat we zoeken.'

'Weet je het zeker?'

'Heel graag.'

De man bromde iets, twijfelend, hij begreep er niets van, maar hij haalde zijn voet van het gaspedaal en de pick-up minderde vaart. Turner begreep er evenmin iets van. Ze keek Reacher aan alsof hij gek was. De pick-up kwam tot stilstand op een willekeurige strook zwart asfalt, bossen links, bossen rechts, niets vooruit, niets achter hen. Reacher duwde het portier open, stapte uit en Turner gleed over de bank achter hem aan. Ze bedankten de oude baas hartelijk en wuifden hem na. Toen bleven ze met zijn tweeën achter in het pikkedonker, in de doodstille, koude nacht. Turner zei: 'Zou je me willen vertellen waarom we uitgerekend op deze godvergeten plek in nergensland uit de warme cabine van een pick-up zijn gestapt?'

Reacher wees vooruit, iets naar links, naar het vuur.

'Zie je dat?' zei hij. 'Dat is een pinautomaat.'

27

Ze liepen verder, volgden de bocht in de weg, naar het westen en een beetje naar het zuiden, kwamen steeds dichter bij het vuur, tot ze ter hoogte van het vuur waren, dat een meter of tweehonderd verderop woedde in het heuvelachtige beboste terrein. Tien meter verderop begon in de linkerberm een stenig pad. Een soort oprit. Tegen de heuvel op, tussen de bomen door. Turner trok Reachers hemd strak om zich heen en zei: 'Dat is gewoon een soort bosbrandje.'

'Verkeerde seizoen,' zei Reacher. 'Verkeerde plek. Hier hebben ze geen bosbrandjes.'

'Wat is het dan wel?'

'Waar zijn we?'

'West Virginia.'

'Juist. Kilometers uit de bewoonde wereld, in de binnenlanden. Op dat vuur hebben we gewacht. Maar je moet zo stil zijn als maar kan. Want er kan best iemand zijn daar.'

'Brandweerlieden waarschijnlijk.'

'Die zijn er in ieder geval niet,' zei Reacher. 'Dat garandeer ik je.'

Ze liepen het stenige pad op. De losse keien maakten lawaai onder hun voeten. Het was zwaar lopen. Met een auto ging het makkelijker dan te voet. Aan beide kanten drongen de bomen op, deels naaldbomen, deels kale loofbomen. Het pad slingerde naar rechts, toen weer naar links, voortdurend stijgend, met aan het einde een ruime bocht, waarachter het vuur hen opwachtte. Ze konden de hitte al voelen en ze hoorden een zwak brullen, doorschoten met geknetter en luide knallen.

'Nu echt stil,' zei Reacher.

Ze rondden de laatste bocht. Voor hen strekte zich een erf uit, uitgekapt uit het bos. Recht voor hen stond een soort bouwvallige oude schuur, en links een bouwvallige oude hut, beide opgetrokken uit planken die een eeuw lang afwisselend weer hadden getrotseerd, bakkend in de zon en rottend in regenwater. Helemaal rechts was het vuur, dat woedde in en om en boven een brede, lage rechthoekige constructie op wielen. Gele en blauwe en oranje vlammen schoten omhoog en naar buiten en de bomen er vlakbij stonden in brand of smeulden. Dikke grijze rook kolkte en kronkelde en wervelde en werd dan gevangen in de opwaartse luchtstroom en omhooggezogen de duisternis in.

'Wat is dit?' vroeg Turner nog een keer, fluisterend.

'Een oude grap,' zei Reacher. 'Wat is de overeenkomst tussen een brand in een meth-lab en twee rednecks die gaan scheiden?'

'Geen idee.'

'Iemand raakt zijn woonwagen kwijt.'

'Is dit een meth-lab?'

'Dat was het, een meth-lab, een speedfabriek.'

'Vandaar geen brandweer,' zei Turner. 'Illegale praktijken. Ze bellen de brandweer niet op.'

'De brandweer zou sowieso niet komen,' zei Reacher. 'Als die moest uitrukken bij elk meth-lab dat in brand vloog, hadden ze geen tijd meer over voor iets anders. Een meth-lab is een ongeluk dat alleen nog maar hoeft te gebeuren.'

'Waar zijn de mensen?'

'Waarschijnlijk is het er maar eentje. Ergens in de buurt.'

Ze liepen het erf op, naar de hut, weg van het vuur, dicht langs de bomen. Overal dreef rook en alles om hen heen danste in licht en schaduw van het vuur, heidens en primitief. Het vuur brulde door, vijftig meter verderop, onverstoorbaar. De hut was een eenvoudig bouwsel zonder verdieping met een aangebouwde plee aan de achterkant. Beide leeg. Niemand aanwezig. De schuur was breed genoeg voor twee auto's. Er stonden ook twee auto's in, een grote rode Dodge pick-up met enorme banden en kilometers bollend chroom, splinternieuw, en een rode cabriolet, een Chevrolet Corvette, dik in de was en glanzend, met uitlaten van het formaat van Reachers vuisten. Ook splinternieuw, of zo goed als.

Reacher zei: 'Deze plattelandsjongen boert behoorlijk.'

'Nee,' zei Turner. 'Niet echt.'

Ze wees naar het vuur.

Het skelet van een caravan was nog zichtbaar, kronkelend en dansend in de vlammen, en overal rondom lag van alles te branden, uit de caravan gevallen, maar de elementaire min of meer rechthoekige vorm van de caravan werd verstoord door een plat uitsteeksel op de grond voor de caravan, als een soort tong die uit een mond hing, iets wat laag en rond was en hevig brandde, met vlammen van een andere kleur en met een andere intensiteit. Het soort vlammen dat je ziet als je een lamskotelet te lang op de barbecue laat liggen, maar dan honderd keer zo groot.

'Ik denk dat hij heeft geprobeerd de boel te redden,' zei Reacher.

'Dat was dom. Je kunt het altijd maar beter laten uitbranden.'

'Wat doen we?' vroeg Turner.

'We gaan geld opnemen,' zei Reacher. 'Bij de pinautomaat. Het was een redelijk groot lab en hij had een paar aardige auto's, dus ik vermoed dat onze limiet aardig hoog ligt.'

'Roven we het geld van iemand die dood is?'

'Hij heeft het niet meer nodig. En wij hebben maar tachtig cent.'

'Dat is een misdrijf.'

'Het was al een misdrijf. De man was dealer. En als wij het niet meenemen, doet de politie dat. Als ze hier morgen komen. Of overmorgen.'

'Waar is het geld?'

'Daar begint de lol,' zei Reacher. 'Zoeken naar het geld.'

'Jij hebt dit eerder gedaan, niet?'

'Meestal als ze nog leven. Ik was van plan een ommetje te maken achter Union Station. Beschouw het maar als de belastingdienst. Uiteindelijk zijn wij in dienst van de overheid.'

'Dat is verschrikkelijk.'

'Wil je in een bed slapen vannacht? Wil je morgen eten?'

'Jezus,' zei Turner.

Maar ze zocht net zo hard als Reacher. Ze begonnen in de hut. Het was er bedompt. Er was niets verborgen in de keuken. Geen valse achterpanelen in kastjes, geen namaakblikken bonen, niets begraven in trommels met meel, geen holtes achter planken van de wanden. Er was ook niets in de woonkamer. Geen luiken in de vloer, geen uitgeholde boeken, niets in de kussens op de bank, niets in de schoorsteen. Er was ook niets in de slaapkamer. Geen opengesneden matras, geen afgesloten laatjes in het nachtkastje, niets boven op de klerenkast, geen dozen onder het bed.

Turner zei: 'En waar nu?'

Reacher zei: 'Ik had er eerder aan moeten denken.'

'Waaraan?'

'Waar voelde die kerel zich echt op zijn gemak?'

'Overal hier, neem ik aan. Het is kilometers van de bewoonde wereld.'

'Maar waar in het bijzonder?'

Ze begreep het. Ze knikte. Ze zei: 'De plee.'

Het was verstopt in de plee. Recht boven de toiletpot zat een luik dat Reacher openmaakte en aan Turner gaf. Toen stak hij zijn arm in het gat, voelde rond en vond een plastic bak. Hij trok hem tevoorschijn. Het was het soort diepvriesbak dat hij wel had gezien in winkels voor huishoudelijke artikelen. Er zat ongeveer vierduizend dollar in, in pakjes van twintig, en reservesleutels van de Dodge en de Corvette, de eigendomsakte van het perceel en een geboorteakte van een kind met de naam William Robert Claughton, zevenenveertig jaar daarvoor geboren in de staat West Virginia.

'Billy Bob,' zei Turner. 'Rust in vrede.'

Reacher liet de sleutels op zijn handpalm dansen en zei: 'De pickup of de sportwagen?'

'Gaan we zijn auto ook nog stelen?'

'Die zijn al gestolen. Geen eigendomsbewijzen in de bak. Waarschijnlijk afkomstig van een gebruiker die auto's jat, om een schuld af te betalen. En het alternatief is lopen.'

Turner bleef nog even stil, alsof dit een brug te ver was, maar toen schudde ze het hoofd en haalde haar schouders op en zei: 'De sportwagen natuurlijk.'

Dus hielden ze het geld en de sleutel van de Corvette en stopten ze de rest van de spullen terug boven het plafond van de plee. Ze liepen naar de schuur en gooiden het geld in de kofferbak van de Corvette. Aan de rand van het erf brandde het vuur nog in alle hevigheid. Reacher gooide de autosleutel naar Turner en ging op de passagiersstoel zitten. Turner startte de motor, vond de schakelaar voor het licht en maakte haar gordel vast.

Een minuut later waren ze terug op de weg, op weg naar het westen in het holst van de nacht, snel, warm, comfortabel, en rijk.

144

28

Turner nam een kilometer de tijd om zich de auto eigen te maken en verhoogde toen de snelheid tot ze in een perfect ritme de bochten nam. De auto voelde groot en laag en hard en wreed aan. De koplampen wierpen een lange felwitte lichtstraal ver vooruit. Achter de auto lag een lang, luid spoor van borrelend v8-geluid. Ze zei: 'We moeten over niet al te lange tijd afslaan. We kunnen niet zo lang meer op deze weg blijven. Een van die auto's die door Berryville kwam, was van de FBI, denk ik. Heb je die gezien?'

'De Crown Vic?' vroeg Reacher.

'Ja,' zei ze. 'Dus we moeten uit de buurt blijven van alles wat een logisch verlengstuk is van die busroute. Vooral omdat die oude kerel in de pick-up ze precies kan vertellen waar hij ons heeft afgezet. Die vergeet dat plotselinge stoppen niet zo snel.'

'Die praat niet met de politie. Hij heeft steenkool gereden in West Virginia.'

'Maar misschien praat hij wel met die kerels in de gedeukte auto. Ze zouden hem bang kunnen maken. Of geld geven.'

'Oké, naar het zuiden dan,' zei Reacher. 'Naar het zuiden is altijd goed in de winter.'

Ze verhoogde de snelheid nog een beetje en de uitlaten gromden luider. Het was een prima auto, vond Reacher. Misschien wel de beste op de hele wereld voor Amerikaanse wegen. Dat was logisch, natuurlijk, want het was een Amerikaanse auto. Hij glimlachte plotseling en zei: 'Laten we kachel helemaal hoog zetten en het dak opendoen.'

Turner zei: 'Je vindt dit echt leuk, hè?'

'Waarom niet? Het is net een rock-'n-rollnummer op de radio. Een snelle wagen, geld in de broekzak en voor de verandering eens een keer gezelschap.'

Dus Turner schoof de verwarmingsknop tot in het rode deel van de schaal en zette de auto stil langs de kant van de weg en ze probeerden de grendels en de knoppen tot het dak zich keurig opvouwde in een ruimte achter hen. De nachtlucht dreef naar binnen, koel en fris. Ze lieten zich dieper in hun stoelen zakken en reden weer weg. Alle zintuigelijke indrukken van het rijden werden verdubbeld: de snelheid, het licht, het lawaai. Reacher glimlachte en zei: 'Dit is leven.'

Turner zei: 'Misschien kan ik er wel aan wennen. Maar ik zou wel graag een keuze willen.'

'Misschien krijg je die wel.'

'Hoezo? We hebben niets om mee te werken.'

'Niet helemaal niets,' zei Reacher. 'We hebben een opvallende onregelmatigheid en we hebben ondubbelzinnige procedurele informatie. En samen leiden die misschien wel tot een voorlopige conclusie.'

'Zoals?'

'Weeks en Edwards zijn vermoord in Afghanistan, maar jij bent hier niet vermoord, en Moorcroft ook niet. En ze hadden hem gemakkelijk kunnen vermoorden. Hem neerknallen vanuit een rijdende auto in zuidoost D.C. was even aannemelijk geweest als hem in elkaar slaan. En ze hadden mij ook gemakkelijk kunnen vermoorden, want wie zou dat zijn opgevallen? En ze hadden jou kunnen vermoorden. Een ongeluk bij een oefening, of slordig omgaan met een wapen. Maar ze hebben ervoor gekozen die kant niet op te gaan. Dat betekent dat ze een beetje terughoudend zijn in D.C. En dat suggereert bepaalde veronderstellingen, als je het combineert met het andere aspect van de zaak.'

'En dat is?'

'Weet jij hoe je een bankrekening moet openen op de Kaaimaneilanden?'

'Dat zou ik kunnen uitzoeken.'

'Precies. Je zoekt op je computer, je belt een paar mensen op, je krijgt de informatie die je nodig hebt, en je opent een bankrekening. Maar hoe lang zou je daarvoor nodig hebben?'

'Misschien een week.'

'En deze lui hebben het in minder dan een dag voor elkaar gekregen. Binnen een uur waarschijnlijk. Je rekening werd geopend om tien uur. Dat impliceert een bestaande relatie. Ze hebben de bank verteld wat de bedoeling was, en dat is meteen uitgevoerd, zonder vragen. Dat betekent dat het gewaardeerde klanten zijn, met een heleboel geld. Maar dat wisten we al, want ze waren bereid om honderdduizend dollar te spenderen, alleen om jou te grazen te nemen. Dat is een heleboel geld, maar dat interesseerde ze niet. Ze hebben het domweg op jouw rekening gestort, terwijl ze geen enkele garantie hadden dat ze het ooit nog terug zouden zien. Het zou in beslag kunnen worden genomen als bewijsmateriaal. En zelfs als dat niet zou gebeuren, zie ik nog niet hoe ze achteraf zouden kunnen zeggen: o, hé, hoor eens, die honderdduizend was van ons en die willen we graag terug.'

'Maar wie zijn dat dan?'

'Het zijn ietwat terughoudende lui met een zwendel die een heleboel geld oplevert, die bereid zijn om dertienduizend kilometer verderop in Afghanistan allerlei rotzooi uit te halen, maar die hun eigen stoepje graag schoonhouden. Ouwe-jongens-krentenbrood met bankiers in het buitenland, lui die binnen een uur financiële transacties kunnen regelen, niet binnen een week, lui die in staat zijn oude dossiers op te zoeken en te manipuleren van elk onderdeel van het leger, lui die de beschikking hebben over mankracht met meer spierballen dan hersens, die ze strak aan het lijntje kunnen houden. Dat zijn vrijwel zeker hoge officieren in D.C.'

Turner sloeg af naar links, net voorbij een stadje met de naam Romney, een klein weggetje op naar het zuiden, door de heuvels. Dat leek hen veiliger. Ze wilden niet te dicht in de buurt komen van de I-79. Te veel surveillance, zelfs 's nachts. Te veel lokale politieagenten die eropuit waren om de gemeentelijke schatkist te spekken met snelheidscontroles. Het enige nadeel van zo'n klein weggetje was het ontbreken van elke vorm van beschaving. Geen tankstations, geen koffie. Geen diners. Geen motels. En ze hadden honger en dorst. En de auto had een reusachtige motor met abominabele verbruikscijfers als het om brandstof ging. Een eenzame wegwijzer bij het kruispunt had een soort stad beloofd, dertig kilometer verderop. Ongeveer een halfuur, bij een snelheid die past bij een klein weggetje.

Turner zei: 'Ik doe een moord voor een douche en een maaltijd.'

'Dat zul je waarschijnlijk wel moeten,' zei Reacher. 'Dat daar is niet de stad die nooit slaapt. Waarschijnlijk het soort derderangs kruispunt dat nooit wakker wordt.'

Ze kwamen er nooit achter. Ze haalden het stadje niet. Want een minuut later werden ze geconfronteerd met een ander nadeel van een klein weggetje.

29

Turner reed een bocht door en moest hard remmen, want pal voor haar stond een fakkel in het asfalt geprikt. Verderop een tweede, en nog verderop zagen ze de lichtbundels van koplampen die in vreemde richtingen schenen, een stralenbundel recht omhoog de nachtlucht in, en een tweede stralenbundel horizontaal, maar dwars op de weg.

Turner slingerde rechts en links langs de beide fakkels en liet de auto toen tot stilstand komen, met ploffende en borrelende uitlaten. De omhoogschijnende lichtbundels waren van een pick-up die achterstevoren van de weg in een greppel was geschoven. Hij stond min of meer rechtop op de achterklep. Je kon de hele onderkant zien, een ingewikkeld en vuil geheel.

De horizontale lichtbundels waren van een tweede pick-up, een stevige halftonner met een dubbele cabine, die was gekeerd en achteruitgereden tot hij dwars op de weg stond. Een korte, zware ketting was om de trekhaak gelegd. De ketting stond strak schuin omhoog en was bevestigd om een stang van de wielophanging aan de voorkant van de omhoogstaande pick-up. Reacher schatte in dat het de bedoeling was om de omhoogstaande pick-up omver te trekken, hem te laten kantelen zodat hij weer op zijn wielen zou vallen en ze hem uit de greppel konden trekken. Maar de beperkte ruimte maakte dat moeilijk. De ketting moest kort zijn, omdat de weg smal was. Maar juist omdat die ketting kort was, zou de voorkant van de terugvallende pick-up op de laadbak van de halftonner vallen, tenzij de halftonner precies op de goede manier in beweging bleef en net genoeg ruimte kon maken. Het zou een subtiel ballet met twee auto's worden.

Er waren drie man bij betrokken. Eén zat verdwaasd in de berm, met de ellebogen op de knieën en het hoofd gebogen. Dat is de chauffeur van de omhoogstaande pick-up, dacht Reacher, verdoofd door de klap en misschien nog steeds dronken of stoned, of allebei. De beide andere mannen waren zijn redders. De een zat half in de cabine van de halftonner, omkijkend, zijn elleboog op het portier, de ander liep van de ene naar de andere kant, klaar om aanwijzingen te geven.

Een alledaags verhaal, vermoedde Reacher. Of een verhaal van elke nacht. Te veel bier, of te veel joints, of te veel van allebei, een donkere, kronkelende weg, een te snel genomen bocht, in paniek op de rem, geblokkeerde achterwielen onder een lege laadbak, misschien lag er ijs op het wegdek, een slip, en de greppel. Dan het ongemakkelijke omlaag klimmen van de achterovergekantelde stoel, de lange glijvlucht langs de flank van de pick-up, het mobiele telefoongesprek en het wachten op de bereidwillige vrienden met de grote pick-up.

Geen probleem, voor geen van de betrokkenen. Praktisch routine. Ze leken prima te weten wat ze moesten doen, ondanks het probleem van de beperkte ruimte. Misschien hadden ze het al eerder gedaan, misschien al heel vaak. Reacher en Turner zouden misschien vijf minuten moeten wachten. Misschien tien. Meer was er niet aan de hand.

Maar ineens was er wel iets aan de hand.

De verdwaasde man in de berm werd zich langzaam bewust van het nieuwe stel koplampen, tilde zijn hoofd op en keek met toegeknepen ogen over de weg, en daarna weer de andere kant op.

Hij keek nog een keer.

Hij worstelde zich overeind en deed een stap toen hij stond.

Hij zei: 'Dat is de auto van Billy Bob.'

Hij deed nog een stap, en nog een, en keek woest naar hen, eerst naar Turner, toen naar Reacher, en hij stampte met zijn voet en zwaaide met zijn rechterarm alsof hij een geweldige wolk insecten wegjoeg, en hij brulde: 'Wat doen jullie in zijn auto?'

Het klonk als *waddoen lie nsijnaudo*, misschien als gevolg van een slecht gebit, of drank, of het feit dat hij verward was, of allemaal tegelijkertijd. Dat was Reacher niet duidelijk. De man die klaarstond om aanwijzingen te geven, raakte ook geïnteresseerd.

De man die aan het stuur van de halftonner zat, klom uit de pick-up, en met zijn drieën vormden ze een wat rafelige halve cirkel zo'n drie meter voor de bumper van de Corvette. Het waren alle drie pezige, verlopen types. Ze droegen een werkhemd zonder mouwen over een kleurloos sweatshirt, een spijkerbroek en leren laarzen. Ze hadden alle drie een wollen muts op. De verdwaasde man was misschien een meter zeventig, de baas van het stel bijna een meter negentig en de bestuurder van de halftonner iets meer dan een meter tachtig. Als modellen voor small, medium en large in de catalogus voor plattelandskleding. In het goedkope segment.

'Rijd over ze heen,' zei Reacher.

Turner reed niet over hen heen.

De bestuurder van de halftonner zei: 'Dat is de auto van Billy Bob.'

De verdwaasde man brulde: 'Dat zei ik al.'

Dassijkal.

Erg luid.

Misschien had hij bij de klap gehoorschade opgelopen.

De chauffeur van de halftonner vroeg: 'Waarom rijden jullie in de auto van Billy Bob?'

Reacher zei: 'Dit is mijn auto.'

'Hij is niet van jou, ik herken de nummerplaat.'

Reacher maakte zijn gordel los.

Turner maakte haar gordel los.

Reacher zei: 'Waarom maak jij je druk om wie er in de auto van Billy Bob rijdt?'

'Omdat Billy Bob een neef van ons is,' zei de man.

'Echt?'

'Verdomd waar,' zei de man. 'Er zijn al Claughtons in Hampshire County sinds driehonderd jaar.'

'Heb je een zwart pak?'

'Waarom?'

'Omdat je naar een begrafenis moet. Billy Bob heeft geen auto meer nodig. Zijn lab is vanavond afgebrand. Hij is er niet op tijd uit gekomen. Wij kwamen langs. We konden niets meer voor hem doen.'

Alle drie bleven even stil. Ze schuifelden met hun voeten, krompen in elkaar en schuifelden toch nog een keer een beetje met hun voeten en spuugden op het wegdek. Toen zei de man van de halftonner: 'Het enige wat jullie voor hem konden doen, was zijn auto jatten?'

'Beschouw het maar als een recycling.'

'Nog voordat hij koud was?'

'Zo lang konden we niet wachten. Het was een joekel van een vuur. Het duurt nog wel een dag of twee voordat hij koud is.'

'Hoe heet jij, klootzak?'

'Reacher,' zei Reacher. 'Er zijn al Reachers in Hampshire County sinds vijf minuten.'

'Probeer jij mij voor lul te zetten?'

'Niet echt. Dat doe je zelf al aardig.'

'Misschien hebben jullie dat vuur wel aangestoken.'

'Nee dus. Oude Billy Bob werkte in een gevaarlijk wereldje. Wie leeft bij het zwaard, zal sterven bij het zwaard. Net zoiets als met die auto. Gestolen goed gedijt niet.'

'Jullie kunnen hem niet houden. Wij zouden hem moeten hebben.'

Reacher deed zijn portier open. Hij zwaaide zijn benen naar buiten en richtte zich razendsnel op, in een flits, het hele eind, van zijn achterwerk tien centimeter boven het asfalt tot zijn volle lengte van een meter zesennegentig. Hij stapte om het open portier heen en liep langs de auto naar voren en bleef precies op het middelpunt van het kleine rafelige cirkeltje met mannen staan.

Hij zei: 'Laten we geen moeizame discussie gaan voeren over erfrecht.'

De man van de halftonner zei: 'En zijn geld?'

'Hebben is hebben en krijgen is de kunst,' zei Reacher, net als Espin, in de verhoorkamer van Fort Dyer.

'Hebben jullie zijn geld ook gejat?'

'Alles wat we konden vinden.'

De verdwaasde man stapte naar voren en haalde woest uit met zijn rechtervuist. Reacher boog iets achterover en liet de vuist voor zich langs suizen, doel gemist. Toen wapperde hij met zijn eigen arm, heen en weer, alsof hij nog meer onzichtbare insecten van zich afsloeg. De verdwaasde man staarde naar de pantomime, en Reacher gaf hem met zijn vlakke linkerhandpalm, net onder de rand van zijn muts een tik tegen de zijkant van zijn hoofd, als een oude wijkagent die de onbeschaamde vlegel uit de buurt terechtwijst, gewoon een tik, meer niet, maar de man ging niettemin ondersteboven alsof zijn hoofd aan flarden was geschoten met een kogel uit een zwaar kaliber geweer. Hij bleef stil op het wegdek liggen zonder een vin te verroeren.

De man van de halftonner zei: 'Doe je dat altijd, kleintjes te pakken nemen?'

'Ik nam hem niet te pakken,' zei Reacher. 'Hij probeerde mij te pakken te nemen. Ga jij dezelfde fout maken?'

'Misschien is dat wel geen fout.'

'Jawel,' zei Reacher. Toen keek hij langs de man, naar de omhoogtorenende pick-up. Hij zei: 'Shit, dat ding valt om.'

De man draaide zich niet om. Keek niet. Zijn ogen bleven op Reacher gefixeerd.

Hij zei: 'Leuk geprobeerd. Maar ik ben niet van gisteren.'

Reacher zei: 'Ik maak geen grapje, imbeciel.' En hij maakte geen grapje. Misschien was er iets met de versnellingsbak van de halftonner. Misschien was hij tien centimeter naar voren gerold toen de man de motor afzette voordat hij eruit klom. Maar wat er ook was gebeurd, de ketting stond onder een andere spanning. Hij stond strak als een snaar. Hij zoemde bijna. De rechtopstaande pick-up wankelde en stond op het punt als een boom om te vallen. Er was slechts een zuchtje wind voor nodig.

En dat zuchtje wind kwam.

De takken rondom zuchtten en bewogen licht, niet meer dan één keer, de laadklep van de rechtopstaande pick-up knarste over de kleine keien, de ketting ging slap hangen en de pick-up begon voorover te kantelen, bijna onmerkbaar, steeds maar een fractie, tot het punt was bereikt waarop er geen weg terug meer was. Toen begon de pick-up te vallen, sneller en sneller, en ramde hij als een gigantische voorhamer op de laadbak van de halftonner en viel door het gewicht van het stalen motorblok met een machtige klap op het ribbelpatroon van de laadvloer en brak de as eronder, waardoor de achterwielen van de halftonner plotseling aan de onderkant naar buiten staken en aan de bovenkant naar binnen in de wielkasten, als x-benen, of de poten van een jonge hond, terwijl de voorwielen van de kleinere pick-up zich de andere kant op vouwden, hangend aan gebroken stuurstangen. De ketting ratelde op de grond, tegengestelde krachten kwamen tot rust en de kleinere pick-up settelde zich onder een hoek half op de halftonner, beide uitgeput, roerloos en stil.

'Het ziet eruit alsof ze seks hebben gehad,' zei Reacher. 'Vind je ook niet?'

Niemand antwoordde. De kleine man lag nog steeds op de grond, en de beide anderen staarden naar een heel nieuw probleem. Geen van beide pick-ups zou voorlopig nog ergens naartoe gaan, niet zonder een flinke kraan en een dieplader. Reacher klom terug in de Corvette. De wrakken versperden de weg van greppel tot greppel, dus had Turner geen keuze. Ze reed achteruit langs de beide brandende fakkels en zette koers in de richting waaruit ze waren gekomen.

30

Turner zei: 'Die lui staan te bellen zodra ze iets over ons horen. Die hangen onmiddellijk aan de telefoon. Met hun reclasseringsambtenaar. Om een deal te sluiten. Ze gebruiken ons als Verlaat-de-gevangenis-zonder-te-betalen-kaart, voor de eerstvolgende tien keer dat ze gepakt worden.'

Reacher knikte. De weg kon niet altijd geblokkeerd blijven. Vroeg of laat zou een andere voorbijganger de hulpdiensten bellen. Of misschien zouden de Claughtons zelf bellen, als ze verder alles hadden geprobeerd. En dan kwam de politie, en de onvermijdelijke vragen zouden leiden tot verontschuldigende antwoorden. Er zouden deals gesloten worden, er zou worden onderhandeld, er zouden beloftes worden gedaan, er zou informatie worden uitgewisseld.

'Neem de eerstvolgende weg naar het zuiden maar,' zei Reacher. 'Dat is het enige wat we kunnen doen.'

'Vermaak je je nog steeds?'

'Beter dan ooit.'

Ze sloegen af, de rustige weg op die ze twintig minuten eerder hadden verlaten. Hij was leeg. Bomen links, bomen rechts, niets voor hen, niets achter hen. Ze reden over een brug over een rivier. De rivier was de Potomac, op die plek een smalle, onopvallende rivier die omlaag naar het noorden stroomde van zijn ver weg gelegen bron, om dan een bocht naar het oosten te maken en breder te worden tot het een gezapige stroom was aan de monding. Er was geen ander verkeer op de weg. Er ging niets dezelfde kant op als zij, er ging niets de andere kant op. Geen licht en geen geluiden, behalve hun eigen licht en geluiden.

Reacher zei: 'Als dit een film was, zou de cowboy op dit moment zijn wang krabben en zeggen dat het te stil was.'

'Dat is niet grappig,' zei Turner. 'Ze kunnen de weg wel hebben afgegrendeld. De State Police kan wel om de volgende bocht staan.'

Maar daar stonden ze niet. En ook niet na de volgende bocht, en de bocht daarna. Bochten waren er wel, de een na de ander, stuk voor stuk gespannen vragen.

Turner vroeg: 'Hoe kunnen ze weten hoe jij leeft?'

'Wie?'

'Die hoge officieren.'

'Dat is een heel goede vraag.'

'Weten ze ook echt hoe je leeft?'

Ze konden je in het verleden niet vinden en ze zullen je nu ook niet vinden. Het leger heeft geen specialisten om mensen op te zoeken die spoorloos zijn. Die zouden jou bovendien nooit vinden.

'Het lijkt erop dat ze weten dat ik niet ergens een villa heb gekocht in een buitenwijk. Het lijkt erop dat ze weten dat ik niet langs de lijn sta bij de F'jes. Het lijkt erop dat ze weten dat ik na het leger geen andere carrière heb opgebouwd.'

'Maar hoe weten ze dat?'

'Geen idee.'

'Ik heb je dossier gelezen. Er stonden een heleboel goede dingen in.'

'Een heleboel slechte dingen ook.'

'Maar misschien is slecht juist goed. In die zin dat je interessant was voor iemand. Qua karakter. Ze hebben je gevolgd sinds je zes was. Je had unieke eigenschappen.'

'Niet uniek.'

'Zeldzaam dan. Als het gaat om een agressieve reactie op gevaar.' Reacher knikte. Toen hij zes was, was hij naar een film geweest, op een basis van de mariniers ergens in de Stille Zuidzee. Een kindervoorstelling 's middags. Een goedkope, commerciële sciencefictionfilm. Plotseling was er een monster opgedoken uit een slijmerige poel. Het jeugdige publiek was met een geheime camera gefilmd, een experiment in het kader van psychologische oorlogsvoering. De meeste kinderen waren in paniek achteruitgedeinsd toen het monster verscheen. Zo niet Reacher. Hij was naar het filmdoek gesprongen, klaar om te vechten, zijn zakmes al open geknipt. Ze zeiden dat zijn reactiesnelheid driekwart seconde was geweest.

Zes jaar oud.

Ze hadden hem zijn zakmes afgepakt.

Ze hadden hem het gevoel gegeven dat hij een psychopaat was.

Turner zei: 'En je hebt het prima gedaan op West Point. En je carrière in het leger was indrukwekkend.'

'Als je je ogen een beetje dichtknijpt. Zelf herinner ik me veel wrijving en geschreeuw. Ik ben heel wat keren op het matje geroepen.'

'Maar misschien is slecht juist goed. Vanuit een bepaald perspectief. Stel dat er ergens een bureau staat, in het Pentagon bijvoorbeeld. En dat er iemand aan dat bureau zit die als enige opdracht heeft een bepaald type mensen op te sporen, die in de toekomst van pas zouden kunnen komen, onder bepaalde omstandigheden. Een soort langetermijnplanning voor eventualiteiten, voor een nieuwe supergeheime eenheid. Zo'n eenheid die je ook kunt ontkennen. Een lijst met geschikt personeel. Een beetje van: als er echt stront aan de knikker is, wie bel je dan?'

'Nu klinkt het alsof jij naar films hebt zitten kijken.'

'Er gebeurt niets in een film wat ook niet in het echte leven gebeurt. Dat is iets wat ik heb geleerd. Dat soort dingen kun je niet bedenken.'

'Speculaties,' zei Reacher.

'Is het onmogelijk dat er ergens een database is met honderd of tweehonderd of duizend namen van mensen die het militaire apparaat wil volgen, gewoon voor het geval dat?'

'Waarschijnlijk is dat niet onmogelijk.'

'Het zou een heel geheime database zijn. Om een aantal voor de hand liggende redenen. Dat betekent dat als deze mensen die database hebben gezien, en dus weten hoe jij leeft, dat het dan niet gewoon hoge officieren zijn. Het zijn heel erg hoge officieren. Dat zei je zelf. Ze hebben toegang tot willekeurig welk dossier in het leger dan ook.'

'Speculaties,' zei Reacher opnieuw.

'Maar logisch.'

'Misschien.'

'Heel erg hoge officieren,' zei Turner nog een keer.

Reacher knikte. Alsof je een munt opgooit. Vijftig procent kans. Waar, of niet waar.

De eerste afslag op hun weg was Route 220, slechts marginaal breder dan de weg waarop ze reden, maar vlakker, met een beter wegdek, en rechter, en in alle opzichten belangrijker. Bij vergelijking leek het wel een hoofdader. Nog net geen snelweg, maar vanwege hun gespannen zintuigen keken ze er heel anders tegenaan.

'Nee,' zei Turner.

'Mee eens,' zei Reacher. Ongetwijfeld waren er tankstations en was er koffie, en waren er diners en motels, maar er kon ook politie zijn, State Police of lokaal. Of Federaal. Want het was het soort weg dat in het oog sprong op een kaart. Reacher stelde zich ergens een haastig overleg voor, met ongeduldige vingers die op een kaart prikten, met dringende stemmen die zeiden *wegversperringen hier, en hier, en hier.*

'We nemen de volgende,' zei hij.

Wat nog zeven gespannen minuten tot gevolg had. De weg bleef leeg. Bomen links, bomen rechts, niets voor hen, niets achter hen. Geen licht, geen geluiden. Maar er gebeurde niets. En de volgende afslag was beter. Op een kaart zou de weg niet meer zijn dan een onbeduidend grijs spoor, of misschien zou hij er niet eens op staan. Het was een weg over de heuvels, vergelijkbaar met de weg die ze al hadden geprobeerd: smal, hobbelig, kronkelend en slingerend, met rafelige bermen en ondiepe greppels voor regenwater aan weerszijden. Ze maakten er dankbaar gebruik van en de duisternis slokte hen op. Turner paste zich aan het ritme van het weggetje aan, reed met gepaste snelheid en efficiënte bewegingen. Reacher ontspande en keek naar haar. Ze zat achteruit op haar stoel, de armen gestrekt, de vingers op het stuur ontvankelijk voor de minieme trillende boodschappen die omhoogkwamen van het wegdek. Ze had het haar achter haar oren gestopt en hij zag slanke spieren in haar dij bewegen terwijl ze eerst op het ene, toen op het andere pedaal trapte.

Ze vroeg: 'Hoeveel verdiende die Big Dog?'

'Zat,' zei Reacher. 'Maar niet genoeg om honderdduizend naar een bankrekening te sluizen om zich ergens onderuit te zwendelen, als je dat dacht.'

'Maar hij zat onder aan de keten. Hij was niet de baas. Hij dreef geen massale groothandel. Hij kreeg maar een klein deel van de winsten te zien. En het is zestien jaar geleden. Alles is anders geworden.'

'Denk je dat dit om gestolen oorlogstuig gaat?'

'Het zou kunnen. De nasleep van Desert Storm toen, de nasleep van Afghanistan nu. Vergelijkbare omstandigheden. Vergelijkbare kansen. Maar ander spul. Wat verkocht Big Dog?'

'Elf kratten met SAW's op het moment dat wij hem in het oog kregen.'

'Op straat in L.A.? Dat is goed fout.'

'Dat was een probleem voor de LAPD. Ik wilde alleen maar een naam horen.'

'Je zou SAW's aan de Taliban kunnen verkopen.'

'Maar voor hoeveel?'

'Of drones. Of grond-luchtraketten. Spul dat extreem duur is. Of MOAB's. Hadden jullie die toen al?'

'Dat klinkt alsof je denkt dat we met pijl-en-boog vochten.'

'Niet dus.'

'Nee, maar ik weet wel wat het zijn. *Massive Ordnance Air Burst.* De moeder aller bommen.'

'Thermobarische monsters die krachtiger zijn dan al het andere spul, met uitzondering van nucleaire wapens. Er zijn kopers zat in het Midden-Oosten voor die krengen. Daar hoef je niet aan te twijfelen. En die kopers hebben geld zat. Daar hoef je ook niet aan te twijfelen.'

'Die krengen zijn negen meter lang. Die stop je niet zomaar even in je jaszak.'

'Er zijn wel gekkere dingen gebeurd.'

Toen zweeg ze, anderhalve kilometer lang.

Reacher zei: 'Wat is er?'

'Veronderstel eens dat dit regeringsbeleid is. Dat we de ene groep opzetten tegen de andere. Dat doen we voortdurend.'

Reacher zei niets.

Turner zei: 'Jij ziet het anders?'

'Diep vanbinnen ben ik niet overtuigd. De regering kan doen wat ze wil. Waarom dan jou erin laten stinken met honderdduizend dollar? Waarom ben je niet gewoon verdwenen? En ik? En Moorcroft? Waarom zitten we nu niet in Guantanamo? Waarom zijn we niet dood? En waarom waren die kerels die de eerste avond naar mijn motel kwamen zulke amateurs? Dat waren geen zware jongens die door de overheid waren ingehuurd. Ik hoefde me amper in te spannen. Maar waarom moest het eigenlijk ooit zover komen? Ze hadden je ook op een andere manier tot de orde kunnen roepen. Ze hadden je de order kunnen geven om Edwards en Weeks terug te roepen. Ze hadden je de order kunnen geven je acties op te schorten.'

'Niet zonder me automatisch achterdochtig te maken. Ik zou de hele zaak in de schijnwerpers hebben gezet. Dat was een risico dat ze niet zouden willen nemen.'

'Dan hadden ze wel iets anders kunnen bedenken. Ze hadden de troepen in het hele land kunnen terugtrekken, tot aan de *Green Zone*, om de een of andere gefingeerde politieke reden. Om de soevereiniteit van de Afghanen te respecteren, of zoiets. Een hele tsunami van flauwekul. Dan zouden jouw mannen erin meegezogen zijn, net als de rest, en dan zou je absoluut niet achterdochtig zijn geworden. Dan was het gewoon weer zoiets stoms geweest, van die dingen die altijd gebeuren.'

'Dus jij bent niet overtuigd.'

'Het komt allemaal nogal amateuristisch over,' zei Reacher. 'Keurige, correcte, een beetje bescheiden mensen, die nu een beetje uit hun doen zijn, en dus moeten terugvallen op onduidelijke spier-kracht om zich in te dekken. Dat levert ons tegelijkertijd een klein probleem en een gigantisch voordeel op. Het kleine probleem is dat die vier kerels weten dat ze ons te pakken moeten krijgen, voordat we in handen vallen van de MP of de FBI, want ze gaan ervan uit dat wij zo onderhand tot onze oren in de stront zitten, technisch ge-sproken, met die ontsnapping en zo, en dat we dus alles wat we we-ten zullen gebruiken om onze huid te redden. En zelfs als niemand ons zou geloven, zou het allemaal wel in de openbaarheid zijn ge-komen, als een mogelijkheid of een gerucht, en deze kerels kunnen zich geen spiedende blikken veroorloven, ook niet van iemand die helemaal geen zin heeft om zijn orders uit te voeren en alleen doet wat er in het boekje staat. Dat is het kleine probleem. Die vier ke-rels blijven achter ons aan zitten. Dat is verdomd duidelijk.'

'En wat is het grote voordeel?'

'Diezelfde vier kerels,' zei Reacher. 'Zonder hen zijn hun bazen verloren. Zijn ze hun handen en voeten kwijt. Hulpeloos en geïso-leerd. Klaar om door ons gepakt te worden.'

'Dus dat is het plan?' zei Turner. 'We laten ons vinden door die vier kerels, die rekenen we in en dan gaan we vandaar verder om-hoog in de keten?'

'Alleen rekenen we ze niet in. We gaan met ze doen wat zij met ons wilden doen.'

'En dat is?'

'We gaan ze onvindbaar maken. En dan gaan we luisteren naar het gejank van hun bazen in de wildernis. En dan gaan we ze heel zorgvuldig uitleggen waarom het heel onverstandig is om te rot-zooien met het 110th.'

31

Ze reden Grant County in, de eenzame weg slingerde verder door de heuvels, kilometer na kilometer. De snelheidsmeter schommel-de tussen de tachtig en de honderd, omhoog en omlaag, maar de naald van de brandstofmeter ging maar één kant op, en deed dat snel. Toen kondigde een bord langs de kant van de weg Grant County Airport aan, over dertig kilometer, bij een stad met de naam Petersburg.

Turner zei: 'Een stad met een vliegveld moet ook een tankstation hebben, toch? En een motel. En een stad met een vliegveld en een tankstation en een motel moet een diner hebben.'

Reacher zei: 'En een politiebureau.'

'Je moet er het beste van hopen.'

'Dat doe ik altijd,' zei Reacher.

De stad kwam eerder dan het vliegveld. Vrijwel geheel in slaap, maar niet helemaal. Ze kwamen de heuvels uit en voegden links in op een grotere weg die honderd meter verder overging in North Main Street, met links en rechts bebouwing in blokken. Midden in het stadje was een kruising met Route 220, de weg die ze eerder hadden gemeden. Na de kruising heette North Main Street South Main Street. Het vliegveld lag naar het westen, niet veel verderop. Er was geen verkeer, maar achter sommige ramen brandde licht.

Turner reed naar het zuiden, stak opnieuw de smalle Potomac over, sloeg rechts af, naar het vliegveld, een voorziening voor uitsluitend kleine, lichte vliegtuigen, nu gesloten en donker. Dus keerde ze de auto van stoeprand tot stoeprand en reed terug, de rivier weer over, naar het kruispunt midden in het stadje.

Reacher zei: 'Ga maar naar rechts, de 220 op. Ik wil wedden dat het daar allemaal gebeurt.'

Aan de oostkant van het kruispunt heette 220 Virginia Avenue. De eerste tweehonderd meter waren het net niet. Er was een broodjeswinkel, gesloten, en een pizzeria, ook gesloten. Er was een tankstation van Chevron, voorgoed gesloten, en er waren twee franchisewinkels voor fastfood, beide gesloten voor de nacht. Er was een oud motel met dichtgetimmerde ramen, dat op instorten stond, achter een parkeerterreintje dat was overwoekerd door onkruid.

'Nog niet veel soeps,' zei Turner.

'Vrije markt,' zei Reacher. 'Iemand heeft dat tankstation de das omgedaan. En dat motel. We hoeven alleen maar uit te zoeken wie dat is geweest.'

Ze reden verder, een blok huizen langs, en nog een blok, passeerden de stadsgrens en scoorden toen drie vliegen in één klap in de zone waar de grondprijzen lager waren. Om te beginnen reden ze langs een plattelandskroeg, de hele nacht open, links van de weg, achter een brede parkeerstrook van gravel waar drie pick-ups op stonden. Honderd meter verderop was een motel, een modern geval met een verdieping aan de rechterkant van de weg, aan de rand van een akker. En voorbij het motel was in de verte een rode gloed zichtbaar van een Exxon-tankstation.

Allemaal heel goed. Behalve dan dat er halverwege tussen de kroeg en het motel een bureau van de State Police lag. Een bleek gebouw, lang en laag, gebouwd van geglazuurde bruine bakstenen, met schotel- en sprietantennes op het dak. Er stonden twee patrouillewagens voor geparkeerd en achter twee ramen brandde licht. Een telefonist en een wachtcommandant, dacht Reacher, nachtdienst, warm en comfortabel.

Turner zei: 'Zouden ze al weet hebben van deze auto?'

Reacher keek naar het motel. 'Of weten ze ervan voordat wij morgenvroeg wakker worden?'

'We hebben in ieder geval benzine nodig.'

'Oké, laten we maar gaan tanken. Dan krijgen we een indruk van de boel hier.'

Dus reed Turner rustig verder, zo onopvallend als maar mogelijk is met een grote rode cabrio met zeshonderd pk effectief vermogen, naar het tankstation – vier pompen op eilandjes van twee, en een hokje met de kassa van wit plaatmateriaal. Het leek wel een klein huisje. Behalve dat er antennes op het dakje stonden.

Turner parkeerde bij een pomp en Reacher bestudeerde de instructies, waaruit bleek dat hij vooraf met contant geld moest betalen als hij niet met een creditcard betaalde. Hij vroeg: 'Hoeveel liter?'

Turner zei: 'Ik weet niet hoe groot de tank is.'

'Behoorlijk groot, denk ik.'

'Oké, vijftig liter dan maar eerst?'

Wat negenenvijftig dollar en vijfentachtig cent zou gaan kosten, volgens het aangegeven tarief. Reacher pelde drie briefjes van twintig van een van Billy Bobs pakketjes en liep naar de kassa. Daar zat een vrouw van een jaar of veertig achter kogelvrij glas. Net boven de toonbank was een halvemaanvormige uitsparing gemaakt om het geld door te schuiven. Door dat gat klonken de zoete, nasale tonen van een middengolfradio die was afgestemd op een countryzender, en het geknetter en de ruis van een politiescanner die was afgestemd op het noodkanaal.

Reacher schoof zijn geld door het gat en de vrouw deed iets waarmee ze volgens hem de pomp instelde voor afgifte van zestig dollar benzine en geen drup meer. Een countrynummer kwam ten einde en een volgend nummer begon, alleen van elkaar gescheiden door een gedempte uitbarsting van statische ruis uit de scanner. Reacher wierp een blik op de scanner, probeerde eruit te zien als een vermoeide reiziger en vroeg: 'Gebeurt er nog iets vannacht?'

'Tot nu toe alles rustig,' zei de vrouw.

Reacher keek naar de andere kant, naar de middengolfradio. 'Heb je niet genoeg aan country?'

'Mijn broer heeft een takelwagen. En in die wereld draait het er allemaal om of je er als eerste bij bent. Ik krijg tien dollar van hem voor elk ongeluk dat ik aanlever.'

'Dus nog geen ongelukken vanavond?'

'Niet eentje.'

'Helemaal niets opwindends?'

De vrouw zei: 'Dat is een aardige auto waarin jullie rijden.'

'Waarom zeg je dat?'

'Omdat ik altijd al een Corvette heb willen hebben.'

'Heb je over ons gehoord op de scanner?'

'Te hard gereden?'

'Moeilijk om niet te hard te rijden.'

'Dan heb je mazzel gehad. Hebben ze je niet gezien.'

Reacher zei: 'En dat dat nog maar een lange tijd zo mag blijven.'

Hij toverde iets op zijn gezicht, waarvan hij hoopte dat het een samenzweerderige glimlach was en liep naar de auto. Turner was al in de weer met de pomp. Ze had de tuit in de opening van de benzinetank gestoken en stond driekwart van hem weggedraaid, met de achterkant van een dijbeen tegen de flank van de auto en de andere voet op de stoeprand van het eilandje. Ze had haar handen achter zich en kromde haar rug, alsof ze een stijve rug probeerde

los te maken. Ze stond met haar gezicht omhoog naar de nachtlucht. Reacher zag in gedachten haar vorm, een slanke S onder het
grote hemd.

Absoluut de moeite waard.

Hij zei: 'De vrouw achter de kassa luistert naar een scanner. Tot
nu toe is er niets aan de hand.'

'Heb je haar daarnaar gevraagd? Dan onthoudt ze ons nu.'

'Dat doet ze toch al. Ze heeft altijd een Corvette willen hebben.'

'We zouden met haar van auto moeten ruilen. Wat ze dan ook
maar heeft.'

'Dan onthoudt ze ons voor eeuwig.'

'Misschien doen die boeren wel geen aangifte. Misschien waren
die pick-ups ook gestolen. Misschien zijn ze gewoon opgelost in de
bossen.'

'Misschien,' zei Reacher. 'Ik snap in ieder geval niet waarom ze
zo lang wachten.'

'We kunnen achter het motel parkeren. Uit het zicht. Volgens mij
moeten we dat gewoon riskeren. We hebben echt eten en slaap nodig.'

De pomp sloeg af toen er bijna vijfenveertig liter benzine was ge-
tankt. De tank was kleiner dan ze hadden gedacht, of de brandstofmeter was aan de pessimistische kant.

Turner zei: 'Nu weet ze dat de auto niet van ons is. We weten
niet hoeveel benzine er in de tank gaat.'

'Wat denk je, zouden we wisselgeld krijgen?'

'Misschien moeten we het maar zo laten.'

'Maar het is wel twaalf dollar. Het is West Virginia hier. Dat
valt nogal op.'

'Zeg maar dat we naar het zuiden gaan over de 220. En dat we
nog een flink eind moeten rijden voor de dag aanbreekt. Als ze dan
iets over ons hoort op de scanner, stuurt ze hen de verkeerde kant
op.'

Reacher kreeg twaalf dollar en tweeënvijftig cent terug, en zei
nonchalant dat ze nog voor morgenochtend de I-64 wilden halen.
Uit de middengolfradio klonken deuntjes, de politiescanner was stil.
De vrouw keek door het raam en glimlachte een beetje triest, alsof het een hele tijd zou duren voordat ze weer een Corvette zou
zien.

Turner stopte voor de deur van het hokje om Reacher in te laten stappen, en ze reden terug in de richting van de stad en stopten driehonderd meter verder bij het motel.

Ze zei: 'Eerst inchecken en dan naar de diner?'

Reacher zei: 'Prima.'

Ze aarzelde lang en keek hem toen in de ogen.

Ze zei: 'Hoeveel kamers nemen we?'

Hij aarzelde op zijn beurt en zei: 'Laten we eerst maar gaan eten, en dan inchecken.'

'Waarom?'

'Ik moet je iets vertellen.'

'Wat?'

Samantha Dayton.

Sam.

Veertien jaar oud.

'Als we besteld hebben,' zei hij. 'Het is een lang verhaal.'

32

De diner was een plattelandstent van de beste soort die Reacher ooit had gezien. Er stond een zwarte man met een wit hemd aan een van vet druipende bakplaat van een meter bij twee meter. Er stonden grenenhouten tafels en stoelen die er niet bij pasten. Het rook er naar oud vet en verse koffie. Er zaten twee oude blanke mannen met een honkbalpet op, de een helemaal links van de ingang, de ander helemaal rechts in de zaak. Misschien konden ze niet met elkaar opschieten. Misschien waren het slachtoffers van een vete die al driehonderd jaar duurde.

Turner koos een tafeltje in het midden, ze trokken de stoelen ratelend over de houten vloer en gingen zitten. Er was geen menu. Er was geen schoolbord waarop met de hand een dagmenu was gekalkt. Zo'n soort tent was het niet. Bestellen was een kwestie van telepathie tussen de kok en zijn vaste klanten. Nieuwe klanten moesten gewoon vragen, luid en duidelijk. De kok reageerde daarop door zijn kin op te tillen en zijn hoofd een kleine slag te draaien, zodat hij zijn rechteroor naar de ruimte keerde.

'Omelet,' zei Turner. 'Paddenstoelen, lente-uitjes en cheddarkaas.'

De kok reageerde niet.

Totaal niet.

Turner zei het nog een keer, iets luider.

Nog steeds geen reactie. Geen enkele beweging. Totale rust, een geheven kin, een wegstarende blik, een waardige en meedogenloze stilte, als een oudgediende in het zakenleven die zich beledigd voelt door een tegenbod. Turner keerde zich naar Reacher en fluisterde: 'Wat is er aan de hand hier?'

'Jij bent rechercheur,' zei Reacher. 'Zie jij iets wat lijkt op een pan waar je een omelet in kunt bakken?'

'Nee, ik denk het niet. Het enige wat ik zie is een bakplaat.'

'Dan is iets bestellen wat met die bakplaat te maken heeft waarschijnlijk de beste manier om die man een beetje enthousiast te krijgen.'

Turner dacht even na.

Toen zei ze: 'Twee eieren, beide zijden licht gebakken, op een geroosterde boterham met bacon ernaast.'

De kok zei: 'Ja, mevrouw.'

'Voor mij ook,' zei Reacher. 'En koffie graag.'

'Ja, meneer.' Onmiddellijk draaide de man zich om en ging aan het werk met een nieuwe klont vet en een spatel. Hij schaafde het metalen oppervlak, streek het glad, een meter naar links en een meter naar rechts. Dat maakte hem tot een echte bakplaatman. Reacher wist uit ervaring dat de man in zo'n tent altijd een echte bakplaatman was of de eigenaar, maar nooit allebei tegelijk. Een bakplaatman verzorgde instinctmatig eerst het metaal, werkte eraan tot het glansde tot op de moleculen, zo glad dat het teflon degradeerde tot schuurpapier. Terwijl de eigenaar direct geneigd zou zijn om koffie in te schenken. Want met een eerste kop koffie is de deal beklonken. Een klant is niet gebonden totdat hem iets is geserveerd. Hij kan altijd nog opstaan en de zaak uit lopen, als het hem te lang duurt of als hij zich plotseling een belangrijke afspraak herinnert. Maar dat kan niet meer als hij zijn eerste kop koffie heeft gehad. Want dan zou hij wat geld op tafel moeten leggen, en wie weet nu precies wat een kop koffie in een diner kost? Vijftig cent? Een dollar? Twee dollar?

'Oké, ik heb besteld,' zei Turner. 'Wat moet je me vertellen?'

'Even wachten tot we koffie hebben,' zei Reacher. 'Ik wil niet onderbroken worden.'

'Dan heb ik nog wel een paar dingen,' zei Turner. 'Ik wil meer weten over die man Morgan, om maar iets te noemen. Ik wil weten wie er met zijn tengels aan mijn eenheid zit.'

'Ook mijn eenheid,' zei Reacher. 'Ik heb altijd gedacht dat ik voor eeuwig de slechtste commandant was die ze ooit zouden hebben, maar dat is blijkbaar toch niet zo. Jouw mannen in Afghanistan namen twee keer geen radiocontact op en hij deed helemaal niets.'

'Weten we waar hij vandaan komt?'

'Geen idee.'

'Zit hij in het complot?'

'Moeilijk te zeggen. Vanzelfsprekend had de eenheid tijdelijk een andere commandant nodig. Dat maakt hem op zich niet verdacht.'

'En hoe past het in hun plan dat ze jou weer hebben ingelijfd? Je zou zeggen dat ze je toch liever kwijt dan rijk zijn.'

'Ik denk dat het de bedoeling was dat ik ervandoor zou gaan. Dat had ik ook kunnen doen. Ik had permanent kunnen drossen. Ze deden hun uiterste best om duidelijk te maken dat er niemand achter me aan zou komen. Geen specialisten om mensen op te zoeken die spoorloos zijn. Als een dubbele stoot bij boksen, samen met die verklaring onder ede van Big Dog. Een aanklacht waar ik me niet tegen kan verdedigen, gevolgd door een mandaat om te blijven waar ik ben. Ik denk dat de meesten onder die omstandigheden de benen zouden hebben genomen. Ik denk dat dat hun strategie was. Maar het werkte niet.'

'Want als er een monster opduikt uit het slijm, ga jij vechten.'

'Maar het kan ook een order van JAG zijn geweest, meer niet. Misschien zat er een aantekening bij het dossier waarin stond dat ze me moesten vastpinnen als ik niet zou meewerken. Vanwege een of andere politiek gevoelige kwestie op het ministerie. Het was in ieder geval geen besluit van Morgan zelf. Een luitenant-kolonel neemt geen besluiten over dat soort zaken. Dat komt van hogerop.'

'Van heel hoge officieren.'

'Zeker, maar welke precies?'

Turner gaf daar geen antwoord op. De bakplaatman kwam met de koffie, eindelijk. Twee grote aardewerken mokken en een plastic mandje met cupjes melk en pakjes suiker, en twee lepeltjes, gemaakt van een zo dun metaal dat ze vrijwel niets wogen. Reacher pakte een mok, snoof de damp op en nam een slokje. De rand van de mok was dik en koud, maar de koffie was redelijk. Heet, en niet te slap.

Hij zette de mok op tafel en vouwde zijn handen eromheen, alsof hij de mok wilde beschermen, keek Turner in de ogen en zei: 'Dus.'

Ze zei: 'Nog één ding. En het valt me zwaar om het te zeggen. Het spijt me.'

'Wat is er?'

'Ik had niet moeten vragen naar één kamer of twee kamers.'

'Ik vond het niet erg.'

'Maar ik wel. Ik weet niet of ik wel klaar ben voor één kamer. Het voelt alsof ik je wat schuldig ben. Voor wat je vandaag voor me hebt gedaan. Ik denk niet dat dat de juiste gemoedstoestand is, onder die omstandigheden. De een-kamer-omstandigheden bedoel ik.'

'Je bent me niets schuldig. Mijn motieven waren puur egoïstisch. Ik wilde je mee uit eten nemen. En daar ben ik nu druk mee bezig, denk ik. Min of meer. Misschien niet zoals gepland. Maar toe maar, ik heb gekregen wat ik wilde. Al het andere is *collateral damage*. Dus je bent me helemaal niets schuldig.'

Turner zei: 'Ik voel me verward.'

'Je bent net gearresteerd geweest en uit de bak ontsnapt. En op het moment ben je op de vlucht en jat je auto's en geld.'

'Nee, ik bedoel vanwege jou.'

'Waarom?'

'Door jou voel ik me ongemakkelijk.'

'Het spijt me.'

'Dat is niet jouw schuld,' zei ze. 'Zo ben je gewoon.'

'En hoe ben ik gewoon?'

'Ik wil je niet kwetsen.'

'Dat lukt je ook niet,' zei Reacher. 'Ik ben een MP. En een man. Ik heb geen gevoelens.'

'Dat bedoel ik.'

'Ik maakte een grapje.'

'Nee, dat deed je niet. Niet helemaal.'

Ze zweeg een hele tijd.

Toen zei ze: 'Jij hebt iets van een ongetemd wild dier.'

Reacher reageerde daar niet op. Een wild dier, *bestia fera* in het Latijn. Door de bank genomen een dier dat uit gevangenschap is ontsnapt en zijn oude instincten weer volgt.

Turner zei: 'Het is alsof je net zolang bent afgeschuurd tot er alleen maar ja en nee over is, en jij en zij, en zwart en wit, en leven of dood. Dat zet me aan het denken: wat doet dat met een mens?'

'Leven,' zei Reacher. 'Mijn leven in ieder geval.'

'Je bent net een roofdier. Koud en hard. Deze hele kwestie. Je hebt het allemaal precies op een rijtje. Die vier kerels in hun auto, en hun bazen. Je zwemt naar ze toe, op dit moment, en er zal bloed vloeien in het water. Dat van hen of dat van jou, maar er zal bloed vloeien.'

'Op dit moment hoop ik dat ik van ze wegzwem. En ik weet niet eens wie het zijn en waar ze zijn.'

'Maar daar kom je achter. Je denkt aan niets anders. Ik kan je zien denken. Je bent constant bezig een spoor te zoeken.'

'Wat moet ik anders doen? Buskaartjes bestellen rechtstreeks naar een cel in Leavenworth?'

'Is dat het enige alternatief?'

'Wat denk je?'

Ze nam een eerste slok van haar koffie, langzaam en in gedachten verzonken. Ze zei: 'Ik ben het met je eens. En dat is precies het probleem. Daarom voel ik me ongemakkelijk. Ik ben net zoals jij. Maar nog niet helemaal. En daar gaat het om. Als ik naar jou kijk, is het net of ik naar mezelf kijk in de toekomst. Jij bent wat ik op een dag word. Wanneer ik ook helemaal ben afgeschuurd.'

'Dus ik lijk te veel op jou? De meeste vrouwen zeggen nee omdat ik zo anders ben.'

'Je maakt me bang. Of het idee dat ik net zo word, maakt me bang. Ik twijfel of ik daar wel klaar voor ben. Ik twijfel of ik daar wel ooit klaar voor zal zijn.'

'Het hoeft niet zo te gaan. Dit is gewoon een hobbel in de weg. Je hebt nog steeds een carrière.'

'Als we winnen.'

'We gaan winnen.'

'Dus in het gunstigste geval heb ik nu het rechte pad verlaten om er weer op terug te keren. In het ongunstigste geval kom ik er nooit weer op terug.'

'Nee, in het ongunstigste geval ben je dood of zit je achter tralies. In het ongunstigste geval winnen de schurken.'

'Het is bij jou altijd winnen of verliezen, hè?'

'Zijn er nog meer mogelijkheden dan?'

'Word je kwaad als je verliest?'

'Natuurlijk.'

'Dat is een soort van verlammende arrogantie. Normale mensen accepteren het als ze verliezen.'

'Misschien zouden ze dat niet moeten doen,' zei Reacher. 'Maar jij bent niet echt net als ik. Jij kijkt niet naar jezelf zoals ik naar mezelf kijk. Daarom ben ik helemaal hiernaartoe gekomen. Je bent een betere uitvoering van mij. Dat voelde ik aan de telefoon. Jij doet het zoals het gedaan moet worden.'

'Doe wat?'

'Alles. Je werk. Je leven. Mens-zijn.'

'Zo voelt het niet. Niet op het moment. En ik zie mezelf helemaal niet als een betere uitvoering. Als ik de toekomst niet kan zien door naar jou te kijken, kun jij niet zien hoe het had moeten zijn door naar mij te kijken.'

Toen kwam de bakplaatman terug, dit keer met borden vol eieren en bacon en geroosterde boterhammen. Het zag er allemaal goed uit, perfect gebakken. De eieren hadden mooie, knapperige randjes. Het was duidelijk dat de man zijn metaal goed onderhield. Toen hij weer weg was, zei Turner: 'En bij dit alles ga ik ervan uit dat jij een duidelijke voorkeur hebt, voor het een of het ander, wat betreft het aantal kamers.'

Reacher zei: 'Wil je een eerlijk antwoord?'

'Natuurlijk.'

'Ik heb een duidelijke voorkeur.'

'En die is?'

'Ik moet je eerst mijn kwestie vertellen.'

'En die is?'

'De andere reden die ze hadden bedacht om mij op de vlucht te jagen.'

'En die was?'

'Een vaderschapskwestie,' zei Reacher. 'Blijkbaar heb ik een dochter in Los Angeles. Bij een vrouw die ik me niet kan herinneren.'

33

Reacher praatte en Turner at. Hij vertelde haar wat ze hem hadden verteld. Over Red Cloud, tussen Seoel en de gedemilitariseerde zone, en Candice Dayton, en haar dagboek, en haar huis in L.A., en haar dakloos bestaan in L.A., en haar dochter, en haar auto, en haar bezoek aan een advocaat.

Turner vroeg: 'Hoe heet het meisje?'

'Samantha,' zei Reacher. 'Sam, waarschijnlijk, als roepnaam.'

'Hoe oud is ze?'

'Veertien, bijna vijftien.'

'Hoe voel je je?'

'Slecht. Als dat mijn dochter is, had ik er voor haar moeten zijn.'

'Je herinnert je haar moeder niet?'

'Nee, echt niet.'

'Is dat normaal voor jou?'

'Je bedoelt, hoe ongetemd ben ik?'

'Ik denk het.'

'Ik geloof niet dat ik mensen vergeet. Dat hoop ik niet. Vooral vrouwen niet met wie ik heb geslapen. Maar als ik haar ben vergeten, zou ik dat niet meer weten, per definitie. Je kunt niet bewust iets vergeten.'

'Gaan we daarom naar Los Angeles?'

'Ik moet het weten,' zei Reacher.

'Maar dat is zelfmoord. Ze staan je daar allemaal op te wachten. Dat is de enige plek waarvan ze zeker weten dat je er zult opdagen.'

'Ik moet het weten,' zei Reacher.

Turner zei niets.

Reacher zei: 'In ieder geval, dat is het verhaal. Dat is wat ik je moest vertellen. Om open en eerlijk te zijn. Voor het geval het van belang mocht zijn. Voor die kamerkwestie bijvoorbeeld.'

Turner gaf geen antwoord.

Ze aten hun borden leeg en vroegen de rekening, een velletje notitiepapier waarop een omcirkeld bedrag stond onder drie regels met krabbels. Hoeveel kostte een kop koffie in een diner? Niemand die het wist, omdat niemand er ooit achter zou komen. Misschien was de koffie wel gratis. Misschien moest het wel gratis zijn geweest, want het totaalbedrag was bescheiden. Reacher had dertien dollar en tweeëndertig cent in zijn zak, de tachtig cent die hij nog overhad van Sullivans geld en het wisselgeld dat hij bij het tankstation had gekregen. Hij legde het allemaal op de tafel, zodat er een flinke fooi bij lag. Iemand die de hele nacht aan een bakplaat stond, verdiende niet minder.

De auto stond nog waar ze hem hadden achtergelaten, ongemoeid, niet omsingeld door zoeklichten en SWAT-teams. Verder weg naar links lag het politiebureau er stil bij. De patrouillewagens voor het bureau waren niet van hun plaats geweest. Het warme licht gloeide nog steeds achter de ramen.

'Doorrijden of blijven?' vroeg Turner.

'Blijven,' zei Reacher. 'Het is hier net zo goed als ergens anders. Al klinkt dat gek met die State troopers daarginds. Iets beters vinden we niet. Niet eerder dan dat dit voorbij is.'

'Niet voordat we hebben gewonnen, bedoel je.'

'Dat is hetzelfde.'

Ze lieten zich op de lage stoelen van de Corvette zakken en Turner startte de motor en reed terug naar het motel. Ze stopte voor de receptie.

'Ik wacht hier,' zei ze. 'Ga jij maar naar binnen.'

'Oké,' zei hij.

Hij pakte een handjevol briefjes van twintig van een van Billy Bobs pakketjes.

'Twee kamers,' zei hij.

De nachtportier zat in zijn stoel te slapen, maar er was weinig voor nodig om hem wakker te maken. Het geluid van de deur deed de helft en een beleefd klopje op de balie met Reachers knokkels deed de rest. Het was een jongeman. Misschien was het een familiebedrijf. Misschien was dit een zoon of een neef.

'Heb je twee kamers?' vroeg Reacher.

De man maakte er een show van om op een groot computerscherm te kijken, zoals dergelijke mensen vaak doen, wat Reacher nogal dom vond. Ze stonden nu niet bepaald aan het hoofd van een wereldwijd opererende hotelketen. Ze runden een motel waarvan ze het aantal kamers op de vingers en tenen van handen en voeten konden tellen. Als ze daar niet uitkwamen, hoefden ze zich alleen maar om te draaien om op het rek met sleutels te kijken.

De man keek op van het scherm en zei: 'Jazeker, meneer, dat kan.'

'Hoeveel kost dat?'

'Dertig dollar per nacht per kamer. Inclusief een voucher voor ontbijt in de diner aan de overkant.'

'Akkoord,' zei Reacher. Hij verruilde drie van de briefjes van twintig van Billy Bob voor twee sleutels. De kamers 11 en 12. Naast elkaar. Een vriendelijke geste van de zijde van de jongeman. Gemakkelijker voor de schoonmaakster morgenochtend. Hoefde ze die zware kar minder ver te duwen.

'Bedankt,' zei Reacher.

Hij liep naar buiten naar de auto. Turner reed naar de achterkant van het complex, waar achter de laatste gebouwen een veldje met hobbelige pollen gras lag. Ze reed de auto er voorzichtig op, ze maakten de kap dicht, sloten de auto af voor de nacht en lieten hem daar achter, onzichtbaar vanaf de straat.

Ze liepen samen terug en zochten hun kamers op, die zich op de verdieping bevonden, die bereikbaar was via een buitentrap. Reacher gaf Turner de sleutel voor kamer 11 en hield de sleutel van kamer 12 voor zichzelf. Ze vroeg: 'Hoe laat morgen?' 'Twaalf uur,' zei hij. 'En ik wil wel een eind rijden, als je dat liever hebt.'

'We zien wel. Welterusten.'

'Jij ook.'

Hij wachtte tot ze veilig binnen was voordat hij zijn deur openmaakte. De kamer achter de deur was een betonnen doos met een ruw gestukadoord plafond en vinyl behang. Beter dan die tent anderhalve kilometer van Rock Creek, maar slechts marginaal. De verwarming maakte minder lawaai, maar was bij lange na niet stil. De vloerbedekking was schoner, maar niet veel schoner. Dat gold ook voor de sprei. De douche zag er redelijk uit en de handdoeken waren weliswaar dun, maar niet doorschijnend. De zeep en de shampoo zaten in een verpakking waarop een merknaam stond die klonk als een oud advocatenkantoor in Boston. De meubels waren van licht hout en de tv was een kleine merkloze flatscreen, ongeveer zo groot als een koffer voor handbagage. Er was geen telefoon. Geen minibar met koelkast, geen gratis flesje water, en er lag geen chocolaatje op het kussen.

Hij zette de tv aan, zocht CNN en las de lichtkrant onder in beeld tot de cyclus een keer helemaal rond was gegaan. Er was geen bericht over twee voortvluchtige mensen die waren ontsnapt van een legerbasis in Virginia. Dus liep hij naar de badkamer, draaide de kraan van de douche open en ging eronder staan. Hij bleef er doelloos onder staan, lang nadat het water de zeep die hij had gebruikt, had weggespoeld. Er gingen fragmenten van het gesprek in de diner door zijn hoofd, zonder dat hij er iets tegen kon doen. *Jij hebt iets van een ongetemd wild dier*, had ze gezegd. *Je bent net een roofdier. Koud en hard.*

Maar uiteindelijk was het een zin uit een eerder gesprek die bleef hangen. Turner had naar Morgan gevraagd en hij had gezegd: *Jouw mannen in Afghanistan namen twee keer geen radiocontact op en hij deed helemaal niets.* De zin ging keer op keer door zijn hoofd. Hij hoorde de klanken, bewoog zijn lippen, sprak de zin hardop uit, hakte hem in stukjes, sputterde de zinsdelen stuk voor stuk in het neerkletterende water, onderzocht elke modaliteit afzonderlijk.

Jouw mannen in Afghanistan.

Namen twee keer geen radiocontact op.

En hij deed helemaal niets.

Hij draaide de kraan dicht, stapte uit de douchebak en pakte een handdoek. Toen, nog steeds vochtig, trok hij zijn broek aan en één van zijn T-shirts en stapte de deur uit, de galerij op. Blootsvoets stapte hij door de koude nacht naar de deur van kamer elf.

Hij klopte aan.

34

Reacher wachtte in de kou, want Turner deed niet meteen open. Maar hij wist dat ze wakker was. Hij zag licht naar buiten schijnen door het spionnetje in haar deur. Toen viel het licht even weg, omdat zij erdoorheen keek om te zien wie er voor de deur stond. Daarna moest hij nog even wachten. Ze trok een paar kleren aan, dacht hij. Het was vrijwel zeker dat zij ook had gedoucht.

Toen ging de deur open en stond ze voor hem, met een hand op de deurkruk en de andere hand op het kozijn en blokkeerde ze de doorgang voor hem, bewust of onbewust. Haar haar glansde nat, ze had het met haar vingers voor haar ogen weggekamd. Ze droeg haar legergroene T-shirt en haar nieuwe werkbroek. Ze had blote voeten.

Reacher zei: 'Ik had je wel willen bellen, maar er was geen telefoon op mijn kamer.'

'Bij mij ook niet,' zei ze. 'Wat is er?'

'Iets wat ik je vertelde over Morgan. Ik realiseer me ineens wat dat betekent.'

'Wat heb je me verteld?'

'Ik zei dat jouw mannen in Afghanistan twee keer geen radiocontact opnamen en dat hij helemaal niets deed.'

'Daar heb ik ook over zitten denken. Volgens mij bewijst het dat hij een van hen is. Hij deed niets, omdat hij wist dat er niets te doen viel. Hij wist dat ze dood waren. Het had geen zin om een zoektocht op touw te zetten.'

'Mag ik binnenkomen?' vroeg Reacher. 'Het is koud hier buiten.'

Geen antwoord.

'Of we nemen mijn kamer,' zei hij. 'Als je dat liever hebt.'

'Nee, kom maar binnen,' zei ze. Ze nam haar hand van de kruk en ging opzij. Hij stapte naar binnen en ze sloot de deur achter hem. Haar kamer was identiek aan zijn eigen kamer. Zijn hemd hing over de rug van een stoel. Haar schoenen stonden onder de stoel, keurig netjes naast elkaar.

Ze zei: 'Volgens mij kan ik me nu wel een paar nieuwe schoenen veroorloven.'

'Alles nieuw, als je dat wilt,' zei hij.

'Ben je het met me eens?' zei ze. 'Dat het bewijst dat hij een van hen is?'

'Het kan ook aantonen dat hij lui en incompetent is.'

'Zulke domme commandanten bestaan niet.'

'Hoe lang zit jij al in het leger?'

Ze glimlachte vluchtig. 'Oké, er zijn er zat die zo dom zijn.'

Hij zei: 'Volgens mij is het belangrijke deel niet dat hij niets deed.'

Ze ging op het bed zitten. Liet hem bij het raam staan. Haar broek viel losjes om haar heen. Haar T-shirt zat strak. Ze droeg er niets onder. Dat was duidelijk. Hij zag ribben en slanke rondingen. Aan de telefoon in South Dakota had hij zich haar voorgesteld als blond, met blauwe ogen, misschien uit het noorden van Californië, en dat was allemaal volledig fout geweest. Ze was donkerblond en had donkere ogen en ze kwam uit Montana. Maar in andere opzichten had hij het wel bij het rechte eind gehad. *Een zesenzestig, een achtenzestig,* had hij hardop gegokt, *maar bescheiden. Je stem is een en al keelklank.* Ze had gelachen en gevraagd: *Bedoel je te zeggen dat ik geen borsten heb?* Toen had hij gelachen en gezegd: *85A hooguit. Verdomd,* had ze gezegd.

Maar de realiteit was beter dan het gokwerk aan de telefoon. Live en in levenden lijve was ze van een compleet andere categorie.

Absoluut de moeite waard.

Ze vroeg: 'Wat was het belangrijke deel?'

'Dat ze twee keer geen radiocontact opnamen.'

'Want?'

'Jouw mannen hebben contact opgenomen op de dag dat je werd gearresteerd, maar niet de dag erna, en de dag daarna.'

'Maar dat deed ik ook niet, want ik zat opgesloten. Dat weet je. Dat was bekokstoofd. Ze hadden de lijnen afgesneden, aan twee kanten. Hier en daar, tegelijkertijd.'

'Maar het was nu juist niet tegelijkertijd,' zei Reacher. 'Daar gaat het om. Afghanistan loopt negen uur voor op Rock Creek. Dat is zo'n beetje de hele dag voor wat betreft daglicht in de winter. En niemand loopt bij nacht over een geitenpad in de Hindoekoesj. Dat zou om een heleboel redenen een slecht idee zijn, bijvoorbeeld omdat je zou kunnen struikelen en een been breken. Dus jouw mannen zijn daar overdag doodgeschoten. Dat is verdomd duidelijk. Geen twijfel mogelijk. En de dag houdt daar om een uur of zes lokale tijd op.'

'Oké.'

'Zes uur 's avonds daar is negen uur 's ochtends hier.'

'Oké.'

'Maar mijn advocaat zei dat jij je bankrekening op de Kaaimaneilanden had geopend om tien uur 's ochtends, en dat die honderdduizend om elf uur 's ochtends was aangekomen, en jij bent om twaalf uur gearresteerd.'

'Dat laatste kan ik me nog herinneren.'

'Dat betekent dat jouw mannen op zijn minst een uur dood waren voordat ze met jou begonnen te rotzooien. Maar waarschijnlijk al uren. Minimaal één uur, maximaal acht of negen.'

'Oké, dus niet helemaal simultaan. Niet twee dingen tegelijkertijd. Eerst het een en toen het ander. Wordt het daar anders van?'

'Ik denk het wel,' zei Reacher. 'Maar we moeten eerst nog een stap terug. Jij hebt Weeks en Edwards de bergen in gestuurd en dat leverde onmiddellijk reactie op. Tegen de middag van de dag erna was het allemaal voorbij. Hoe kunnen ze zo snel reageren?'

'Mazzel?'

'Veronderstel eens dat het iets anders was.'

'Denk jij dat ze een mol hebben in het 110th?'

'Dat betwijfel ik. Niet met ons soort mensen. In mijn tijd zou dat onmogelijk zijn geweest en ik kan me alleen maar voorstellen dat het er beter op is geworden.'

'Hoe dan?'

'Ik denk dat jouw communicatie is afgeluisterd.'

'Een tap op de lijnen van Rock Creek? Dat lijkt mij onmogelijk. We hebben allerlei systemen.'

'Niet in Rock Creek,' zei Reacher. 'Het heeft geen zin om de lokale eindstations van een netwerk af te tappen. Dat zijn er veel te veel. Ze concentreren zich op het centrale punt van het web. Daar waar de spin woont. Ik denk dat ze alles meekrijgen wat er bij Bagram binnenkomt en weer uitgaat. Heel hoge officieren, voor wie alles wat ze maar willen zien, toegankelijk is. En dat was op dat moment echt letterlijk alles. En dus kregen ze het onder ogen. Ze hebben alle koetjes en kalfjes eruit gefilterd, en hielden het oorspronkelijke gerucht over, en jouw orders, en de reactie van jouw mannen, en het hele gecommuniceer over en weer.'

'Dat kan,' zei Turner.

'En dat maakt alles anders.'

'Maar alleen als detail op de achtergrond.'

'Nee, meer dan dat,' zei Reacher. 'Ze hadden Weeks en Edwards al tegengehouden, één tot negen uur eerder, dus waarom moesten ze zo nodig doorgaan en achter jou aan?'

'Dat weet je. Ze dachten dat ik iets wist, wat ik niet wist.'

'Maar ze hoefden helemaal niets te veronderstellen. Of te gokken, of maatregelen te nemen voor het ongunstigste geval. Want ze hadden toegang tot alles wat bij Bagram binnenkwam *en er weer uitging.* Ze hoefden niet te speculeren. Ze wisten wat Weeks en Edwards jou hadden verteld. Dat wisten ze honderd procent zeker. Ze hadden het zwart op wit. Ze wisten wat jij wist, Susan.'

'Maar ik wist niets, want Weeks en Edwards hebben me niets verteld.'

'Als dat waar is, waarom zijn ze dan achter jou aan gegaan? Waarom zouden ze dat doen? Waarom zouden ze zo'n gecompliceerde, peperdure zwendel op touw zetten zonder een enkele reden? Waarom honderdduizend riskeren?'

'Wat wil je nu beweren?'

'Ik beweer dat Weeks en Edwards je *wel* iets hebben verteld. Ik beweer dat je *wel* iets weet. Misschien leek het toen niet zo belangrijk en misschien kun je je het nu niet meer herinneren, maar Weeks en Edwards hebben je een goudklompje gegeven en als gevolg daarvan heeft iemand het heel erg benauwd gekregen.'

35

Turner trok haar voeten op het bed en leunde achterover tegen het kussen. Ze zei: 'Ik ben niet seniel, Reacher. Ik herinner me wat ze me hebben verteld. Wij betalen een Pathaanse informant, ze ontmoeten de man, hij vertelt ze dat ze een Amerikaanse officier hebben gezien die naar het noorden trok om een stamoudste te ontmoeten. Maar op dat moment was de identiteit van de Amerikaanse officier absoluut niet bekend, en het doel van de ontmoeting evenmin.'

Reacher vroeg: 'Was er een beschrijving?'

'Niets dan dat het een Amerikaan was.'

'Man of vrouw?'

'Moet wel een man zijn. Pathaanse stamoudsten doen geen zaken met vrouwen.'

'Blank of zwart?'

'Onbekend.'

'Landmacht? Marine? Luchtmacht?'

'Voor hen lijken we allemaal op elkaar.'

'Rang? Leeftijd?'

'Geen enkel detail. Een Amerikaanse officier. Meer weten we niet.'

'Er moet toch iets meer zijn.'

'Ik weet wat ik weet, Reacher. En ik weet wat ik niet weet.'

'Weet je het zeker?'

'Wat moet ik daarmee? Dat is net zoals met jou en die vrouw in Korea. Niemand weet wat hij vergeet. Alleen vergeet ik niets. Ik herinner me wat ze hebben gezegd.'

'Hoeveel communicatie is er geweest?'

'Alleen wat ik je net heb verteld, over het gerucht, daarna mijn orders om erachteraan te gaan. Dat was alles. Eén keer een uitgaand signaal en één keer een binnenkomend signaal.'

'De laatste keer dat ze zich hebben gemeld. Heb je dat bericht gezien?'

'Dat is het laatste geweest wat ik onder ogen heb gehad voordat ze me kwamen ophalen. Puur routine. Geen voortgang. Niets te zien hier, mensen, dus voort maar weer. Zoiets.'

'Dan heeft het dus in het oorspronkelijke bericht gestaan. Het bericht over het gerucht. Je zult moeten proberen om het je woord voor woord te herinneren.'

'Een onbekende Amerikaanse officier is waargenomen op weg naar het noorden voor een ontmoeting met een stamoudste. Met een niet nader genoemd doel. Dat is het, woord voor woord. Ik herinner het me al.'

'Welk deel daarvan is honderdduizend dollar waard? En jouw toekomst, en die van mij, en die van Moorcroft? En een bloeduitstorting op de arm van een scholier in Berryville, Virginia?'

'Ik weet het niet,' zei Turner.

Beiden zwegen. Er werd niet meer gepraat. Geen discussie meer. Turner lag op haar bed en staarde naar het plafond. Reacher leunde op de vensterbank en liet haar samenvatting door zijn hoofd gaan. Zeventien woorden, een prachtige volzin, met een onderwerp, een gezegde en een bepaling, een vloeiend ritme en een soepele cadans: *Een onbekende Amerikaanse officier is waargenomen op weg naar het noorden voor een ontmoeting met een stamoudste.* Hij bekeek de zin van alle kanten en toen verdeelde hij hem in stukken, en bekeek die van alle kanten.

Een onbekende Amerikaanse officier.

Is waargenomen op weg naar het noorden.

Voor een ontmoeting met een stamoudste.

Drieëndertig lettergrepen. Veel te veel voor een haiku. Bijna genoeg voor een dubbele haiku.

Betekenis?

Onduidelijk, maar hij voelde dat er een geringe inconsistentie was tussen het begin en het einde van de zin, als een korrel zand in een overigens goed geoliede machine.

Een onbekende Amerikaan.
Een stamoudste.
Betekenis?
Hij had geen idee.
Hij zei: 'Ik ga. We komen er morgen op terug. Misschien komt het vannacht ineens bovendrijven. Soms gebeurt dat. Dat heeft iets te maken met de manier waarop het brein reageert op slaap. Geheugenverwerking, of een poort naar het onderbewuste, of zoiets. Ik heb er eens een artikel over gelezen, in een tijdschrift dat ik had gevonden in een bus.'
'Nee,' zei ze. 'Niet doen.'
'Wat niet doen?'
'Niet gaan,' zei ze. 'Blijf hier.'
Reacher aarzelde.
Hij zei: 'Echt?'
'Wil je dat?'
'Is de paus katholiek?'
'Trek dan je hemd uit.'
'Echt?'
'Trek je hemd uit, Reacher.'
Hij trok zijn hemd uit. Hij sleurde het dunne, elastische katoen over zijn schouders, over zijn hoofd en liet het op de vloer vallen.
'Dank je,' zei ze.
Toen wachtte hij, zoals hij altijd deed, om haar de tijd te geven zijn littekens tellen.
'Ik zat fout,' zei ze. 'Je bent niet net een wild dier. Je bent echt een beest.'
'We zijn allemaal beesten,' zei hij. 'Dat maakt het interessant.'
'Hoe vaak doe jij aan fitness?'
'Nooit,' zei hij. 'Het is genetisch.' Het was ook genetisch. De puberteit had hem van alles gebracht waar hij niet om had gevraagd, onder andere zijn lengte en zijn gewicht en een extreem gespierd lijf, met een sixpack als een straat met kinderkopjes, en een borstpartij als een kogelvrij vest, en biceps als basketballen, en onderhuids vet zo dik als vloeipapier. Hij had daar nooit iets aan gedaan. Geen diëten. Geen gewichten. Geen fitness. Je moet niet sleutelen aan iets wat niet kapot is, dat was zijn houding.

'Nu je broek,' zei ze.
'Ik heb niets aan onder mijn broek,' zei hij.
Ze glimlachte.
'Ik ook niet,' zei ze.
Hij maakte de knoop los. Hij ritste de gulp open. Hij schoof het zware katoen over zijn heupen. Hij stapte uit zijn broek. Eén stap dichter bij het bed.
Hij zei: 'Nu ben jij aan de beurt.'
Ze ging rechtop zitten.
Ze glimlachte.
Ze trok haar T-shirt uit.
Het was precies zoals hij het zich had voorgesteld en het was het enige op de wereld wat hij wilde.

Ze werden laat wakker de volgende ochtend, warm, slaperig, intens verzadigd, gewekt door het geluid van automotoren onder hun raam op de binnenplaats. Ze gaapten en rekten zich uit en kusten, lang en traag en zacht.
Turner zei: 'We hebben het geld van Billy Bob verkwist. Met die tweekamertoestand. Helemaal mijn schuld. Het spijt me.'
Reacher vroeg: 'Wat heeft je op andere gedachten gebracht?'
'Lust, denk ik. Als je opgesloten zit, ga je nadenken.'
'Nee, echt.'
'Het was je T-shirt. Ik heb nog nooit iets gezien wat zo dun was. Het moet of heel duur zijn geweest of verschrikkelijk goedkoop.'
'Nee, echt.'
'Het stond op mijn lijstje vanaf het moment dat we elkaar hebben gesproken over de telefoon. Ik vond je stem aantrekkelijk. En ik had je foto gezien.'
'Ik geloof je niet.'
'Je had het over dat meisje in Berryville. Dat heeft me op andere gedachten gebracht. Met die arm. Daar werd je kwaad over. En je bent constant bezig met mijn probleem. Je negeert je eigen probleem met Big Dog. En dat is net zo erg. Dat betekent dat je nog steeds om anderen geeft. Dat betekent dat je niet echt een wild dier bent. Ik denk dat om anderen geven het eerste is wat je kwijtraakt. En je weet nog steeds het verschil tussen goed en kwaad.

En dat allemaal bij elkaar betekent dat je deugt. En dat betekent ook dat ikzelf in de toekomst nog deug. Dat het allemaal nog wel meevalt.'

'Als je wilt, kun jij een tweesterrengeneraal worden.'

'Twee sterren maar?'

'Meer dan twee is een kantoorbaan. Daar is niets aan.'

Ze gaf geen antwoord. Er klonken nog steeds automotoren op de binnenplaats. Het klonk alsof er meerdere voertuigen rondjes reden. Misschien wel drie of vier. Achter elkaar aan. Heen langs de ene kant van het gebouw en terug langs de andere kant. Eindeloos rondjes draaien.

Turner vroeg: 'Hoe laat is het?'

'Negen minuten voor twaalf.'

'Hoe weet je dat?'

'Ik weet altijd hoe laat het is.'

'Hoe laat moeten we uitchecken?'

Toen hoorden ze voetstappen op de galerij buiten en werd er een envelop onder de deur door geschoven. De voetstappen keerden om en stierven weer weg.

'Uitchecken zal wel om twaalf uur zijn, denk ik,' zei Reacher. 'Die envelop zal wel een kopie van de rekening zijn, voldaan.'

'Dat is wel heel formeel.'

'Ze hebben een computer.'

Het geluid van automotoren hield aan. Reacher nam aan dat zijn oerinstincten het geluid al hadden geanalyseerd op gevaar. Waren het legervoertuigen? Patrouillewagens van de politie? FBI? Blijkbaar hadden zijn oerinstincten geen alarm geslagen. En terecht, in dit geval, want het waren duidelijk burgervoertuigen daarbuiten. Stuk voor stuk benzinemotoren, waarvan één een v-8 was met een ontregelde ontsteking en een gat in de uitlaat, een ander een goedkope aanbieding met vier cilinders en gunstige financiering. Een en al doorgezakte schokbrekers en rammelende zijpanelen. Bepaald geen militaire of paramilitaire geluiden.

Het lawaai en de snelheid namen toe.

'Wat is dat?' vroeg Turner.

'Ga maar kijken,' zei Reacher.

Ze liep op blote voeten, naakt en rank, naar het raam. Ze maakte een kiertje tussen de gordijnen. Ze keek naar buiten en wachtte, om de hele show te kunnen volgen.

'Vier pick-ups,' zei ze. 'Verschillend qua bouwjaar, grootte en staat van onderhoud. Allemaal met twee man erin. Ze rijden rondjes om het gebouw, steeds maar door.'

'Waarom?'

'Ik heb geen idee.'

'Waar zijn we?'

'Petersburg, West Virginia.'

'Dan is het misschien wel een oude traditie in West Virginia. Voorjaarsrituelen, of zo. Net zoiets als het rennen met stieren in Pamplona. Maar dan met pick-ups, in Petersburg.'

'Maar het ziet er nogal vijandig uit. Net als in de films waarover je het had, waarin ze zeggen dat het te stil is. Het stuk waarin de indianen om de huifkar met het gebroken wiel cirkelen. Steeds sneller.'

Reacher keek van haar naar de deur.

'Wacht,' zei hij.

Hij glipte uit bed en pakte de envelop. De flap was niet dichtgeplakt. Er zat een vel papier in. Niets onheilspellends. Zoals je kon verwachten. Het was een in drieën gevouwen rekening, helemaal voldaan. En dat klopte. Kamer 11, dertig dollar, kamer 12, dertig dollar, en zestig dollar vooraf betaald.

Maar.

Onder aan de rekening was een opgewekte dankbetuiging afgedrukt. *Hartelijk dank voor uw bezoek.* En daaronder was de naam van de eigenaar van het motel afgedrukt in de vorm van een handtekening, en daar weer onder stond een brokje volstrekt overbodige informatie.

'Shit,' zei Reacher.

'Wat is er?'

Hij liep naar haar toe bij het bed en liet het haar zien.

Hartelijk dank voor uw bezoek!

John Claughton, eigenaar.

Er zijn al Claughtons in Grant County sinds driehonderd jaar.

36

Reacher zei: 'Ik vrees dat het menens is met die Corvette. Ze moeten vannacht een soort telefoonpiramide hebben ingeschakeld. Krijgsberaad gehouden. Mobilisatie. De Claughtons uit Hampshire County en de Claughtons uit Grant County en de Claughtons uit andere county's ook, neem ik aan. Tientallen county's waarschijnlijk. Waarschijnlijk de halve Mountain State. En als de schone slaper bij de receptie vannacht een zoon of een neef was, dan hoort hij er ook bij. En dan is hij net gepromoveerd van jongen tot man. Want hij heeft onze ziel verkocht.'

'Die Corvette levert meer nadeel op dan voordeel. Dat was een foute keuze.'

'Maar zolang als het duurde, was het genieten.'

'Heb je nog slimme ideeën?'

'We zullen met ze moeten gaan praten.'

'Meen je dat?'

'Breng liefde en begrip onder de mensen,' zei Reacher. 'En gebruik geweld als het nodig is.'

'Wie heeft dat gezegd?'

'Leon Trotski, volgens mij.'

'Die is vermoord met een ijspriem. In Mexico.'

'Dat doet in het algemeen niets af aan zijn standpunt. Impliciet en onafhankelijk.'

'Wat was zijn standpunt in het algemeen?'

'Solide. Hij zei ook: als je een tegenstander niet kunt laten kennismaken met jouw argumenten, moet je zijn hoofd laten kennismaken met de stoeptegels. Het was een man die was gezegend met gezonde instincten. In zijn privéleven, bedoel ik. Afgezien dan van het feit dat hij zich liet doodsteken met een ijspriem in Mexico natuurlijk.'

'Wat doen we?'

'Om te beginnen moesten we ons maar eens aankleden. Al liggen de meeste van mijn kleren in de andere kamer.'

'Mijn schuld,' zei ze. 'Het spijt me.'

'Geen punt. We overleven het wel. Kleed je maar aan, dan gaan we samen naar kamer twaalf, dan kan ik me ook aankleden. Dat is veilig genoeg. We zijn maar een paar seconden buiten. Maar ga eerst maar onder de douche. We hebben geen haast. Ze wachten wel. En ze komen hier niet naar binnen. Ze zullen de deur van Neef Klootzak niet kapot willen maken. Dat is vast een artikel in het wetboek van de Claughtons.'

Turner had exact evenveel tijd nodig om te douchen als Reacher, op de kop af elf minuten, van het moment dat ze een hand op de kraan legde totdat ze de deur van de badkamer weer uitkwam. Daarna volgde een intermezzo waarin ze het precies juist probeerde te timen om ongezien door rondcirkelende pick-ups in kamer 12 te komen, om tot de slotsom te komen dat het met vier pick-ups die tegen de vijftig per uur reden, ondoenlijk was om ongezien te blijven. Dus waagden ze het erop. Ze hadden drie meter afgelegd van de zes toen er een pick-up de bocht omkwam en Reacher het kabaal onder de motorkap hoorde toenemen omdat de bestuurder door op het gaspedaal te trappen instinctief reageerde op het zien van zijn prooi. Jachtinstinct, dacht Reacher. Het wild opjagen. Een kwestie van evolutie, zoals zoveel dingen. Hij deed zijn deur van het slot en ze tuimelden naar binnen. Hij zei: 'Nu weten ze zeker dat we hier zijn. Al wisten ze dat natuurlijk al. Ik weet zeker dat Cyberknul ze tekst en uitleg heeft gegeven.'

In zijn kamer was alles zoals het moest zijn. Zijn schoenen stonden onder het raam, zijn sokken lagen ernaast, evenals zijn ondergoed, zijn tweede T-shirt lag op een stoel en zijn jack hing aan een haak. Hij zei: 'Ik zou ook wel even willen douchen. Als ze zo in rondjes door blijven rijden, zijn ze duizelig voordat we naar buiten komen.'

Reacher was klaar in elf minuten. Hij ging op het bed zitten en strikte zijn veters, trok zijn jack aan en ritste het dicht. Hij zei: 'Ik wil dit ook wel in mijn eentje doen, als je dat wilt.'

Turner zei: 'Hoe moet dat met de State Police aan de overkant? We kunnen het ons niet veroorloven dat die komen kijken.'

'Ik wil wedden dat die de Claughtons laten doen waar ze maar zin in hebben. Want ik wil wedden dat dat ook allemaal Claughtons zijn. Maar ik weet vrijwel zeker dat we het buiten hun zicht zullen doen. Want zo gaat dat gewoonlijk.'

'Ik ga met je mee.'

'Heb je dit wel eens eerder gedaan?'

'Ja,' zei ze. 'Maar niet zo vaak.'

'Ze vechten niet allemaal. Los van alles ontstaat er een opstopping. En we kunnen het enthousiasme temperen door de eersten flink aan te pakken. Het is essentieel om niet te lang met iemand afzonderlijk bezig te zijn. Hoe korter, hoe beter. Dat betekent één klap, en dan de volgende. Met de ellebogen is beter dan met de handen, en schoppen is nog beter.'

'Oké.'

'Maar ik ga eerst met ze praten. Het is nu ook weer niet zo dat ze helemaal ongelijk hebben.'

Ze deden de deur open en stapten naar buiten, de galerij op, het felle middaglicht in, en zoals Reacher had verwacht, vormden de vier pick-ups een kordon aan de voet van de betonnen trap, als zuigvissen. Acht kerels leunden tegen portieren en bumpers en laadbakken, geduldig, alsof ze alle tijd van de wereld hadden, wat ook zo was, want de enige manier om beneden te komen was langs die betonnen trap. Reacher herkende de drie van de avond ervoor, op de weg door de heuvels: small, medium en large. De laatste twee zagen er min of meer net zo uit als eerder, maar de kleine zag er een stuk beter uit, alsof hij bijna helemaal was hersteld van de zuippartij die zijn ongeluk had veroorzaakt. De andere vijf waren vergelijkbare pummels, schrale types, de kleinste een taai mannetje, een en al pezen en gelooide huid, de grootste een beetje vadsig, door bier en fastfood waarschijnlijk. Geen van allen was op de een of andere manier gewapend. Reacher kon alle zestien handen zien, en alle zestien waren ze leeg. Geen pistolen, geen messen, geen moersleutels, geen kettingen.

Amateurs.

Reacher zette zijn handen op de reling van de galerij en staarde omlaag naar het schouwspel, sereen, als een dictator in een ouderwetse film die op het punt stond het gepeupel toe te spreken.

Hij zei: 'We moeten een manier zien te vinden om jullie weer thuis te krijgen voordat je je bezeert. Willen jullie daar samen met mij aan werken?'

Hij had eens een keurig in een pak gestoken man in zijn mobiele telefoon horen praten, die steeds maar weer vroeg *Willen jullie daar samen met mij aan werken?* Hij vermoedde dat het een techniek was die werd onderwezen op peperdure seminars in slonzige danszalen van hotels. Waarschijnlijk omdat het een instemmende reactie opriep. Omdat beschaafde mensen zich verplicht zouden voelen om *samen te werken*, als die mogelijkheid werd geboden. Niemand zei dan *Nee, daar heb ik geen zin in.*

Maar de man van de halftonner deed dat wel.

Hij zei: 'Niemand is hiernaartoe gekomen om met jou samen te werken, knul. We zijn gekomen om je een pak op je lazer te geven en onze auto en ons geld mee te nemen.'

'Oké,' zei Reacher. 'We kunnen het ook op die manier aanpakken, als jullie dat liever doen. Maar er is geen enkele reden waarom jullie allemaal het ziekenhuis in zouden moeten. Heb je wel eens van Gallup gehoord?'

'Wie?'

'Dat zijn opiniepeilers. Bij verkiezingen en zo. Die zeggen dat de ene kerel eenenvijftig procent van de stemmen krijgt en de andere negenenveertig.'

'Dat ken ik.'

'Weet je hoe ze dat doen? Ze bellen niet iedereen in Amerika op. Dat zou te lang duren. Ze nemen een steekproef. Ze bellen een handjevol mensen op en dan gaan ze rekenen.'

'Nou, en?'

'Dat zouden wij ook moeten doen. We zouden een steekproef moeten nemen. Een van ons tweeën tegen een van jullie. En dan zou het resultaat moeten tellen voor wat er zou zijn gebeurd als we er met z'n allen tegenaan waren gegaan. Net zoals ze bij Gallup doen.'

Geen reactie.

Reacher zei: 'Als jullie man wint, mogen jullie de slechtste pickup ruilen voor de Corvette. En dan krijgen jullie de helft van het geld van Billy Bob.'

Geen reactie.

Reacher zei: 'Maar als mijn partij wint, ruilen we de Corvette voor de beste van jullie pick-ups. En dan houden we al het geld van Billy Bob.'

Geen reactie.

Reacher zei: 'Meer kan ik niet voor jullie doen, jongens. Dit is Amerika. Iedereen heeft een auto en geld nodig. Ik weet zeker dat jullie dat begrijpen.'

Geen reactie.

Reacher zei: 'Mijn vriendin hier is er helemaal klaar voor. Hebben jullie voorkeur? Vechten jullie liever tegen een vrouw?'

De man van de halftonner zei: 'Nee, dat deugt niet.'

'Dan zullen jullie het met mij moeten doen. Maar ik zal het nog een beetje aantrekkelijker maken. Jullie mogen jullie kant van de steekproef verhogen. Twee van jullie tegen mij alleen. Willen jullie daar samen met mij aan werken?'

Geen reactie.

'En dan vecht ik met beide handen op de rug.'

'Wat?'

'Je hebt me wel gehoord.'

'Beide handen op de rug?'

'Onder de voorwaarden waar we het net over eens zijn geworden. En dat zijn echt fantastische voorwaarden, jongens. Ik bedoel, jullie krijgen hoe dan ook de Corvette. Ik probeer heel redelijk te zijn.'

'Twee van ons en jij met je handen op de rug?'

'Ik zou een zak over mijn hoofd trekken als ik er een bij me had.'

'Oké, op die manier lusten we hem wel.'

'Geweldig,' zei Reacher. 'Heeft iemand van jullie een ziektekostenverzekering? Want dat zou een goed argument zijn om wel of niet mee te doen.'

Toen fluisterde plotseling Turner naast hem: 'Ik weet ineens weer wat ik vergeten was. Dat van gisteravond. In het oorspronkelijke rapport.'

'Was het die stamoudste?' fluisterde Reacher terug. *Een onbekende Amerikaan. Een stamhoofd. De korrel zand.* Van de Amerikaan was aangegeven dat hij onbekend was, maar dat gold niet voor de stamoudste. 'Hebben ze zijn naam genoemd?'

'Niet precies zijn naam. Die namen zijn veel te ingewikkeld om te onthouden. In plaats daarvan geven we ze nummers. Op het moment dat ze voor het eerst in beeld komen bij de autoriteiten in de VS. En het nummer van die man stond in het rapport. Dat betekent dat hij al in het systeem zat. Iemand kent die man.'

'Wat was het nummer?'

'Dat ben ik vergeten. A.M. en dan nog iets.'

'Wat betekent A.M.?'

'Afghaanse man.'

'Dat is iets om mee te beginnen, denk ik.'

Toen riep de man van de halftonner omhoog: 'Oké, wij zijn er klaar voor.'

Reacher keek omlaag. De groep mannen had zich opgesplitst in een groep van zes en een van twee. De twee waren de man van de halftonner zelf en de vadsige man, vol McDonald's en Miller High Life.

Turner zei: 'Kun je dit echt?'

Reacher zei: 'Er is maar één manier om daar achter te komen,' en hij begon de trap af te lopen.

37

De zes toeschouwers gingen opzij en Reacher en zijn twee tegenstanders liepen naar de open ruimte, een driehoekje van mannen die een dansje maakten waarbij twee mannen achteruitstapten en de derde vooruit, keurig in de maat, alle drie waakzaam, alert en achterdochtig. Achter de geparkeerde pick-ups was een strook platgetrapte grond, ongeveer zo breed als een straat. Rechts lag de achterkant van het complex, waar de Corvette stond, achter het laatste gebouw, en links lag de weg open naar Route 220, al was de uitgang smal, en viel er niets anders te zien dan een strook asfalt en een groepje bomen erachter. Het bureau van de State Police lag veel verder naar het westen. Niemand op de strook platgetrapte grond kon het bureau zien, en dat betekende dat niemand in het bureau hen kon zien.

Veilig genoeg.

Klaar voor de strijd.

Normaal gesproken zou Reacher tegen twee domme tegenstanders vanaf het begin gemeen hebben gespeeld. Handen op de rug? Hij zou twee ellebogen tegen twee kaken hebben geramd op het moment dat hij van de laatste trede zou zijn gestapt. Maar niet met zes reserves op de bank. Dat zou inefficiënt zijn. Ze zouden met zijn allen op hem af komen, woedend, verontwaardigd vanuit een merkwaardig soort moreel superioriteitsgevoel, en dus tot meer in staat dan van nature. Dus liet Reacher het dansende driehoekje een vorm zoeken, ronddraaien en met de voeten over de aarde schuifelen tot iedereen er klaar voor was. Toen stak hij zijn handen in zijn achterzakken, met zijn handpalmen tegen zijn achterste.

'Kom maar op,' zei hij.

Hij zag de beide mannen een houding aannemen waarvan hij vermoedde dat dat hun gevechtshouding was, en toen zag hij een radicale verandering. Als je tegen iemand zegt dat je met hem zult vechten met je handen op je rug, hoort hij alleen dat, verder niets. Hij denkt *die kerel wil vechten met zijn handen op zijn rug!* Vervolgens stelt hij zich de eerste paar seconden van het gevecht voor, en dat is zo'n absurd beeld dat hij er helemaal door in beslag wordt genomen. *Geen handen! Een onbeschermd lichaam! Net als de zandzak in de bokszaal!*

Dus zien ze in die situatie niets dan het bovenlichaam, het bovenlichaam, het bovenlichaam, en het hoofd, en het gezicht, als onweerstaanbare gelegenheidsdoelen, als schade die alleen nog maar hoeft te worden toegebracht, klappen waarop niet gereageerd zal worden, die erom smeken om te worden uitgedeeld, en ze gaan rechtop staan, de vuisten hoog geheven, de kin vooruitgestoken. Ze knijpen hun ogen tot spleetjes, ze glimmen van opwinding terwijl ze naar de buik of de ribben of de neus gluren, of naar wat het dan ook is waar ze hun eerste zaligmakende stoot willen uitdelen. Ze zien niets anders meer.

De voeten bijvoorbeeld.

Reacher deed een stap naar voren en trapte de vetzak in zijn ballen, hard, rechtervoet, alsof hij een bal met geweld het hele veld over schoot, en de man klapte dubbel, zo snel en zo definitief, dat het leek alsof iemand hem een miljoen dollar had beloofd als hij met zijn hoofd een gat in de grond kon slaan. Er klonk een geluid als van een zak die op de grond werd gegooid. De man rolde zich op en al zijn vet kwam tot rust en hij bleef roerloos liggen. Reacher deed een stap terug. 'Slechte keus,' zei hij. 'Die man had beter op de bank kunnen blijven zitten. Nu gaat het tussen jou en mij.'

De man van de halftonner had ook een stap achteruit gedaan. Reacher keek naar zijn gezicht. En zag dat de man haastig al zijn eerdere aannames corrigeerde. Vanzelfsprekend. *O ja, voeten*, dacht hij. *Dat was ik vergeten*. En daarmee trok hij zijn zwaartepunt te ver omlaag. Nu kon hij alleen maar aan voeten denken, voeten, voeten. Niets dan voeten. Zijn handen gingen omlaag, bijna tot voor zijn buik, en hij zette zijn ene been voor het andere, en hij trok zijn schouders zo naar elkaar toe, dat hij er begon uit te zien als een jochie met pijn in de buik.

Reacher zei: 'Je mag nu ook ophouden, dan zijn we klaar. Geef ons een pick-up, jullie nemen de Corvette, en je kunt naar huis.'

De man van de halftonner zei: 'Nee.'

'Ik vraag het nog één keer,' zei Reacher. 'Maar ik vraag het geen drie keer.'

De man zei: 'Nee.'

'Kom dan maar op, vriend. Met alles wat je hebt. Je hebt toch wel wat, niet? Of kun je alleen maar rondjes rijden?'

Reacher wist wat er zou gebeuren. De man was natuurlijk rechts. Dus hij zou beginnen met een naar binnen gerichte rechtse die laag begon, maar nooit helemaal hoog genoeg zou komen, als een *sidearm pitcher*, als een bokshandschoen, vastgemaakt aan een deur, en de deur die wordt dichtgeslagen, terwijl jij op de drempel staat. Zo zou het zijn. Als hij kwam. De man schuifelde nog steeds met zijn voeten, op zoek naar een lanceerplatform.

Toen vond hij de juiste plek, en toen kwam de klap. Als een handschoen aan een deur. Wat doe je daartegen? De meeste mensen zouden achteruitdeinzen. Maar één jochie van zes bij de sciencefictionfilm doet dat niet. Die draait een kwartslag, en maakt een razendsnelle beweging naar voren, vanuit gebogen knieën, die plant zijn schouder tegen de deur, dichter in de buurt van het scharnier, ongeveer halverwege de breedte, misschien iets verder, een massieve, agressieve duw waar het momentum kleiner is, ruim binnen de boog van de handschoen.

Dat is wat Reacher deed met de man van de halftonner. Hij draaide, zette zich af en ramde zijn schouder midden op de borst van de man, en de vuist van de man slingerde volledig om Reachers rug en raakte hem krachteloos van de andere kant, alsof de man hem zat te bepotelen in het filmhuis. Daarna wankelde hij een lange stap achteruit en herstelde zijn evenwicht door beide armen te spreiden en met zijn handen een slaande beweging achteruit te maken, wat hem op het randje van vallen bracht, zonder enige verdediging, als een soort zeester, wat hij meteen leek te beseffen, want hij keek met een ruk omlaag naar Reachers voeten.

Nieuwsflits, vriend.

Niet de voeten.

Het hoofd.

De voeten maakten een boksersdansje, zochten richting en momentum, en toen sloeg het bovenlichaam vooruit, schoot de kin omlaag, spanden de nekspieren zich en kraakte het voorhoofd tegen de brug van de neus, schoot het hoofd weer omhoog, klus geklaard. Reacher richtte zich op, de man van de halftonner waggelde op rubberen knieën, deed een halve stap, toen de andere helft, en zakte toen in elkaar, slap en hulpeloos, als een victoriaanse dame in een hoepelrok die flauwvalt.

Reacher keek omhoog naar Turner op de galerij.

Hij zei: 'Welke pick-up is het beste, volgens jou?'

38

De erecode van de Claughtons was een serieuze zaak. Dat was duidelijk. De zes toeschouwers bemoeiden zich er op geen enkele manier mee en probeerden niet tussenbeide te komen. Al kon het ook zijn dat ze vreesden wat Reacher hen zou aandoen nu hij zijn handen uit zijn zakken had gehaald.

Na wikken en wegen koos Turner voor de pick-up van de vetzak. Dat was een v-8, maar niet die met de lekke uitlaat. De pick-up had op één na de volste tank. De banden waren goed. Hij leek comfortabel. Ze reed hem naast de verborgen Corvette en ze pakten het geld van Billy Bob over van de kofferbak van de Corvette naar het dashboardkastje van de pick-up. Beide hadden ongeveer evenveel inhoud. Toen hobbelden ze langs de nors kijkende groep en gooide Reacher de sleutels van de Corvette uit het raam. Turner trapte op het gaspedaal en ze sloegen links af de 220 op, langs het bureau van de State Police, langs de diner met de bakplaat en verder naar het kruispunt midden in de stad.

Een halfuur later lag Petersburg 30 kilometer achter hen. Ze reden naar het westen op een klein weggetje langs de rand van een natuurreservaat. De pick-up bleek een Toyota te zijn, niet nieuw, maar in goede staat. Hij was zo stil als een bibliotheek, en uitgerust met navigatieapparatuur. Hij was zo zwaar dat hij met zijn gewicht de hobbels in het wegdek dempte. De leren stoelen waren kussenachtig zacht, de cabine bood meer dan genoeg ruimte. Turner oogde klein achter het stuur. Maar tevreden. Ze had iets te doen. Ze had een compleet scenario uitgedacht.

Ze zei: 'Ik begrijp waarom die lui nerveus worden. Een A.M.-nummer maakt alles anders. Die man is bekend om een reden. Vanwege zijn activiteiten of zijn standpunten. En in beide gevallen helpt dat ons verder.'

Reacher vroeg: 'Hoe komen we in de database?'

'Nieuw plan. We gaan naar Pittsburgh.'

'Is de database in Pittsburgh?'

'Nee, maar er is een grote luchthaven in Pittsburgh.'

'Ik ben net in Pittsburgh geweest.'

'Op de luchthaven?'

'Nee, onderweg.'

'Verandering van spijs doet eten,' zei ze.

Naar Pittsburgh betekende schuin naar het noordwesten door de staat, naar de i-79 ergens tussen Clarksburg en Morgantown. Vandaar was het min of meer rechttoe rechtaan naar het noorden. Veilig genoeg, dacht Reacher. De Toyota was zo groot als een huis en woog drie ton, maar was heel effectief gecamoufleerd. Waar kun je het beste een korrel zand verbergen? Op het strand. En als de Toyota een korrel zand was, dan waren de wegen in West Virginia één groot strand. Vrijwel elk voertuig dat ze tegenkwamen was een volwassen pick-up. In het westelijk deel van Pennsylvania zou het niet anders zijn. Een buitenaards wezen zou concluderen dat het leven van de burgerij in de vs volledig afhankelijk was van de mogelijkheid om grote hoeveelheden plaatmateriaal van twee vijftig bij één vijfentwintig veilig te vervoeren.

Dat ze zo laat op pad waren gegaan die dag, leek uiteindelijk in hun voordeel te werken. Het was een pluspunt, geen nadeel, in de woorden van Turner. Het betekende dat ze in het donker op de snelweg zouden rijden. Beter dan de snelweg overdag. Aan de ene kant is de concentratie politiemensen op de snelweg het hoogste, maar aan de andere kant kunnen politiemensen niet zien wat ze niet kunnen zien, en niets was zo onzichtbaar als een paar koplampen dat zich bij nacht op een Interstate aan de snelheidslimiet hield.

Reacher zei: 'Hoe komen we aan dat A.M.-nummer?'

Turner zei: 'We halen diep adem en dan gaan we iets vreselijks doen. We gaan iemand vragen zich met ziel en zaligheid in misdadige activiteiten te storten, medeplichtig te worden aan misdrijven en voortvluchtige gevangenen te helpen.'

'Wie?'

'Sergeant Leach, hoop ik. Die zit goed in elkaar en ze heeft haar hart op de juiste plaats.'

'Mee eens,' zei Reacher. 'Ik mocht haar wel.'

'We hebben dossiers en transcripties in het archief. Het enige wat ze hoeft te doen is daar een blik op te werpen.'

'En dan?'

'Dan wordt het moeilijker. Dan hebben we een nummer, maar geen naam, geen cv. Een sergeant heeft geen toegang tot die database. In Rock Creek ben ik de enige die toegang heeft. Nu Morgan, denk ik, maar die kunnen we het maar beter niet vragen.'

Reacher zei: 'Laat dat deel maar aan mij over.'

'Jij hebt geen toegang.'

'Maar ik ken iemand die wel toegang heeft.'

'Wie?'

'De *Judge Advocate General*.'

'Ken je die?'

'Niet persoonlijk. Maar ik ken zijn positie in het proces. Hij dwingt mij om me te verdedigen tegen een flauwekul-aanklacht. Ik heb het recht om mijn verdediging breeduit te voeren. Ik kan vrijwel alles opvragen wat ik maar wil. Majoor Sullivan kan dat voor me regelen.'

'Nee, in dat geval zou mijn advocaat dat moeten doen. Het heeft veel meer met mijn zaak te maken dan met die van jou.'

'Te gevaarlijk voor de man. Ze hebben Moorcroft halfdood geslagen alleen omdat hij probeerde jou uit de cel te krijgen. Ze zullen jouw advocaat nooit toestaan om ook maar in de buurt van die informatie te komen.'

'Dan is het ook gevaarlijk voor Sullivan.'

'Ik geloof niet dat ze haar al in de gaten houden. Achteraf komen ze er natuurlijk achter, maar dan is het te laat. Het heeft geen zin om de put te dempen als het kalf verdronken is.'

'Doet ze dat voor jou?'

'Dat moet ze wel. Ze heeft juridische verplichtingen.'

Ze reden verder, kalm en comfortabel, bleven in West Virginia, reden om de scherp naar het zuiden uitstekende punt van de Panhandle van Maryland en zetten toen koers naar een stad die Grafton heette. Vandaar gaf het navigatieapparaat van de Toyota een weg aan die net ten zuiden van Fairmont uitkwam op de I-79.

Turner vroeg: 'Maakte je je zorgen?'

Reacher vroeg: 'Waarover?'

'Die acht kerels.'

'Niet echt.'

'Dan vermoed ik dat de conclusies van dat onderzoek toen je zes was, helemaal juist waren.'

'De conclusies waren juist,' zei Reacher. 'Maar de redenering deugde niet.'

'Hoezo?'

'Ze dachten dat mijn hersens tegendraads functioneerden. Ze

raakten helemaal opgewonden over mijn DNA. Misschien waren ze wel van plan een nieuw soort krijgers te kweken. Je weet hoe het Pentagon in die tijd in elkaar zat. Maar ik was te jong om daarin geïnteresseerd te zijn. En bovendien hadden ze geen gelijk. Als het om mijn angst gaat, verschilt mijn DNA niet van dat van anderen. Ik heb mezelf alleen getraind. Om automatisch angst om te zetten in agressie.'

'Zes jaar oud?'

'Nee, toen ik vier was, vijf. Dat heb ik je verteld over de telefoon. Ik was van mening dat het een keuze was. Of ik druip af als een lafaard, of ik sla erop.'

'Ik heb nog nooit iemand zien vechten zonder zijn handen te gebruiken.'

'Zij ook niet. En daar ging het juist om.'

Ze onderbraken de tocht om te tanken en te eten in een plaatsje dat Macomber heette, en reden toen verder, steeds maar naar het westen, door Grafton, gingen rechts bij een splitsing, door een dorp dat McGee heette, en kwamen uiteindelijk bij de oprit naar de I-79, volgens de Toyota een uur verwijderd van Pittsburgh International Airport. Dat betekende dat ze er om ongeveer acht uur 's avonds zouden aankomen. De lucht was al donker. De nacht was aanstaande, veilig, omhullend en verbergend.

Turner zei: 'Waarom wil je op deze manier leven?'

Reacher zei: 'Omdat mijn hersens tegendraads functioneren. Dat hebben ze niet gezien, destijds. Ze hebben naar het verkeerde deel van me gekeken. Ik houd niet van dezelfde dingen waar andere mensen van houden. Een klein huisje met een schoorsteen en een gazonnetje en een hekje? De meeste mensen zijn er dol op. Ze werken hun hele leven om dat te kunnen betalen. Ze nemen hypotheken van dertig jaar. Dat vind ik prima. Als ze daar gelukkig van worden, ben ik ook gelukkig. Maar ik zou me nog liever van kant maken.'

'Waarom?'

'Ik heb zo mijn eigen theorie. En daar heeft DNA ook mee te maken. Maar het is te saai om over te praten.'

'Nee, vertel eens.'

'Een andere keer.'

'Reacher, we hebben samen geslapen. Daar heb ik zelfs geen cocktail of een film aan vooraf gehad. Je kunt me op zijn minst je eigen theorieën vertellen.'

'Vertel jij dan ook één van jouw theorieën?'

'Misschien, maar jij eerst.'

'Oké, denk eens aan Amerika, lang geleden. De negentiende eeuw, eigenlijk. Van begin tot eind. De grote trek naar het westen. De risico's die de mensen namen. Alsof ze werden gedwongen.'

'Dat was ook zo,' zei Turner. 'Economisch. Ze hadden land en boerderijen en werk nodig.'

'Maar het was meer dan dat,' zei Reacher. 'Voor een deel van hen in ieder geval. Sommigen zijn nooit gestopt. En nog honderd jaar daarvoor, denk eens aan de Britten. Die trokken de hele wereld over. Ze maakten zeereizen die vijf jaar duurden.'

'Alweer economie. Ze zochten afzetmarkten en grondstoffen.'

'Maar sommigen konden niet ophouden. En nog eerder had je de Vikingen. En de Polynesiërs, zelfde verhaal. Ik denk dat het in het DNA zit, letterlijk. Ik denk dat we miljoenen jaren geleden in kleine groepen leefden. Kleine groepen mensen. Met het gevaar van inteelt. Dat heeft geleid tot de ontwikkeling van een gen dat ervoor zorgde dat er in iedere generatie en elke kleine groep mensen minstens één persoon is die moet zwerven. Op die manier vermengen de genenpoelen zich een beetje. Gezonder voor iedereen.'

'En die persoon ben jij?'

'Ik denk dat negenennegentig van de honderd mensen opgroeien met een hang naar het kampvuur, en dat er eentje is die het kampvuur haat. Negenennegentig van de honderd zijn bang voor het huilen van de wolf, en eentje groeit op en is jaloers op de wolf. Die ene ben ik.'

'Met een innerlijke drang om zijn DNA wereldwijd te verspreiden. Louter en alleen voor het welzijn van de soort.'

'Dat is de leuke kant van het verhaal.'

'Dat is waarschijnlijk geen goed argument bij een hoorzitting over dat vaderschap.'

Ze verlieten West Virginia en reden Pennsylvania in, en bijna tien kilometer na de staatsgrens zagen ze een billboard van een winkelcentrum. De billboard was fel verlicht, dus gingen ze ervan uit dat het winkelcentrum open zou zijn. Ze reden de snelweg af en troffen een wat verlopen complex aan rondom een lokaal warenhuis. Turner vertrok met een pakje bankbiljetten in de richting van de afdeling voor dameskleding. Reacher liep achter haar aan, maar ze zei dat hij op de afdeling voor herenkleding moest zijn.

Hij zei: 'Ik heb niets nodig.'

Ze zei: 'Ik denk van wel.'

'Wat dan?'

'Een shirt,' zei ze. 'En misschien een trui met een v-hals. Op zijn minst.'

'Als jij iets hebt gekocht, kun je me mijn oude shirt teruggeven.'

'Dat gooi ik weg. Jij hebt iets beters nodig.'

'Waarom?'

'Omdat ik wil dat je er goed uitziet.'

Dus ging hij voor zichzelf op zoek. Hij vond een blauw flanellen shirt met witte knopen. Vijftien dollar. En een trui met een v-hals, van katoen, een iets donkerder tint blauw. Ook vijftien dollar. Hij kleedde zich om in het kleedhokje, gooide zijn beide t-shirts weg en bekeek zichzelf in de spiegel. Zijn broek zag er nog goed uit. Zijn jack ook. Het nieuwe shirt en de nieuwe trui pasten er wel onder. Zag hij er nu goed uit? Hij twijfelde. Beter dan eerst misschien, maar verder wilde hij niet gaan.

Twintig minuten later kwam Turner terug, een metamorfose van top tot teen. Nieuwe zwarte laarsjes met een ritsje, nieuwe spijkerbroek, een truitje met een ronde hals en een katoenen trainingsjack. Niets in haar handen. Geen tassen. Ze had het oude spul weggegooid en geen extra kleren gekocht. Ze zag dat het hem opviel en zei: 'Verrast?'

'Een beetje,' zei hij.

'Ik vond dat we zo flexibel mogelijk moesten blijven voorlopig.'

'Altijd.'

Ze liepen naar de kleinere winkels aan de rand van het winkelcentrum, waar ze een drogist vonden. Ze kochten opvouwbare tandenborstels en een kleine tube tandpasta. Toen liepen ze terug naar de pick-up.

De luchthaven van Pittsburgh lag een heel eind van de stad, maar de Interstate leidde hen er rechtstreeks naartoe. Het was een groots en ruim opgezet complex, met een keur aan hotels. Turner koos een hotel en parkeerde op de parkeerplaats. Ze splitsten het resterende geld van Billy Bob in negen delen en stopten geld in al hun zakken. Toen sloten ze de auto af en liepen naar de lobby. Geen bagage was geen probleem. Niet in een hotel op een luchthaven. De hotels op luchthavens zitten vol met mensen zonder bagage. Een van de geneugten van eigentijds reizen. Ontbijt in New York, avondeten in Parijs, bagage in Istanboel. Enzovoort.

'Uw naam, mevrouw?'

Turner zei: 'Helen Sullivan.'

'Meneer?'

Reacher zei: 'John Temple.'

'Mag ik een legitimatie zien?'

Turner schoof de twee geleende legitimatiebewijzen over de balie. De receptionist keek er lang genoeg naar om vast te stellen dat het inderdaad legitimatiebewijzen waren met foto's en dat de namen Sullivan en Temple erop stonden. Hij deed geen poging de foto's te vergelijken met de klanten. Uit ervaring wist Reacher dat maar weinig mensen die moeite namen. Waarschijnlijk niet hun verantwoordelijkheid, of te moeilijk.

De man zei: 'Hebt u een creditcard?'

Reacher zei: 'We betalen contant.'

Wat ook geen probleem was in een hotel op een luchthaven. Creditcards en travellerscheques raken ook zoek, want zo slecht als de bagage wordt afgehandeld, zo lucratief is zakkenrollen op luchthavens. Reacher pelde de bankbiljetten af voor de kamer, en op verzoek nog eens honderd dollar extra als borg en de man accepteerde het maar al te graag. In ruil gaf hij twee sleutelkaarten en wees hij hen de weg naar de lift.

De kamer was goed, al verschilde hij in wezen niet echt van de cel in Fort Dyer. Maar in aanvulling op de basisvoorzieningen was hij uitgerust met een minibar met koelkast en gratis flessen water, en badjassen, en slippers, en chocolaatjes op de kussens.

En een telefoon. Turner pakte de telefoon en koos een nummer.

39

Reacher hoorde het zoemen van een beltoon. Turner hield de hoorn geklemd tussen schouder en hals en haar mond vormde de woorden: 'Het mobiele nummer van Leach.' Toen veranderde de focus van haar ogen op het moment dat de oproep werd beantwoord. Ze zei: 'Sergeant, je spreekt met Susan Turner. Mijn officiële advies als jouw commandant aan jou, is om dit gesprek onmiddellijk te beëindigen en het te rapporteren aan kolonel Morgan. Ga je dat doen?'

Reacher hoorde niet wat Leach antwoordde, maar dat was zonder twijfel nee, want het gesprek werd voortgezet. Turner zei: 'Bedankt, sergeant. Ik wil dat je twee dingen voor me doet. Om te beginnen heb ik het A.M.-nummer nodig in het originele bericht van Weeks en Edwards. De transcriptie moet zijn opgeborgen in het archief. Is kolonel Morgan nog aanwezig?'

Reacher hoorde niet wat Leach antwoordde, maar dat was zonder twijfel ja, want Turner zei: 'Oké, nu niets riskeren. Ik bel je om het uur.' Ze bleef aan de lijn om Leach te vertellen wat het tweede was wat ze voor haar moest doen, maar Reacher hoorde niet wat dat was, want op dat moment werd er aan de deur geklopt. Hij liep door de kamer en deed de deur open. Er stond een man met een pak aan. Hij hield een walkietalkie in zijn hand, op zijn revers zat een bedrijfsspeldje. Een of andere hotelmanager, dacht Reacher.

De man zei: 'Het spijt me, meneer, maar er is een fout gemaakt.'

Reacher zei: 'Wat voor soort fout?'

'De borg had vijftig dollar moeten zijn, niet honderd. Bij contante betaling, bedoel ik. Voor de telefoon en de minibar. Als u roomservice bestelt, verzoeken we u contant af te rekenen met het personeel.'

'Oké,' zei Reacher.

De man stak zijn hand in zijn zak en haalde er vijftig dollar uit, in een waaier van twee briefjes van twintig en één van tien, alsof Reacher een prijs had gewonnen in een tv-quiz, en hij zei: 'Nogmaals excuses voor het ongemak.'

Reacher pakte het geld aan en controleerde het. Amerikaanse valuta. Vijftig dollar. Hij zei: 'Geen probleem'. De man liep weg. Reacher sloot de deur. Turner legde de telefoon neer en vroeg: 'Wat was dat?'

'De receptionist had een memo over het hoofd gezien, denk ik. We hoeven maar vijftig dollar borg te betalen, geen honderd, omdat de roomservice contant moet worden afgerekend.'

'Het zal wel.'

'Hoe ging het met sergeant Leach?'

'Dat is een dappere vrouw.'

'Ken je haar nummer uit je hoofd? Het nummer van een sergeant die je nog maar net kent op je nieuwe post?'

'Ik ken al hun nummers uit mijn hoofd.'

'Je bent een goede commandant.'

'Dank je.'

'Wat was het tweede wat je haar hebt gevraagd?'

'Dat merk je nog wel,' zei ze. 'Hoop ik.'

Romeo belde, maar het duurde even voordat Julia opnam. Romeo wreef met de palm van zijn hand over de leren armleuning van de stoel waarin hij zat. Zijn handpalm was droog en het leer was zacht en glansde, vanwege het contact met vijftig jaar in pak gehulde ellebogen.

Toen zei Julia in zijn oor: 'Ja?'

Romeo zei: 'De namen Sullivan en Temple zijn net opgedoken in een hotel op de luchthaven van Pittsburgh, Pennsylvania. Gelukkig is hun register gekoppeld aan Homeland Security. Omdat het een luchthaven is.'

'Zijn zij dat, denk je?'

'We krijgen snel beschrijvingen. Het hotel stuurt iemand naar hun kamer om poolshoogte te nemen. Maar ik denk dat ze het wel moeten zijn. Anders zou het wel heel toevallig zijn. Die twee namen gecombineerd? En voor zover we weten, is dat de enige legitimatie die ze hebben.'

'Maar waarom de luchthaven in Pittsburgh?'

'Maakt niet uit waarom. Waar zijn onze jongens?'

'Op weg naar Los Angeles.'

'Probeer eens hoe snel je ze weer terug kunt krijgen.'

De kamer was warm, dus Reacher trok zijn magische jack uit en Turner trok haar trainingsjack uit. Ze zei: 'Wil je roomservice bestellen?'

'Zeker.'

'Voor of na?'

'Voor wat of na wat?'

'Voor of nadat we weer seks hebben gehad.'

Reacher glimlachte. Zijn ervaring was dat de tweede keer altijd beter was dan de eerste keer. Nog steeds nieuw, maar niet helemaal meer. Nog niet echt vertrouwd, maar wel iets meer. Altijd beter dan de eerste keer, en met Turner was het de eerste keer al spectaculair geweest.

'Na,' zei hij.

'Trek dan je kleren maar uit,' zei ze.

'Nee, deze keer jij eerst.'

'Waarom?'

'Omdat verandering van spijs doet eten.'

Ze glimlachte. Ze trok haar nieuwe trui uit. Ze droeg er niets onder. Geen beha. Die had ze niet echt nodig en ze wilde niet net doen alsof. Dat mocht hij wel van haar. Eigenlijk mocht hij alles aan haar wel. Niet dat hij een probleem had met een topless vrouw in zijn kamer, maar zij was bijzonder. Naar lichaam en geest. Haar lichaam was perfect. Ze was slank en sterk, maar ze wekte de indruk dat ze zacht en klein was. De rondingen vloeiden in elkaar over, eindeloos, naadloos, als één enkele contour, als een ring van Möbius, van het holle van haar rug naar haar schouder, naar haar middel, naar haar heup, en terug naar het holle van haar rug, waar het allemaal opnieuw begon. Haar huid had de kleur van honing. Ze glimlachte boosaardig, haar lach was aanstekelijk.

Romeo belde en dit keer nam Julia meteen op. Romeo zei: 'Ze zijn het. Een grote, zware man met blond haar, en een jongere donkerblonde vrouw, veel kleiner. Dat is wat de hotelmanager zag.'

'Enig idee hoe lang ze daar blijven?'

'Ze hebben contant betaald voor één nacht.'

'Hebben ze gevraagd om te worden gewekt?'

'Nee. Ze kunnen niet vliegen. Niet met contant geld, en niet met die legitimatie. Reacher lijkt in de verste verte niet op Temple. Dat zou zelfs de TSA opvallen. Ik denk dat ze gewoon zijn ondergedoken. Geen slechte keus. De hotels op luchthavens zijn altijd anoniem en Pittsburgh is nu niet bepaald het middelpunt van de wereld. Ik zou echter wel eens willen weten hoe ze aan zoveel geld komen.'

'Onze jongens gaan ernaartoe, zo snel als maar mogelijk is.'

'De hotelmanager zei dat Turner heeft gebeld.'

'Met wie?'

'Dat laat ik nu uitzoeken.'

Naderhand lagen ze uitgeput en zwetend op verfrommelde lakens, eerst hijgend, daarna diep ademend. Turner leunde op een elleboog en keek naar Reachers gezicht, en liet haar vingertoppen over zijn voorhoofd glijden, traag en onderzoekend. Ze zei: 'Het is niet eens gekneusd.'

'Allemaal bot,' zei hij. 'Door en door.'

Haar vingertoppen gleden over zijn neus.

'Dit niet,' zei ze. 'Niet door en door. Pas gebeurd?'

'Nebraska,' zei Reacher. 'Een kerel die zich ergens nogal druk over maakte.'

Haar vingertoppen volgden het spoor van de sneden, geheeld, maar nog niet zo heel lang geleden, en de verdikkingen van het neusbeen, die zijn neus nu een beetje een slag naar rechts gaven. Voor hem nog steeds een verrassing, maar volstrekt normaal voor haar. Ze trok een spoor met haar vingertoppen om zijn oor, langs zijn hals, over zijn borst. Ze prikte het topje van haar pink in het kogelgat. Het paste precies.

'Een .38,' zei hij. 'Slappe hap.'

'Mazzel,' zei ze.

'Ik heb altijd mazzel. Kijk mij nu weer eens.'

Haar vingertoppen gleden verder omlaag, naar zijn middel. Naar het oude litteken van de granaatscherf.

'Beiroet,' zei ze. 'Ik heb je dossier gelezen. Een Silver Star en een Purple Heart. Niet gek, maar toch wil ik wedden dat je al met al meer metaal in je buik hebt gehad dan op je borst.'

'Het was bot,' zei Reacher. 'Stukken van het hoofd van iemand die dichterbij stond.'

'In het dossier stond granaatscherf.'

'Hoe vaak heb je dat dossier gelezen?'

'Steeds maar weer opnieuw.'

'Er stond vast niet in dat ze hem hebben gepromoveerd tot majoor.'

'Wie?'

'Henry Shrapnel, de uitvinder van de eerste exploderende granaat, een Brit uit de achttiende eeuw, die kapitein was bij de Britse infanterie. Al acht jaar, toen hij de granaat uitvond die ze naar hem hebben genoemd. Daarom hebben ze hem gepromoveerd tot majoor. De hertog van Wellington heeft ze voor het eerst gebruikt bij de Spaanse Onafhankelijkheidsoorlog, en later bij de Slag bij Waterloo.'

'Geweldig.'

'Maar dank je wel dat je dat dossier hebt gelezen. Dat betekent heel veel voor me.'

'Waarom?'

'Omdat ik nu niet heel veel tijd hoef te steken in het vertellen van oude verhalen. Die ken je al.'

'Elkaar oude verhalen vertellen, klinkt best goed.'

'Je hebt mij nog geen oude verhalen verteld.'

'Maar dat doe ik wel,' zei ze. 'Ik ga je net zoveel oude verhalen vertellen als je maar wilt horen.'

Romeo belde Julia en zei: 'Ze belde een prepaid nummer van een telefoon die vrijwel zeker is gekocht bij Wal-Mart. Als dat contant is gebeurd, heeft het geen enkel spoor nagelaten. En ik wil wedden dat het inderdaad contant was.'

Julia zei: 'Het was de moeite waard om het te proberen.'

'Maar, weet je, in het leger worden veel prepaid telefoons gebruikt. Omdat sommige soldaten niet genoeg verdienen voor een abonnement. Wat eigenlijk een schande is. Maar ook omdat sommigen van hen zo'n hectisch bestaan leiden dat prepaid beter uitkomt.'

'Dat is vergezocht.'

'Het signaal van de telefoon is opgevangen door drie masten aan de noordkant en de westkant van het Pentagon.'

'Oké.'

'Rock Creek ligt ten noordwesten van het Pentagon.'

'Dat klopt.'

'Ik denk dat ze haar thuisbasis heeft gebeld. En dat iemand op de thuisbasis het gesprek heeft aangenomen.'

'Onze jongens zijn onderweg naar Pittsburgh.'

'Geeft ook niet. Want er is niemand in Rock Creek die haar nu kan helpen.'

40

Turner ging onder de douche, maar Reacher deed geen moeite. Hij wikkelde zich in een badjas en nestelde zich in een stoel, warm, intens tevreden. Hij kon zich niet herinneren dat hij ooit zo ontspannen was geweest. Turner kwam gehuld in een badjas de badkamer uit en vroeg: 'Hoe laat is het?'

'Nog vier minuten,' zei Reacher. 'Voordat je sergeant Leach weer moet bellen. Weet zij dat ik hier ook ben?'

Turner knikte. 'Ik wil wedden dat de hele wereld dat zo onderhand weet. Maar ik heb het haar ook verteld in ieder geval.'

'Wat vond ze daarvan?'

'Ze is sergeant in het leger van de V.S. Ik denk niet dat ze superpreuts is.'

'Daar gaat het me niet om. Als jij jouw zaak wint, kan niemand haar iets maken omdat ze jou geholpen heeft. Dan blijft ze zo onschuldig als een pasgeboren baby. Maar als ik mijn zaak niet win, komt ze in de problemen omdat ze mij geholpen heeft. Of omgekeerd. Enzovoort. Ze loopt een dubbel risico, en de kans dat het voor haar goed afloopt, is twee keer zo klein.'

'Ze heeft geen bezwaar gemaakt.'

'Je moet haar niet laten lopen.'

'Ben ik niet van plan,' zei Turner. 'Als ik ooit terugkom.'

Toen pakte ze de telefoon en koos het nummer.

Iets meer dan twintig kilometer verderop rinkelde een telefoon in het plaatselijke kantoor van de FBI in East Carson Street, Pittsburgh, iets ten zuidwesten van het centrum van de stad. Een dienstdoende agent nam de telefoon op en ontdekte dat hij iemand aan de lijn had die zich in de Hoover Building in Washington D.C. bevond. Hij kreeg te horen dat op de schermen van de computers van Homeland Security de namen Sullivan en Temple opdoken als gasten van een hotel op de luchthaven vlakbij. De dienstdoende agent bladerde door de dienstmededelingen en communiqués en zag dat de Metro PD en de MP op zoek waren naar twee voortvluchtige personen van wie werd aangenomen dat ze onder die namen reisden.

De dienstdoende agent belde zijn *Special Agent in Charge* en vroeg: 'Wilt u dat ik het doorgeef aan D.C. en het leger?'

Zijn SAC bleef even stil en zei toen: 'Laten we het niet ingewikkelder maken dan het is.'

We gaan de eer niet met hen delen, dacht de dienstdoende agent.

Zijn SAC zei: 'Stuur er maar iemand van jullie naartoe om poolshoogte te nemen.'

'Nu?'

'Zodra er iemand beschikbaar is. We hebben geen haast. We hebben tot de ochtend. Ik kan me niet voorstellen dat ze nu ergens heen gaan.'

Turner hield de hoorn van de telefoon geklemd tussen schouder en hals, net als eerder, en Reacher hoorde de beltoon. Toen hoorde hij dat Leach opnam. Hij kon niet verstaan wat ze zei, maar hij hoorde wel in welke stemming ze was. Niet al te best. Ze begon aan een lange, snelle monoloog, die in zijn geheel werd gereduceerd tot een plastic kwaken door het kleine luidsprekertje, maar die gefrustreerd en kwaad klonk. Turner zei: 'Toch bedankt,' en verbrak de verbinding. Ze zag er vermoeid uit en zwaar teleurgesteld.

Reacher vroeg: 'Wat is er?'

'Raad eens.'

'Er blijkt uiteindelijk geen nummer te zijn.'

'De transcriptie is zoek. Iemand heeft hem uit het archief gehaald.'

'Morgan?'

'Moet wel. Wie anders?'

'Dus hij hoort bij hen of volgt blindelings orders op.'

Turner knikte. 'Ze wissen hun sporen uit. Overal. Want ze zijn beter dan ik had gedacht. En dat betekent dat ik verloren ben. Ik zie geen uitweg meer. Niet zonder dat A.M.-nummer.'

'Zit het niet nog ergens in een computer?'

'We vertrouwen computers niet echt. Dan kunnen we alles net zo goed meteen naar de *New York Times* sturen. Of naar China.'

'Dus die transcriptie is het enige wat fysiek bewaard blijft?'

Ze knikte opnieuw. 'Dat is het enige waarvan ik weet heb. Misschien bewaren ze in Bagram een kopie. Waarom? Wou je JAG vragen om een dagvaarding? Dan wens ik je veel sterkte.'

'Kan de transcriptie op een verkeerde plek terecht zijn gekomen in het archief?'

'Nee, en Leach heeft bovendien overal gezocht. Ze is niet dom.'

'Er moet toch een manier zijn om dit op te lossen.'

'Maak me maar wakker als je die hebt gevonden,' zei ze. 'Want ik ben al het denken beu. Ik heb slaap nodig.'

Ze liet haar badjas op de vloer vallen, liep op blote voeten door de kamer, trok de gordijnen goed dicht, deed het licht uit en klom onder het dekbed, rolde op haar zij, slaakte een lange, droevige, vermoeide zucht en bleef stil liggen. Reacher keek een tijdje naar haar, liep toen terug naar zijn stoel en bleef een tijdje in het donker zitten. Hij riep het beeld van het archief van Rock Creek in zijn herinnering op, op de verdieping, eerste vertrek links, kamer 201. Hij probeerde voor zich te zien hoe de officier van dienst beneden in 103 het internationale gesprek van Edwards en Weeks aannam, aantekeningen maakte en het kostbare vel papier de oude stenen trap op droeg, aan Turner liet zien, haar antwoord aanhoorde, dat uitschreef en verzond, waarna hij opnieuw de trap opliep om zowel het bericht als de reactie op te bergen in de juiste la, precies goed, eerst het bericht, daarachter de reactie.

Toen stelde hij zich voor hoe Morgan zijn kantoor uit kwam, twee kamers verder, en links en rechts de gang in keek. Een karweitje van niets. Twee vellen papier, verbrand of verscheurd of door een papiervernietiger gehaald. Of opgevouwen in een zak gestoken, en op een later tijdstip overhandigd aan onbekende personen, in ruil voor een klein knikje van het hoofd als dankbetuiging, en impliciete beloftes dat er in de toekomst aan hem zou worden gedacht. *Er moet toch een andere manier zijn om dit op te lossen.* Reacher zou het nummer misschien hebben onthouden. Hij hield van cijfers. Dit nummer had misschien wel een intrinsieke aantrekkingskracht gehad. Een priemgetal, of bijna een priemgetal, of een getal met interessante factoren. Maar hij had het nummer niet gezien. Toch was niets onmogelijk. Geen systeem was perfect, geen beveiliging was honderd procent waterdicht, er waren altijd onvoorziene rimpels in het gladde oppervlak.

Er moet toch een andere manier zijn om dit op te lossen.

Maar Reacher kon niets bedenken. Niet op dat moment. Hij kwam overeind, rekte zich uit, liet zijn badjas op die van Turner vallen en schoof in bed naast haar. Ze was ondertussen diep in slaap. Ze ademde langzaam. Warm en zacht. Haar stoppen waren doorgeslagen. Ze had zich uitgeschakeld, zich overgegeven. Als in die oude film: *dat zien we morgen dan wel weer.* Hij staarde naar het plafond, grijs en vaag zichtbaar boven zijn hoofd. Toen sloot hij zijn ogen, haalde diep adem, blies zijn adem weer uit en viel in slaap.

Hij sliep goed, vijf uur lang.

Toen werd hij wakker, om vier uur in de ochtend.

Omdat er iemand op de deur stond te bonzen.

41

Turner werd ook meteen wakker, maar Reacher legde zijn hand op haar schouder en fluisterde: 'Ik ga.' Hij knipperde een keer met zijn ogen, gleed uit bed en zocht zijn badjas op de vloer. Hij trok hem lopend aan. Het bonzen op de deur hield aan. Het was geen beleefd of verontschuldigend geluid. Niet het geluid dat past bij een hotel in het holst van de nacht. Het was een niet-ingehouden, dringend en eisend lawaai. *Boem, boem.* Arrogant en opdringerig. Een geluid dat geen tegenspraak duldde. Het geluid van de sterke arm der wet. Of het geluid van iemand die wilde doen geloven dat hij de sterke arm der wet was.

Reacher keek niet door het spionnetje. Hij hield niet van spionnetjes. Had hij nooit van gehouden. Het is maar al te gemakkelijk voor iemand met kwade bedoelingen om te wachten tot het lensje donker wordt en dan een kogel door het voorgeboorde gat te jagen. Hoefde je niet te richten. Je kon het spionnetje maar beter in zijn geheel negeren, de deur razendsnel opentrekken en ze een klap tegen hun keel geven. Of niet, afhankelijk van wie het waren, en met hoeveel ze waren.

Achter hem was Turner ook uit bed gekomen en had ze haar badjas aangetrokken. Hij wees naar de badkamer. Er viel niets te winnen door ze één enkel doelwit aan te bieden. En ze kon nergens anders naartoe. Je kon maar op één manier de kamer uit en dat was via de deur. De kamer lag op een hoge verdieping en de ramen gingen sowieso niet open.

Voorschriften, waarschijnlijk, in verband met nieuwsgierige kinderen en omdat het een hotel op een luchthaven was, met lawaai en uitlaatgassen van straalmotoren van de vroege ochtend tot de late avond.

Turner liep naar de badkamer en Reacher legde zijn hand op de deurkruk. Hij haalde diep adem. MP's en federale agenten zouden met getrokken wapen voor de deur staan. Dat was een ding dat zeker was. Maar ze zouden niet schieten. Niet meteen. Ze waren te goed getraind. En er waren te veel protocollen. En er was te veel potentiële papieren rompslomp. Maar de vier kerels van de gedeukte auto zouden misschien wel meteen schieten. Die waren ook getraind, maar ze waren niet gebonden aan protocollen en hun wachtte geen papierwinkel.

Dus, de meeste kans heb je door de deur te openen en erachter te blijven. Onweerstaanbaar. Een deur die langzaam opengaat, ogenschijnlijk vanzelf, vraagt erom dat iemand zijn nek uitsteekt om even snel een blik naar binnen te werpen. En een uitgestoken nek vraagt om een directe tegen de slaap. Daarna trap je onmiddellijk de deur weer dicht, zodat je aan jouw kant van de drempel op de vloer een gijzelaar hebt en je tegenstanders nog steeds buiten staan. Een basis voor onderhandelingen.

Reacher duwde de deurkruk omlaag. Tien graden. Twintig. Dertig. Geen reactie. Veertig, vijftig, zestig. Geen reactie. Hij ging door, helemaal tot negentig graden, snel, en rukte toen hard aan de deurkruk, trok de deur ongeveer twee derde open, balde een vuist, kromde zijn arm en wachtte.

Lange tijd.

Het was duidelijk dat iemand aan de andere kant een voet tegen de deur had gezet om die open te houden terwijl er besluiten werden genomen. Een proces dat veel tijd in beslag nam.

Er ging bijna een hele minuut voorbij.

Toen vloog er een voorwerp naar binnen.

Reacher keek er niet naar. Volgde het niet met een bewuste blik. Hij was niet van gisteren. Maar de flits die hij vanuit een ooghoek opving, zei *envelop*. Een bruine envelop, A4-formaat, verzegeld met iets van metaal, dacht hij, iets wat ze op kantoren zouden gebruiken. Met iets van weinig gewicht erin, zonder volume. Het geluid dat het produceerde toen het naar de vloer dwarrelde, bevestigde die eerste indruk. Papierachtig, maar stijf, met een vaag resonerend kraken toen het met de rand de vloer raakte, en minieme schuivende geluidjes, alsof er een klein aantal afzonderlijke items in zat, stuk voor stuk dun en licht van gewicht.

Reacher wachtte.

Toen verscheen er een hoofd om de deur.

Met een gezicht.

Het gezicht van sergeant Leach.

Leach droeg haar gevechtstenue. Ze zag er uitgeput uit. Ze stapte de kamer in en Turner stapte de badkamer uit, en Reacher sloot de deur. Turner zag de envelop op de vloer en zei: 'Zit het er allemaal in?'

Leach zei: 'Ja.'

'Ik dacht dat je het morgen zou doen.'

'Ik denk dat u het eerder nodig hebt dan FedEx het kan bezorgen.'

'Dus je bent het hele eind hiernaartoe gereden?'

'Nou ja, ik ben niet komen vliegen of lopen.'
'Hoe lang heb je erover gedaan?'
'Ongeveer vier uur.'
'Dank je, sergeant.'
'Tot uw dienst.'
'Hoe laat moet je morgen op je post zijn?'
'Zo vroeg dat ik eigenlijk nu meteen weer zou moeten vertrekken.'
'Maar?'
'Ik bevind me in een positie waarin ik me niet wil bevinden.'
'Wat voor positie?'
'Ik moet kritiek leveren op een collega uit mijn eenheid en een superieur.'
'Gaat het dan om één persoon, of om twee?'
'Eén persoon, mevrouw.'
'Ik?'
'Nee, mevrouw.'
'Morgan?'
'Nee, mevrouw, maar u bent mijn commandant en ik ben geen verklikker.'
'Vertel het dan maar aan Reacher, die is van niemand de commandant.'
Leach aarzelde even en bepeinsde de kunstgreep. En besloot dat die acceptabel was, kennelijk, want ze keerde zich naar Reacher en zei: 'Ik maak me al geruime tijd zorgen over de officier van dienst.'
Reacher vroeg: 'Hoe lang al?'
'Voortdurend.'
'Waarom heb je daar niets mee gedaan?'
'Ik zou niet weten hoe. Hij is kapitein en ik ben sergeant.'
'Wat is het probleem?'
'Hij is een krabbelaar. Hij tekent voortdurend poppetjes en figuurtjes als hij aan de telefoon is.'
Reacher knikte.
'Ik heb de resultaten gezien,' zei hij. 'Op zijn bureau. Op een oud schrijfblok.'
'Weet u waarom hij dat doet?'
'Omdat hij zich verveelt.'

211

'Maar soms verveelt hij zich niet. Als er groot nieuws binnenkomt. Dan is hij anders. Dan is hij plotseling opgewekt.'

'Dat is niet verboden.'

'Maar hij heeft nog steeds zijn pen in zijn hand.' Hij is anders, en de tekeningetjes worden ook anders. Soms zijn het niet eens tekeningetjes. Soms schrijft hij dingen op. Trefwoorden.'

Reacher zei niets.

Leach zei: 'Begrijpt u het niet? Hij werkt met vertrouwelijke informatie, die in fysieke vorm maar op één plek mag zijn, in het archief van Rock Creek. Als die informatie of een deel van die informatie zich elders bevindt, is dat absoluut tegen de regels.'

Turner zei: 'O, kom op, vertel het.'

Reacher zei: 'Hij heeft het nummer opgeschreven?'

'Ja mevrouw,' zei Leach. 'Ja meneer, hij heeft het nummer opgeschreven.'

Leach trok een verfrommeld vel papier uit haar zak. Het was een blad van het schrijfblok met geel papier dat Reacher had gezien. Het was omgekruld aan de bovenkant, omdat het een aantal dagen omgeslagen was geweest. Het was vrijwel geheel bedekt met zwarte inkt uit een balpen. Er stonden vormen op, en kronkels en blokken en machines en spiralen, met hier en daar tijden en namen en woorden in cijfers en letters, soms dik onderstreept, soms met een kadertje eromheen, soms zo zwaar gearceerd dat het nauwelijks nog leesbaar was.

Leach zette haar vingertop op het eerste leesbare woord, op iets minder dan een derde van de bovenkant van het vel papier. Het woord was Kandahar. Een eigennaam. De naam van een plaats. Er was een uitbundige pijl naast getekend. De pijl wees weg van het woord, nadrukkelijk. Leach zei: 'Dat was het laatste bericht voordat ze vermist werden. Dat was toen Weeks en Edwards uit Kandahar vertrokken, terug naar Bagram, stand-by, conform de orders. Dat is allemaal nog terug te vinden in het archief, precies op de plek waar het zich zou moeten bevinden.'

Toen liet ze haar vingertop omlaag glijden naar het laatste derde deel van het vel papier, waar twee woorden opvielen, van elkaar gescheiden door een streepje: Hood – Dagen. De H van Hood was achteraf versierd, met barokke krullen. Een man bij de telefoon, die zich verveelde. Leach zei: 'Dat is van het eerste bericht na het ontbrekende signaal. Dat is ook terug te vinden in het archief, direct achter het Kandahar-bericht. Dat zijn onze mensen in Fort Hood in Texas, die rapporteren dat ze de zaak in een paar dagen verwachten af te ronden.'

Toen schoof ze haar hand weer omhoog en omsloot met haar vingers het middelste derde deel van de pagina. Ze zei: 'Dus dit deel hoort bij wat er ontbreekt in het archief.'

Het middelste deel van de pagina was een woeste verzameling sombere krabbels, met vormen en kronkels die eindeloos werden herhaald, en hokjes en doolhoven en spiralen. Maar precies in het midden van dat alles stonden de letters A en M, gevolgd door een getal van vier cijfers. Het was in eerste instantie gewoon neergekrabbeld, maar daarna zorgvuldig nagetrokken, met meer precieze lijnen, hoekiger gemaakt, scherper, en onderstreept, en daarna met rust gelaten.

A.M. 3435.

Turner glimlachte en zei: 'Hij heeft technisch gesproken de regels overtreden, sergeant, maar we zullen het deze ene keer door de vingers zien.'

A.M. 3435.

Een nummer dat Reacher waarschijnlijk gemakkelijk zou hebben onthouden, omdat het in zekere zin wel een aantrekkelijk getal was, in die zin dat een 3 en een 4 en een 3 en een 5, verheven tot respectievelijk de machten 3 en 4 en 3 en 5, samen precies 3435 opleveren. Wat wel een beetje interessant was. Een zekere Joseph Madachy, die ooit eigenaar, uitgever en redacteur was geweest van een tijdschrift dat *Recreational Mathematics* heette, had zich uitgebreid met dergelijke getallen beziggehouden. Reacher had als kind, in de bibliotheek van een marinebasis in de Stille Zuidzee, een stapel oude afleveringen van dat tijdschrift gelezen. Hij vroeg: 'Sergeant, hoe kan ik het beste contact opnemen met majoor Sullivan bij JAG?'

'Rechtstreeks, meneer?'

'Van persoon tot persoon.'

'Wanneer, meneer?'

'Nu meteen.'

'Midden in de nacht?'

'Onmiddellijk.'

Leach trok een tweede vel papier uit haar zak. Kleiner. Een velletje uit een notitieblokje, doormidden gescheurd. Ze zei: 'Dit is het privénummer van de mobiele telefoon van majoor Sullivan. Die ligt vast op haar nachtkastje.'

'Hoe wist je dat ik dat nummer nodig zou hebben?'

'Ik dacht dat u het waarschijnlijk op die manier zou moeten doen. Argumentatie in het kader van de verdediging kan heel breed worden opgezet. Maar mag ik vrijuit spreken?'

'Natuurlijk.'

Leach haalde een derde vel papier uit haar zak. Opnieuw een velletje uit een notitieblokje, doormidden gescheurd, op dezelfde manier. Ze zei: 'Dit is het privénummer van kapitein Edmonds' mobiele telefoon. Uw andere advocaat. Ik denk dat u bij haar meer kans maakt. Ik acht de kans groter dat zij er actief achteraan gaat. Zij wil dat recht wordt gedaan.'

'Zelfs nadat ik uit hechtenis ben ontsnapt?'

'Ik denk het wel.'

'Dus zij is een idealist?'

'Maak er maar gebruik van, zolang het duurt. Zo lang duurt het niet. Niet bij majoor Sullivan in ieder geval.'

Reacher vroeg: 'Is de FBI er al bij betrokken?'

Leach zei: 'Ze zijn ingelicht.'

'Wie organiseert de acties van het leger?'

'Het 75th MP. Een team geleid door onderofficier Espin. Die hebt u al ontmoet. Hij was degene die u naar Dyer heeft geëscorteerd. Ze zeggen dat hij het persoonlijk opvat. Hij beweert dat u misbruik hebt gemaakt van zijn goede inborst. Hij beweert dat hij u een dienst heeft bewezen, waarmee hij ongewild de hele zaak in gang heeft gezet.'

'Wat heeft hij voor me gedaan?'

'Hij heeft u in Dyer gehouden. Rechercheur Podolski wilde u meenemen. Espin heeft dat geweigerd. En toen hebt u hem daarna gevraagd meteen de officier van dienst van de MP te sturen, wat hij heeft gedaan, en dat beschouwt hij ook als een dienst waarvan u misbruik hebt gemaakt.'

214

'De officier van dienst zou toch al zijn gekomen.'

'Maar niet zo snel. En uw hele plan hing ervan af of u het voor het einde van de middag voor elkaar kon krijgen. Dus moest u meteen beginnen. Espin denkt dat hij daar ongewild aan heeft meegewerkt.'

'Heeft hij al iets van een spoor?'

'Nog niet, maar niet omdat hij niet zijn best doet.'

'Kun je een boodschap aan hem doorgeven?'

'Waarschijnlijk wel.'

'Zeg maar dat hij zich niet moet aanstellen. Vraag hem maar wat hij in onze situatie zou hebben gedaan.'

'Dat zal ik doen, meneer. Als het me lukt.'

'Hoe heet je, sergeant?'

'Leach, meneer.'

'Nee, ik bedoel je voornaam.'

'Chris, meneer.'

'Van Christine of Christina, of zo?'

'Gewoon Chris, meneer. Dat staat op mijn geboorteakte.'

'Oké, Chris, als ik nog steeds commandant was van het 110th, zou ik hemel en aarde bewegen om jou te houden. Die eenheid heeft al een hele schare geweldige onderofficieren gekend, en jij hoort bij de beste.'

'Dank u, meneer.'

'Nee, ik dank *jou*, sergeant.'

Leach vertrok, haastig, met een rit van vier uur voor de boeg, gevolgd door een dag werken. Reacher keek Turner aan en zei: 'Jij moet wel een verdomd goede commandant zijn, als je zoveel loyaliteit in mensen wakker maakt.'

'Niet beter dan jij,' zei ze. 'Jij had Frances Neagley.'

'Heb je haar dossier ook gelezen?'

'Ik heb alle dossiers gelezen. Alle verslagen van operaties ook. Ik wilde het 110th door en door kennen.'

'Dat zei ik, je bent een geweldige commandant.' Reacher streek het vel papier van het schrijfblok glad op het blad van het hotelbureautje, en legde een van de doormidden gescheurde velletjes van het notitieblok ernaast. Toen pakte hij de hoorn van de telefoon en koos het nummer van kapitein Tracy Edmonds' privé-mobiel.

42

Het duurde lang voordat er een reactie kwam, maar dat had Reacher wel verwacht. Het kan acht seconden duren voordat een oproep in een mobiel netwerk zijn bestemming heeft bereikt. En maar heel weinig slapende mensen reageren zo snel als in de film. De meeste mensen worden langzaam wakker, knipperen met hun ogen en grabbelen naar de telefoon.

Maar uiteindelijk nam Edmonds de telefoon op. Ze zei: 'Hallo?' Haar stem klonk een beetje gespannen, en wollig, alsof ze een dikke tong had of een volle mond.

Reacher zei: 'Kapitein Edmonds?'

'Met wie spreek ik?'

'Je cliënt, Jack Reacher. Majoor in het leger van de Verenigde Staten. Onlangs opnieuw onder de wapenen geroepen. Momenteel ingedeeld bij het 110th MP. Ben je alleen?'

'Wat is dat voor rare vraag?'

'We staan op het punt een vertrouwelijk gesprek te voeren, raadsvrouw. We moeten praten over juridische aangelegenheden.'

'Dat moeten we absoluut.'

'Kalm aan, kapitein.'

'Je bent uitgebroken.'

'Mag dat niet meer tegenwoordig?'

'We moeten praten.'

'Dat doen we al.'

'Echt praten, bedoel ik.'

'Ben je alleen?'

'Ja, ik ben alleen. Hoezo?'

'Heb je een pen?'

Het bleef even stil. 'Nu heb ik er een.'

'Papier?'

'Heb ik.'

'Oké, let op. Voor een beter fundament onder mijn verdediging heb ik op schrift alles nodig wat wie dan ook heeft over een Afghaanse burger die bij ons bekend is als A.M. 3435.'

'Dat is waarschijnlijk staatsgeheim.'

'Ik heb recht op een eerlijk proces. Rechters tillen daar zwaar aan.'

'Hoe dan ook, het is nogal een vraag.'

'Eerlijk is eerlijk. Zij hebben die onzinnige beëdigde verklaring.'

'Reacher, ik vertegenwoordig jou in een vaderschapszaak. Niet in die zaak met Juan Rodriguez. Dat doet majoor Sullivan. En materiaal op papier losweken bij de militaire inlichtingendienst in Afghanistan zou zelfs in een strafzaak moeilijk zijn. In een vaderschapszaak krijg je dat spul gewoon niet. Waarom zouden ze?'

Reacher zei: 'Jij hebt me verteld dat in het militaire strafrecht seksueel verkeer nog steeds een misdrijf is. Welke straf staat daarop?'

'In potentie een hoge straf.'

'Dan is het niet zomaar een vaderschapszaak, maar ook een strafzaak.'

'Dat is vergezocht.'

'Het is het een of het ander, raadsvrouw. Zij kwalificeren seksueel verkeer als een misdrijf. Dat betekent iets of het betekent niets.'

'Reacher, we moeten praten.'

'Is dit het moment waarop jij zegt dat het maar het beste is als ik me vrijwillig meld?'

'Dat zou het wel zijn.'

'Misschien. Maar ik heb in ieder geval gekozen voor plan B. Dus heb ik die informatie nodig.'

'Maar wat heeft het ermee te maken? Afghanistan was nog helemaal niet aan de orde toen jij in Korea was. Of toen je met Big Dog te maken had.'

Reacher zei niets.

Edmonds zei: 'O.'

'Juist,' zei Reacher. 'Voor een advocaat ben je vrij snel. Dit gaat om majoor Turner, niet om mij. Maar misschien gaat het wel om majoor Turner *en* mij, want waar we mee te maken hebben, is dat iemand problemen maakt voor twee commandanten van het 110th. Dat betekent dat er winnaars en verliezers zullen zijn, en wie slim is, zet zijn geld op de winnaars, want als je als winnaar de geschiedenis in gaat, sleep je een geweldige oorlogsbuit binnen, in dit leger.'

'Ga jij winnen?'

'Reken daar maar op. We maken ze in als stoofperen. En dat moet ook, kapitein, ze hebben twee van onze mensen vermoord in Afghanistan. En een van jouw collega's halfdood geslagen.'

Edmonds zei: 'Ik zal zien wat ik kan doen.'

Turner had nog steeds haar badjas aan en maakte geen aanstalten om terug naar bed te gaan.

Reacher vroeg: 'Wat zat er in de envelop?'

'Het tweede waar ik sergeant Leach naar vroeg.'

'Duidelijk. Maar wat is het?'

'We gaan naar Los Angeles.'

'Ja?'

Ze knikte. 'Jij moet aan de slag met die Samantha-toestand.'

'Dat komt wel.'

'In het ergste geval lopen we hier vast en sluiten ze ons op en gooien ze de sleutel weg. Ik kan niet toestaan dat jou dat overkomt. Niet voordat je je dochter hebt ontmoet. Je zou je hele leven nergens anders meer aan denken. Dus zet mijn probleem maar een tijdje op een laag pitje, dan kan dat van jou vol op het vuur.'

'Wanneer heb je dit plan bedacht?'

'Een tijdje geleden. En daar heb ik ook het recht toe. Je bent in mijn eenheid ingedeeld. Dat betekent dat ik jouw commandant ben. We gaan naar Los Angeles.'

'Wat zit er in de envelop?'

Ze gaf antwoord door de inhoud uit de envelop op het bed te schudden.

Twee creditcards.

En twee rijbewijzen.

Ze verdeelde ze en hield zelf een creditcard en een rijbewijs en gaf de andere aan Reacher. Een rijbewijs van de staat New York en een creditcard van Visa. Het rijbewijs was op naam van ene Michael Dennis Kehoe, die vijfenveertig jaar was en ergens in Queens woonde. Een man, blauwe ogen, een meter zevenennegentig lang. Orgaandonor. Op de foto was een vierkant gezicht te zien boven een stierennek. De Visacard stond op dezelfde naam, Michael D. Kehoe.

Reacher vroeg: 'Zijn ze echt?'

'Die van mij wel.'

'Die van mij niet?'

'Die zijn min of meer echt. Ze komen uit de kluis voor undercoverwerk.'

Reacher knikte. Het 110th stuurde voortdurend mensen undercover op pad. Die hadden documenten nodig. De autoriteiten zorgden daarvoor, ze waren in alle opzichten echt, alleen nooit verstrekt aan echte mensen.

Hij vroeg: 'Waar komen die van jou vandaan?'

'Een vriendin van Leach. Ze zei dat ze iemand kende die op mij leek.'

'En hoe heet je nu dan?'

Turner gaf antwoord door het rijbewijs naar hem toe te gooien met een snelle vingerbeweging, alsof het een truc met speelkaarten was. Illinois, Margaret Vega, een meter zeventig, bruine ogen, eenendertig jaar. Geen orgaandonor. Op de foto stond een lichtgetinte Latijns-Amerikaanse vrouw. Op het eerste gezicht leek ze wel een beetje op Turner, maar niet heel erg veel.

Reacher gooide het rijbewijs terug.

'En juffrouw Vega vond het prima om haar rijbewijs af te staan?' vroeg hij. 'Zomaar? En haar creditcard?'

'We moeten ze wel teruggeven. En we moeten alle uitgaven terugbetalen. Dat moest ik natuurlijk beloven. Maar daar is het geld van Billy Bob goed voor.'

'Daar gaat het niet om. Ze neemt nogal een risico.'

'Leach kan kennelijk nogal overtuigend zijn.'

'Alleen omdat ze denkt dat jij het waard bent.'

'Ze had geen vrienden die er net zo uitzien als jij. Daarom moesten we iets uit de kluis halen. Waarschijnlijk is meneer Kehoe het doelwit geweest bij een training. Hij ziet eruit als de man met de kettingzaag in een slasherfilm.'

'Dan komt het vast wel goed. Wanneer vertrekken we?'

'Zo snel mogelijk,' zei Turner. 'We pakken een vroege vlucht.'

Ze douchten en kleedden zich aan. Het enige wat ze hoefden in te pakken waren hun nieuwe tandenborstels. Die stopten ze in hun zak. Ze trokken hun jas aan. Ze lieten de gordijnen dicht en het licht uit. Reacher hing het bordje *Niet storen* aan de buitenkant aan de deurkruk, en toen zetten ze koers naar de lift. Het was net vijf uur geweest. Turner schatte dat de vluchten naar de Westkust vanaf een uur of zes zouden vertrekken. De keuze aan vliegtuigmaatschappijen zou waarschijnlijk beperkt zijn op Pittsburgh International, maar een paar waren er in ieder geval wel. In het ergste geval konden ze via San Francisco vliegen, of Phoenix of Las Vegas.

De lift stopte op de begane grond en ze stapten een verlaten lobby in. Er was niemand bij de receptie. Ook elders was niemand. Dus liet Reacher de sleutelkaarten in een prullenbak vallen. Ze liepen naar de uitgang, waar ze verzeild raakten in een na-u-nee-na-u-situatie met een man alleen, die precies dat moment had uitgekozen om vanuit het duister naar binnen te komen. Een gedrongen man in een marineblauw pak, een wit overhemd en een marineblauwe stropdas. Het haar keurig geknipt, in een beetje ouderwetse coupe, kort. Een blozend gezicht, net geschoren. De uitkomst was een soort pikorde in drieën. De man hield de deur open zodat Turner naar buiten kon stappen, Reacher wachtte, zodat de man naar binnen kon stappen, en als laatste stapte Reacher naar buiten.

Er stonden geen taxi's langs de stoeprand, maar er stond wel een shuttlebus van het hotel, met draaiende motor en open deur. Er zat geen chauffeur achter het stuur. Was zeker binnen, misschien naar het toilet.

Tien meter verderop stond een Crown Vic geparkeerd op een rijstrook die voor de brandweer was gereserveerd. Donkerblauw, schoon en glanzend, antennes op de kofferbak. Reacher keerde zich om en keek naar de ingang van het hotel. Achter in de lobby stond de man die hen was gepasseerd bij de ingang, te wachten bij de receptie. Marineblauw pak. Wit overhemd. Marineblauwe stropdas. Kort haar, blozend gezicht, glad geschoren.

Reacher zei: 'FBI.'

Turner zei: 'Ze hebben die namen gevolgd. Sullivan en Temple.' 'Hij liep ons zo voorbij. Hoe lang zou het duren voordat zijn hersens gaan werken?'

'FBI, dus dat duurt even.'

'We kunnen ook teruggaan naar de pick-up en zelf rijden.'

'Nee, die pick-up moet hier blijven. We moeten het spoor blijven afbreken. De bus in. De chauffeur komt zo terug. Moet wel, want hij heeft de motor laten draaien.'

Reacher zei: 'Dan zijn we honderd procent schietschijven.'

'Juist onzichtbaar,' zei Turner. 'Gewoon, lui die in de bus zitten.'

Reacher keek om. De man stond nog steeds bij de receptie. Niemand achter de balie. De shuttlebus was rijkelijk uitgedost met chroom en had een zakelijke uitstraling. Geblindeerde ramen. Een beetje glamour, voor de doorsnee reiziger.

Geblindeerde ramen. Gewoon lui in de bus. Roofdier en prooi, beweging en roerloosheid. Een oude erfenis van de evolutie. Reacher zei: 'Oké, we nemen de bus.'

Ze klommen aan boord, de vering gaf mee onder hun gewicht, ze schuifelden door een laag, smal gangpad en gingen halverwege aan de andere kant zitten.

Stilzitten en wachten.

Geen geweldig gevoel.

Het zicht naar buiten was ook niet geweldig, vanwege de afstand en de tint van de ramen en de lagen glas, maar Reacher zag de man nog steeds. Hij werd ongeduldig. Hij had zich omgekeerd om de lege lobby in te kijken en hij was een meter bij de balie vandaan gestapt. Nam bezit van meer ruimte, drukte zo zijn ongenoegen uit, maar bleef toch dicht genoeg bij de balie om absoluut de eerste in de rij te zijn die zou worden geholpen. Al had hij geen enkele concurrentie. En zou hij het eerstvolgende uur of zo ook geen concurrentie krijgen. De eerste passagiers met rode ogen zouden ook pas om een uur zes komen opdagen.

Toen deed de man plotseling een stap naar voren, een grote stap, gretig, alsof hij iemand wilde begroeten. Of aanklampen. Rechts verscheen een tweede figuur in beeld. Een man in een zwart uniform met een kort jasje. Een piccolo misschien. De FBI-man stelde een vraag, liet die vergezeld gaan van een maaiend gebaar met zijn arm, *waar is iedereen, verdomme,* en de man in het korte jasje aarzelde, alsof hij zich ongemakkelijk voelde omdat hij zich buiten zijn veilige eigen terrein moest begeven. Toen wurmde hij zich achter de balie en klopte op een deur, zonder resultaat, dus deed hij de deur op een kier open en riep hij iets naar binnen, vragend, en vijftien seconden later kwam een jonge vrouw naar buiten, die met haar vingers haar haar kamde. De FBI-man keerde zich naar de balie en de jonge vrouw positioneerde zich tegenover hem, en de man met het korte zwarte jasje liep de lobby uit naar buiten.

Geen piccolo.

De buschauffeur.

Hij klom aan boord en zag dat hij klanten had, wierp een blik in de richting van de lobby om te kijken of er nog meer zouden komen, en trok blijkbaar de conclusie dat dat niet het geval was, want hij vroeg: 'Binnenland of internationaal?'

Turner zei: 'Binnenland.'

De man liet zich op zijn stoel vallen, ontrolde een lange veiligheidsgordel, maakte die vast. De deur sloot met een hijgende zucht, en de man zette de bus in de versnelling.

Toen wachtte hij, omdat hij moest wachten, want een op dat moment arriverende auto manoeuvreerde rond de geparkeerde Crown Vic en blokkeerde de weg voor de bus.

Het was de auto met de gedeukte portieren.

43

De auto met de gedeukte portieren wrong zich langs de geparkeerde Crown Vic, remde af tot hij bijna stilstond en maakte aanstalten om pal voor de ingang van het hotel te parkeren. De bus trok op, de vrijgekomen ruimte in, traag en zwaar ploeterend, en reed vlak langs de auto. Reacher stond op en keek uit het raam. Alle vier de mannen zaten in de auto. De twee die hij de eerste avond had ontmoet, de derde man, en de grote man met de kleine oren. Het hele team was aanwezig.

'Laat ze,' zei Turner.

'We moeten ze buitenspel zetten.'

'Maar niet hier en niet nu. Later. Ze staan op een laag pitje, weet je nog?'

'Het is nu of nooit.'

'In de lobby van een hotel? Onder de ogen van een FBI-agent?'

Reacher strekte zich uit om over zijn schouder te kijken en zag de vier mannen uit de auto stappen. Ze keken naar links en naar rechts, snel en vloeiend, en liepen toen zonder te aarzelen naar binnen, achter elkaar, een krachtige, rechte lijn van mannen, één, twee, drie, vier, mannen met een dringende missie. Turner zei: 'Op de plaats rust, majoor. Een andere keer, op een andere plek. We gaan naar L.A.'

De bus versnelde en ze lieten het hotel achter zich. Reacher keek zolang er nog maar iets te zien was, en keerde zich pas toen weer om naar voren. Hij zei: 'Vertel me eens wat jij weet van hoe de FBI namen volgt.'

'De moderne wereld,' zei Turner. 'Homeland Security. Een operatie die helemaal afhankelijk is van informatie. Allerlei systemen zijn aan elkaar gekoppeld. Luchtvaartmaatschappijen in ieder geval, en ongetwijfeld ook luchthavenhotels. En in dat geval zou het weinig moeite kosten om een alarm in te stellen dat afgaat als twee namen op hetzelfde moment op dezelfde plaats opduiken.'

'Zou de FBI dergelijke informatie delen met anderen?'

'Ben je gek?'

'Dan moeten we nog eens opnieuw nadenken over de jongens helemaal bovenaan. Dat zijn geen heel hoge officieren. Dat zijn heel, *heel* erg hoge officieren. Denk je niet? Als ze op eigen kracht voortdurend maar in de database kunnen komen van Homeland Security, real time?'

'Misschien iets minder real time. Want de FBI was ze dit keer in ieder geval voor.'

'Iemand van het plaatselijke kantoor van de FBI in Pittsburgh.

Onze jongens moesten van verder weg komen. Die moeten veel eerder vertrokken zijn. Die moeten het hebben geweten voordat de FBI het te weten kwam. Ze hebben een eigen alarmsignaal.'

De hotelbus zette hen af bij de terminal. Ze gingen naar binnen om naar de vertrekborden te kijken. De eerstvolgende twee vluchten vertrokken een minuut na elkaar, U.S. Airways naar Long Beach en American Airlines naar Orange County.

'Voorkeur?' vroeg Turner.

'Long Beach,' zei Reacher. 'Dan huren we een auto. In rechte lijn de 710 op. En dan de 101. Die beëdigde verklaring van de moeder kwam van een advocatenkantoor in North Hollywood. Dan zal ze daar wel zijn.'

'Hoe wil je haar zoeken?'

'Ik begin op de parkeerplaats van haar advocaat. Dat is één plek waar ze haar niet weg zullen jagen.'

'Het kantoor van haar advocaat wordt ongetwijfeld in de gaten gehouden. Door mensen van het 75th en de FBI op zijn minst. En onze niet-officiële vrienden komen daar een uur of zes nadat ze hebben ontdekt dat wij niet in het hotel zijn ook naartoe.'

'Dan moeten we dus heel voorzichtig zijn.'

De ticketbalie van U.S. Airways was bezig open te gaan. Een opgewekte vrouw van een jaar of vijftig was een minuut lang druk in de weer met het opstarten van computers, het sorteren van labels en pennen, en toen keerde ze zich met een vriendelijke glimlach naar hen. Turner vroeg naar tickets naar Long Beach met de ochtendvlucht. De vrouw begon te typen op haar toetsenbord, met plat liggende vingers vanwege haar vingernagels, en zei dat er niet veel meer waren. Maar twee was geen probleem. Dus overhandigde eerst Turner en daarna Reacher het rijbewijs en de creditcard, afwezig en achteloos, alsof ze ze net uit een heel pak documentatie tevoorschijn hadden gehaald. De vrouw legde ze voor zich op een rijtje, voor een plaats aan het raam en een aan het gangpad. Ze typte de namen, bewoog haar hoofd op en neer tussen de rijbewijzen en het scherm, haalde de creditcards door een kaartlezer, typte nog het een en ander met twee vingers in, klikte wat met een muis, en toen spuugde de machine twee instapkaarten uit. De vrouw pakte ze op, sorteerde ze met het juiste rijbewijs en de juiste creditcard en zei: 'Mevrouw Vega, meneer Kehoe, alstublieft.' Ze gaf hun de pakketjes, een beetje ceremonieel.

Ze bedankten haar en liepen weg. Reacher vroeg: 'Daarom moest ik van jou een trui kopen, toch?'

'Jij gaat je dochter ontmoeten,' zei Turner. 'De eerste indruk is heel belangrijk.'

Julia belde Romeo, want er was een verdeling van taken en sommige verantwoordelijkheden waren zijn verantwoordelijkheden, en hij zei, opgewonden: 'Onze jongens staan in de gang, op dit moment, pal voor hun kamer.'

Romeo vroeg: 'Gang?'

'Gang in het hotel. Hotelkamer. Onze jongens zeggen dat het donker is in die kamer. Het is er stil, er hangt een bordje *Niet storen* aan de deurkruk, en ze hebben nog niet uitgecheckt.'

'Dus ze zijn in die kamer?'

'Dat moet wel.'

'Waarom staan onze jongens dan in de gang?'

'Omdat er een probleem is.'

Romeo zei: 'Wat voor probleem?'

'De FBI is er.'

'Waar?'

'Bij onze jongens. Letterlijk. In de gang. Staan daar gewoon maar een beetje te staan. Eén man alleen. Hij kan niets doen, want hij denkt dat er vier burgergetuigen bij zijn. Wij kunnen niets doen omdat er een FBI-getuige bij is. Ze staan met z'n allen maar een beetje te staan.'

'In de gang?'

'Pal voor hun kamer.'

'Weten we zeker dat ze daarbinnen zijn? Absoluut zeker?'

'Waar zouden ze anders moeten zijn?'

'Zijn ze allebei binnen?'

'Waarom vraag je dat?'

'Omdat ik een beetje aan het knippen en plakken ben geweest.'

'Waarmee?'

'Data. Nadat ze de thuisbasis had gebeld. Dat begreep ik niet helemaal. Het leek me dat een paar voorzorgsmaatregelen op hun plaats zouden zijn. Een van de dingen die ik op de alarmeringslijst heb gezet was de undercoverkluis van het 110th. Zonder echte reden. Gewoon om het gevoel te hebben dat ik alles had gedaan wat ik kon doen. Maar ik heb net iets teruggekregen. Een van ID's uit die kluis heeft net een ticket gekocht bij U.S. Airways, van Pittsburgh naar Long Beach in Californië.'

'Voor wanneer?'

'Eerste vlucht vanochtend. Over ongeveer een halfuur.'

'Eén ID?'

'Geen enkele andere ID vertoont tekenen van leven.'

'Welke wel?'

'Michael Dennis Kehoe. De man, met andere woorden. Ze hebben zich opgesplitst. Dat moesten ze wel, denk ik. Het enige wat de vrouw heeft, is de legitimatie van Helen Sullivan, en zo langzamerhand zullen ze wel in de gaten hebben gekregen dat iemand die Helen Sullivan heet de eerstkomende tijd niet vliegt. Niet zonder uitgebreide toestanden en narigheid vooraf. En dat kan Turner zich niet veroorloven. Dat betekent dat Reacher alleen op weg is naar Californië. Dat klinkt ook zinnig. Hij heeft daar iets te zoeken, Turner niet.'

Julia zei: 'Misschien is Turner in haar eentje in die kamer.'

'Logisch, als Reacher onderweg is naar Californië.'

'Heel logisch. Als hij echt onderweg is.'

'Maar niet als hij niet onderweg is. Dat moeten we nu meteen weten. We moeten een deal sluiten met de FBI. Wij houden onze mond dicht en zij houden hun mond dicht. Zoiets. Maar onze jongens moeten die kamer in, nu meteen. Ook al loopt de FBI met ze mee.'

Turner was de commandant en zij wilde zo snel mogelijk de lucht in. Ze had het idee dat de luchthavenbeveiliging een barrière zou kunnen vormen. Voor de vier mannen, in ieder geval. Als die tenminste op de luchthaven zouden verschijnen. En misschien zou hun dat wel lukken, als ze met de buschauffeur hadden gepraat. Twee passagiers? Jazeker meneer, binnenlands. Maar de luchthavenbeveiliging zou van geen enkel nut zijn tegen de FBI of het leger. Die lui liepen gewoon langs de rij naar voren en vervolgens naar binnen door een zijdeur.

Dus niet echt een barrière, meer een soort filter.

Ze hadden niets van metaal in hun zakken, op wat kleingeld na, dat ze bij elkaar in een versleten zwarte bak legden. Ze stapten door het poortje, stuk voor stuk, gewoon twee mensen zonder jas, zonder schoenen, deel van een groeiend gezelschap. Ze trokken hun jas en hun schoenen weer aan, verdeelden het kleingeld en gingen op zoek naar koffie.

Julia belde Romeo en zei: 'Onze jongens hebben een kijkje genomen in de hotelkamer. Ze hadden gezegd dat ze zich zorgen maakten om hun vriend, en de man van de FBI leefde onmiddellijk mee. Het openen van de deur had veel weg van openbare dienstverlening.'

Romeo zei: 'En?'

'Er was niemand in de kamer.'

'Ze zijn op het vliegveld?'

'Allebei?'

'Een van de vrouwelijke passagiers voor diezelfde vlucht van U.S. Airways heeft een creditcard gebruikt van een bank in Arlington County. Een vrouw die Margaret Vega heet.'

Julia zei: 'En?'

'Ze heeft heel laat geboekt. Pas het afgelopen uur.'

'En?'

'Ze was een van de twee enige passagiers die op dat moment boekten. De andere was Michael Dennis Kehoe. De tickets zijn binnen een minuut na elkaar tegen hun creditcards geboekt.'

'Hoe komt Turner aan een creditcard op naam van Margaret Vega?'

'Dat weet ik niet. Nog niet.'

'Niet uit de undercoverkluis?'

'Nee, waarschijnlijk iemand die echt bestaat. Op de thuisbasis misschien. Ik zoek het uit.'

'Hoe laat vertrekt die vlucht?'

'Ze beginnen over ongeveer een kwartier met instappen.'

'Oké, ik stuur de jongens meteen naar het vliegveld, kunnen ze daar in ieder geval op de grond rondkijken.'

'Ik ben je voor,' zei Romeo. 'Ze kunnen vliegen. Zelfs met hetzelfde vliegtuig, als dat moet. Ik heb twee plaatsen en twee keer stand-by. Wat overigens niet meeviel. Het lijkt erop dat die vlucht helemaal vol zit. Zeg maar tegen ze dat de instapkaarten bij de ticketbalie liggen.'

De gate was een brede, ruime hal, met vloerbedekking, geschilderd in rustgevende pasteltinten, maar allesbehalve rustig, want er stonden meer dan honderd mensen opgepropt bij elkaar. Het was duidelijk dat de vlucht van Pittsburgh naar Long Beach populair was. Reacher kon niet zo goed bedenken waarom. Al had hij wel ergens gelezen dat Pittsburgh meer en meer gewild was als stad om films op te nemen. Vanwege geld. Er werden financiële voordelen in het vooruitzicht gesteld en de productiebedrijven reageerden daarop. Er waren al allerlei films geschoten, en er zat nog meer in de planning. Dus misschien waren dit wel mensen uit het wereldje, op weg naar huis. De luchthaven van Long Beach was niet minder geschikt voor bestemmingen in Hollywood en Beverly Hills dan LAX. Hetzelfde geploeter over de snelweg. Hoe dan ook, het was een ongedisciplineerde menigte mensen. Zoals altijd probeerde Reacher een beetje buiten het gewoel te blijven, maar Turner was de commandant en zij wilde zo snel mogelijk in het vliegtuig zitten. Alsof die smalle romp buitenlands grondgebied was, net zoiets als een ambassade in een vreemd land, anders dan de stad eromheen. Ze hadden plaatsen met een hoog rijnummer, wat betekende dat hun stoelen ver achter in het toestel zouden zijn, wat weer betekende dat ze aan boord zouden gaan voor de meeste anderen, direct na de kreupelen en de lammen, en de gezinnen met kleine kinderen, en de eerste klas, en de frequent flyers. Dus probeerde Turner zo dicht mogelijk bij de balie te komen. Ze had het atletische van een klein postuur. Ze maakte gebruik van ruimten om tussen mensen door te glippen die voor Reacher veel te klein waren. Maar hij volgde haar volhardend en arriveerde ongeveer een minuut later dan Turner op de plek waar zij stond.

Op ongeveer datzelfde moment begonnen ze met de instapprocedure. Een vrouw opende de officiële toegangsdeur en pakte een microfoon met een gekruld snoer, de menigte begon te dringen, rolstoelen werden naar voren geduwd, oude mannen met wandelstokken hinkten erachteraan, dan kwamen vaders en moeders die kinderen droegen, gevolgd door extreem gecompliceerde constructies voor het vervoer van kleine kinderen, en dan kwamen snelle mannen en vrouwen in pakken naar voren, en daarna werd Reacher meegevoerd in de stroom, door de vliegtuigslurf, door koude lucht en de stank van kerosine, om uiteindelijk in het vliegtuig te belanden. Hij trok zijn schouders op en neeg het hoofd en liep door het gangpad naar zijn stoel. Een smal ding met precies genoeg beenruimte als hij zich volledig dubbelvouwde en stijf rechtop ging zitten. Naast hem zag Turner er heel wat opgewekter uit. Zij had het soort postuur waarvoor de stoelen waren ontworpen.

Ze klikten hun gordels vast en wachtten.

Romeo belde Julia en zei: 'Ik kijk op dit moment naar het systeem van U.S. Airways.'

Julia zei: 'En?'

'Slecht nieuws, ben ik bang. Kehoe en Vega zijn al aan boord. En we zijn net onze beide stand-byplaatsen kwijtgeraakt. Twee frequent flyers zijn komen opdagen en hebben ze opgeëist. Die hebben voorrang.'

'Kun je U.S. Airways niet opbellen en zeggen dat ze geen voorrang hebben?'

'Dat zou ik kunnen doen, maar ik denk niet dat ik dat doe. De luchtvaartmaatschappij zou het in rekening brengen. Zo werkt dat tegenwoordig. Goodwill wordt kennelijk ook in rekening gebracht, in ieder geval als Uncle Sam de rekening moet betalen. En bij een rekening hoort papierwinkel en dat kunnen we ons niet veroorloven. Dus we zullen ermee moeten leren leven. We hebben in ieder geval twee man aan boord.'

'Welke twee?'

'Het is blijkbaar alfabetisch afgehandeld.'

'Niet ideaal,' zei Julia.

'Op het moment hebben we alleen oren en ogen nodig. De status-quo handhaven. Ik heb voor de twee anderen plaatsen aan boord van een vlucht van American naar Orange County. Dan kunnen ze elkaar in Californië weer opzoeken.'

Reacher staarde voor zich uit, door de lange aluminium buis, en zag mensen naar binnen schuifelen, naar rechts draaien, nog een eindje schuifelen, turen naar stoelnummers, en grote koffers en bultige jassen stouwen in de bovenkastjes. Bagage, bagage, verplichtingen. Niet zijn ding. Sommige van de gezichten die hem tegemoetkwamen, waren vrolijk, maar de meeste stonden somber. Hij herinnerde zich dat hij als kind had gevlogen, lang geleden, op kosten van het leger, met allang in vergetelheid geraakte vliegtuigmaatschappijen als Braniff, Eastern en Pan American, toen vliegen met straalvliegtuigen nog een zeldzaamheid was, iets exotisch waarvoor mensen zich op hun paasbest kleedden en glommen van opwinding om het nieuwe, onbekende. Pakken en stropdassen, en zomerjurken, en soms zelfs handschoenen. Borden van porselein, melkbekers van aardewerk en bestek van zilver.

Toen zag hij de man die hij een klap tegen de zijkant van zijn hoofd had gegeven.

44

Vergissen was uitgesloten. Reacher herinnerde zich hem maar al te goed. Bij het motel, de eerste avond, de auto die plotseling opdook, nog niet gedeukt, de man die aan de passagierskant uitstapte en om de auto heen liep en begon met zijn verbale koetjes en kalfjes.

We maken ons geen zorgen over jou, ouwe.

Reacher herinnerde zich de lange linkse hoek, het gevoel van het bot, en het opzij wegklappen van het hoofd. En later had hij hem opnieuw gezien, de volgende dag, van een afstandje op de parkeerplaats van het motel, en voor de derde keer had hij hem een halfuur geleden gezien, toen hij uit de auto stapte bij het hotel.

Dezelfde man, geen twijfel mogelijk.

En pal achter hem liep de man die Reacher in gedachten de derde man noemde. Niet de chauffeur van de eerste avond, en ook niet de grote man met de kleine oren, maar de extra spierballen van de tweede dag. Beide mannen spiedden rond, voor zich uit, links en rechts, dichtbij en verder weg, tot ze hun prooi ontdekten. Toen keken ze razendsnel weg en gedroegen ze zich als pasgeboren lammetjes. Reacher keek wie er achter hen liep, maar dat was een vrouw, en daarachter liep, als laatste, nog een vrouw. De stem van de steward klonk uit de luidsprekers, met de mededeling dat hij op het punt stond om de deur van de cabine te sluiten en dat iedereen alle draagbare elektronica moest uitzetten. Beide mannen schuifelden verder door het gangpad en lieten zich in hun stoel vallen, in van elkaar gescheiden stoelen, één links en één rechts, drie en vier rijen verder naar voren.

Turner zei: 'Dit is krankzinnig.'

'Verdomd zeker,' zei Reacher. 'Hoe lang duurt deze vlucht?'

Een vraag die meteen werd beantwoord, niet door Turner, maar door de steward, wiens stem opnieuw uit de luidsprekers klonk, met nieuwe standaardmededelingen. Hij zei dat de computer een vluchttijd aangaf van vijf uur en veertig minuten, vanwege tegenwind.

Reacher zei: 'Dat op een laag pitje zetten werkt niet. Het werkt voor geen meter. Omdat zij er niet aan meewerken. Ik bedoel, wat gebeurt er eigenlijk? Nu zitten ze bij ons in het vliegtuig? Waarom? Wat willen ze doen? Onder het oog van honderd mensen in een klein aluminium buisje?'

'Misschien is het niet meer dan een surveillance op korte afstand.'

'Hebben ze ogen in hun achterhoofd?'

'Dan is het misschien wel een soort waarschuwingsschot. Zodat we geïntimideerd raken.'

'Jaah, nu word ik echt bang. Ze hebben Zaagselhersens en Baggerhersens gestuurd.'

'En waar zijn die andere twee?'

'Vliegtuig zit vol,' zei Reacher. 'Misschien konden ze niet meer krijgen dan twee stoelen.'

'Maar dan vraag je je af waarom die grote kerel niet in het vliegtuig zit.'

'De vraag is niet waarom of waarom niet, maar hoe. Hoe doen ze dit? Ze zijn begonnen met helemaal niets en nu zitten ze maar vijf minuten achter ons. En voor zover zij weten, hebben wij geen legitimatie. Los van Sullivan en Temple, en ze moeten bedacht hebben dat wij weten dat niemand die Sullivan of Temple heet vandaag aan boord van een vliegtuig komt, in ieder geval niet zonder heel nauwkeurige controle. Dus hoe konden zij weten dat wij op weg waren naar de vertrekhal? Waarom zouden we, zonder legitimatie? Het lag veel meer voor de hand dat we op weg waren naar de parkeerplaats om weer de weg op te gaan.'

'De buschauffeur moet het ze hebben verteld.'

'Te snel. Die is nog niet eens terug. Het zijn dezelfde lui weer. Er is geen informatie waar ze hun vingers niet achter krijgen. Ze zitten in het computersysteem van de luchtvaartmaatschappij, op dit moment. Ze hebben gezien dat we tickets hebben gekocht, en ze hebben gezien dat we zijn ingestapt. Dat betekent dat ze ook in de undercoverkluis zitten. Want waarom zou de naam Kehoe anders iets voor hen betekenen? Ze zien alles wat we doen. Elke stap die we zetten. We zitten in een vissenkom.'

'In dat geval moeten ze Vega ondertussen ook aan Kehoe hebben gekoppeld. Omdat we op hetzelfde moment geboekt hebben, en omdat we naast elkaar zitten. Dan weten ze dat ik Vega ben. Dat betekent dat de echte Vega grote problemen heeft. En Leach als tussenpersoon bij het lenen van die ID. En omdat ze de spullen heeft afgeleverd. We moeten ze waarschuwen.'

'We kunnen geen van beiden waarschuwen. We kunnen helemaal niets doen. Niet de komende vijf uur en veertig minuten.'

Het vliegtuig taxiede log en zwaar voor een vertrekkend toestel van American Airlines uit. Dat moest de vlucht naar Orange County zijn, die een minuut na hen zou vertrekken, dacht Reacher. Het was nog donker in de lucht. Er was geen spoor van de zon te zien.

Toen draaide het vliegtuig de startbaan op en bleef stilstaan, alsof het zich voorbereidde, de motoren begonnen te brullen en het vliegtuig accelereerde, denderde voort over de naden tussen de betonplaten, niet te stoppen, en Reacher keek uit het raam en zag hoe de aarde onder hen wegviel en hoe de brede aluminium vleugel doorboog onder het gewicht. De lichten van Pittsburgh fonkelden in de verte, in ronde brokken gesneden door brede, zwarte rivieren.

Drie en vier rijen voor hen zaten de twee mannen angstvallig voor zich uit te staren. Beiden hadden een stoel in het midden. De minst aantrekkelijke plaatsen, die daarom het laatst verkocht werden. Links zat de man van de eerste avond. Naast hem bij het raam zat een jongere vrouw en bij het gangpad een oudere vrouw. Rechts zat de extra man van de tweede dag. Naast hem bij het raam zat een oude man met wit haar, een van de mensen die als eersten aan boord waren gegaan, dacht Reacher, met een wandelstok. Bij het gangpad zat een vrouw in een pak, die meer op haar plaats zou zijn geweest in de eerste klas. Misschien was het een zakenreis voor haar. Misschien had haar baas gesneden in de reiskostenvergoedingen.

Turner zei: 'Ik wou dat ik wist wie ze waren.'

'Dit keer zitten ze in een vliegtuig,' zei Reacher. 'Niet in een auto. Dat impliceert twee dingen, zeker weten. Dit keer hebben ze legitimatie op zak. Maar geen wapens.'

'Hoe hoog in de boom zou je moeten zoeken om iemand te vinden die vierentwintig uur per dag, zeven dagen in de week, onbeperkt toegang heeft tot elk nationaal beveiligingssysteem van dit land?'

'Ik neem aan dat alles anders is geworden na 11 september. Ik was vier jaar voor die tijd al weg. Maar ik denk dat je dan minstens brigadegeneraal moet zijn. Alhoewel, de toegang is niet onbeperkt. Het is een paranoïde stel. Ze hebben allerlei controlemechanismen. Een beetje privé snuffelen in de passagierslijsten van luchtvaartmaatschappijen om vijf uur 's ochtends is van een heel ander kaliber.'

'Wie dan wel?'

'Bekijk het eens van de andere kant. Hoe ver zou je omlaag moeten gaan in de hiërarchie? De president zou het kunnen doen. Of de Nationale Veiligheidsadviseur. En iedereen die regelmatig in de *Situation Room* komt. Met andere woorden: de stafchefs. Behalve dan dat dit een verantwoordelijkheid rond de klok is, die al meer dan tien jaar bestaat. Er zal dus vast een apart bureau voor zijn. Een plaatsvervangend stafchef van het Witte Huis. Iemand om op terug te vallen, die overal bovenop moet zitten, voortdurend. Die zou wanneer hij maar wil toegang hebben. Geen beperkingen en veiligheidsmechanismen voor hem, omdat hij de man is die alle veiligheidsrapporten op zijn bureau krijgt.'

'Dus we hebben te maken met een plaatsvervangend stafchef?'

'Hoe hoger in de boom, hoe harder de smak.'

'Die een complot smeedt met iemand in Afghanistan?'

'Die lui kennen elkaar allemaal. Ze leiden een druk sociaal leven. Waarschijnlijk hebben ze samen op school gezeten.'

'Maar wie zijn die kerels in dit vliegtuig dan? Die zien er niet echt uit of ze in het Pentagon werken.'

Reacher gaf geen antwoord. Hij keek voor zich uit en wachtte. Tien minuten later werd zijn geduld beloond. De vrouw in het keurige zakenpak stond op en zette koers naar het toilet.

45

Reacher wachtte tot de vrouw hen was gepasseerd, maakte toen zijn gordel los, stond op en liep door het gangpad naar voren. Eén rij, twee rijen, drie, vier. Hij liet zich vallen op de stoel die de vrouw net had verlaten, en omdat hij door twee dagen rusten extreem fit was, denderde hij nogal tegen de oude man met het witte haar en de wandelstok aan, die diep in slaap met zijn hoofd tegen het raam gezakt zat.

Reacher zei: 'Laat je ID eens zien.'

Dat deed de man niet. Hij bleef stokstijf zitten, volledig van zijn stuk, ingeklemd tegen zijn prooi als een sardientje in een blik. Hij droeg een soort cargobroek van nylon en een zwart T-shirt onder een zwart jack. Hij droeg een Hamilton-horloge om zijn linkerpols. Waarschijnlijk was hij dus rechtshandig. Hoeveel tijd hebben vrouwen nodig op het toilet? Voor zover Reacher zich kon herinneren, waren ze niet bliksemsnel. Een minuut of vier misschien. Dat was drie minuten meer dan hij nodig had.

Hij boog naar voren, alsof hij de rugleuning voor zich een kopstoot zou geven, ging met een ruk naar rechts, en weer rechtop, één ononderbroken, vloeiende beweging, zodat de man klem kwam te zitten achter zijn rechterschouder en bovenarm. Hij pakte de rechterpols van de man en trok diens hand naar zich toe, waarbij de pols draaide, zodat de knokkels naar hem toe gericht waren en de handpalm de andere kant op, en met zijn linkerhand greep hij de rechterwijsvinger van de man en zei: 'Nu mag je kiezen. Je incasseert het als een man, of je gaat gillen als een klein kind.'

Hij brak de wijsvinger van de man door hem negentig graden omlaag te wrikken en bij de eerste knokkel te breken en daarna over de bal van zijn duim bij de tweede knokkel. De man probeerde op te springen en begon te wurmen en hijgde in shock en van pijn, maar hij gilde niet. Niet als een klein kind. Niet waar honderd andere mensen bij waren.

Daarna brak Reacher zijn middelvinger, op dezelfde manier, op dezelfde twee plaatsen. Toen probeerde de man zijn rechterarm vrij te krijgen, wat Reacher toestond, maar alleen om de andere hand van de man te pakken en dezelfde twee vingers van die hand hetzelfde lot te laten ondergaan.

Toen zei hij: 'ID?'

De man gaf geen antwoord. Dat kon hij niet. Hij was te druk bezig met jammeren en zijn gezicht vertrekken van pijn en staren naar zijn geruïneerde handen. Zijn vingers staken onder vreemde hoeken alle kanten op, gebogen in L-vorm. Reacher klopte van dichtbij op zijn zakken, trok en duwde hem heen en weer om bij alle zakken te kunnen komen. In de meeste zakken zat niets bijzonders, maar in de rechterheupzak voelde hij een typerende bult. Een driedubbele portemonnee, zonder twijfel. Hij trok hem tevoorschijn en stond op. Aan de andere kant van het gangpad en een rij verder naar achteren was de andere man half opgestaan. De vrouw in het zakenpak kwam door het gangpad teruglopen. Ze hield even in om hem de kans te geven te gaan zitten en liep toen verder.

Reacher liet de portemonnee bij Turner op schoot vallen en maakte zijn gordel weer vast. Ze vroeg: 'Wat heb je met hem gedaan?'

'Die haalt geen trekker meer over de eerstkomende twee weken. En hij slaat ook niets meer. En autorijden zal hij ook wel niet. Of zijn broek dichtknopen. Hij doet niet meer mee. Voorkomen is beter dan genezen. Eerst wraak nemen.'

Turner gaf geen antwoord.

'Ik weet het,' zei Reacher. 'Als een roofdier. Meer dan wat je ziet, is er niet.'

'Nee, goed gedaan.'

'Hoe zag het eruit?'

'Hij hupte een beetje op en neer. Ik wist dat er iets gaande was.'

'Wat zit er in de portemonnee?'

Turner maakte de portemonnee open. Het was een dik, oud exemplaar, gemaakt van fatsoenlijk leer dat zich had gevormd om de inhoud. En dat was heel wat. In het achterste deel zat geld in twee compartimenten, een gezond pak biljetten van twintig, meer dan een halve centimeter dik, maar geen biljetten van meer dan twintig, en een dunner pakje met briefjes van één, vijf en tien dollar. In het voorste deel zaten drie vakjes voor creditcards. Bovenop, in het midden, zat een rijbewijs uit North Carolina, met een foto van de man, op naam van Peter Paul Lozano. Achter het rijbewijs zat een stapeltje creditcards – Visa en MasterCard en Discover en American Express – en nog meer in de vakjes links en rechts, allemaal geldige, niet-verlopen creditcards op naam van Peter P. Lozano.

Geen militaire legitimatie.

'Is de man burger?' vroeg Turner. 'Of opgeschoond?'

'Ik vermoed opgeschoond,' zei Reacher. 'Maar dat kan kapitein Edmonds ons wel vertellen. Ik zal de naam aan haar doorgeven. Zij werkt bij HRC.'

'Ga je de naam van die andere man ook nog ophalen?'

'Twee werkt beter bij een driehoeksmeting dan één.'

'Hoe ga je dat doen?'

'Ik bedenk wel iets.'

Vier rijen voor hen zat de man die Peter Paul Lozano heette voorovergebogen te wiegen op zijn stoel, alsof hij zijn handen onder zijn armen geklemd hield om de pijn de baas te blijven. Een stewardess kwam langs en hij keek vluchtig naar haar, alsof hij iets wilde zeggen, maar toen keek hij weer weg. Want wat moest hij zeggen? Er is een gemene man langsgekomen die me pijn heeft gedaan? Als een klein kind? Als een verklikker in de kamer van het hoofd van de school? Duidelijk niet zijn stijl. Niet waar honderd andere mensen bij waren.

'Militair,' zei Reacher. 'Denk je niet? Ze hebben hem geleerd zijn mond te houden.'

Toen wurmde de andere man zich langs de oude dame naast hem. De man van de eerste avond, die met alle verbale koetjes en kalfjes. Hij stapte een rij naar voren en boog voorover om met zijn maat te praten. Het ontwikkelde zich tot een waar gesprek. Er was gepraat over en weer. De verwondingen werden getoond, er werden vijandige blikken over de schouder geworpen. De vrouw in het zakenpak keek een andere kant op, een nietszeggende blik bevroren op haar gezicht.

Turner zei: 'Dat lukt geen tweede keer. Een gewaarschuwd man telt voor twee. De man krijgt verdorie een compleet verslag.'

'En hij hoopt maar dat zijn maatje een sterke blaas heeft.'

'Denk je echt dat Edmonds het dossier van 3435 voor ons te pakken krijgt?'

'Het lukt haar wel of het lukt haar niet. Vijftig procent kans. Alsof je een munt opgooit.'

'En het maakt jou niet uit wat het wordt, hè?'

'Ik zou dat dossier liever wel in handen hebben.'

'Maar je zou er niet kapot van zijn als het niet lukt. Omdat ernaar vragen al genoeg was. Ernaar vragen is zo ongeveer de boodschap doorgeven dat we nog maar één stap te gaan hebben. Alsof we in hun nek staan te hijgen.'

'Ik zou dat dossier liever wel in handen hebben,' zei Reacher nog een keer.

'Net als deze kerels in het vliegtuig. Die stuur je kapot weer terug. Je stuurt ze een boodschap, hè?'

Reacher zei niets.

Reacher hield met één oog de man van de eerste avond, drie rijen voor zich, links, in de gaten. De vrouw die naast hem zat bij het raam, leek te slapen. Van achteren zag ze er jong uit, gekleed als een dakloze. Bepaald geen zomerjurk, en geen handschoenen. Maar ze zag er schoon uit. Iemand uit het filmwereldje misschien. Niet al te belangrijk, omdat ze tweede klasse vloog. Niet iemand aan de top. Misschien een stagiaire, een assistent van een assistent. Misschien was ze op zoek geweest naar locaties, of kantoorruimte. De oudere vrouw bij het gangpad zag eruit als een oma. Misschien was ze op weg naar haar kleinkinderen. Misschien hadden haar voorouders voor Carnegie and Frick gewerkt, in hun wrede fabrieken, en hadden haar kinderen zich, toen het slechter ging met Pittsburgh, aangesloten bij de grote uittocht uit de *Rustbelt* naar zonniger oorden. Misschien leidden ze een droomleven in het warme zuiden van Californië.

Reacher wachtte.

Tot het uiteindelijk bleek dat de man zelf een blaas had die niet opgewassen was tegen vijf uur vliegen. Misschien te veel koffie 's morgens vroeg. Of sinaasappelsap. Of water. Hoe dan ook, de man stond op, wurmde zich voor oma langs, keek het gangpad op en neer – zijn blik kruiste die van Reacher – en toen deed hij een paar aarzelende stappen in de richting van de toiletten achter in het vliegtuig, terwijl hij voortdurend Reacher bleef aankijken, één rij, twee, drie. Toen hij ter hoogte van Reacher was, keerde hij zich om en liep achteruit verder, voortdurend de ogen gericht op Reacher, overdreven, alsof hij wilde zeggen *vergeet het maar dat je mij ongemerkt te grazen kunt nemen.* Hij tastte onhandig achter zijn rug naar de deurkruk en stapte achteruit het hokje in, zijn ogen tot op het allerlaatste moment op Reacher gericht. Toen sloot hij de deur en schoof de grendel ervoor.

Hoeveel tijd hebben mannen nodig op het toilet?

Over het algemeen minder dan vrouwen.

Reacher maakte zijn gordel los en stond op.

46

Reacher wachtte buiten het toilet, geduldig, als een doorsnee passagier, als de volgende die aan de beurt was. De deur was een standaardconstructie, die dubbelklapte bij het openen, scharnieren rechts, crèmekleurig, een beetje groezelig. Geen verrassingen. Toen hoorde Reacher het plotse gedempte zuiggeluid van het doorspoelen, daarna bleef het even stil, het handen wassen, hoopte hij, en daarna maakte het rode *Bezet* plaats voor het groene *Vrij*, en vouwde het midden van de deur naar binnen en schoof de linkerrand van de deur over de rails. Op het moment dat de deur driekwart van zijn tocht had volbracht, draaide Reacher razendsnel op zijn hakken om en sloeg hij de muis van de linkerhand door de breder wordende opening, raakte de man tegen de borst en ramde hem achteruit tegen de wand achter de toiletpot.

Reacher wrong zich naar binnen in het toilethokje en duwde de deur weer dicht met zijn heup. Er was weinig ruimte. Amper genoeg voor Reacher alleen. Hij stond stevig tegen de man aangeklemd, borst tegen borst, gezicht tegen gezicht. Hij maakte een halve draai naar links, zodat hun heupen elkaar raakten, zodat hij geen knie in zijn kruis kon krijgen, en hij ramde zijn rechteronderarm horizontaal tegen de keel van de man, om hem vast te zetten tegen de achterwand. De man begon te wurmen en te worstelen, maar zonder resultaat, want hij kon zich niet meer dan een centimeter of vijf bewegen. Geen ruimte om uit te halen, geen momentum. Reacher leunde zwaar naar voren, draaide zijn linkerhand achterstevoren, greep de rechterpols van de man en draaide die als een deurkruk, zodat terwijl Reachers arm terugdraaide de arm van de man meedraaide, steeds verder, steeds harder, meedogenloos, totdat de man eigenlijk een pirouette moest draaien of een radslag moest maken om de toenemende, martelende druk op te heffen, wat uiteraard volstrekt onmogelijk was, vanwege het gebrek aan ruimte. Reacher bleef doordraaien tot de elleboog van de man recht naar voren, naar hem toe stak. Hij tilde de arm van de man op, steeds hoger, terwijl hij nog verder doordraaide, tot de bovenarm horizontaal was, een centimeter verwijderd van de zijwand. Toen haalde hij zijn rechterarm van de keel van de man en ramde hij zijn eigen elleboog omlaag op die van de man, verbrijzelde de elleboog, waardoor de arm ineens dubbelvouwde onder een hoek waarvoor geen arm is ontworpen. De man gilde. Reacher hoopte dat het geluid zou worden gedempt door de deur of verloren zou gaan in het ruisen van de lucht. De man zakte in elkaar op het toilet en Reacher brak zijn andere arm, op dezelfde manier: draaien, draaien, rammen met de elleboog. Daarna trok hij hem overeind bij zijn kraag en doorzocht zijn zakken, een paar centimeter van de man vandaan, dichtbij en intiem. De man stribbelde nog steeds tegen, zijn dijen werkten alsof hij op een denkbeeldige fiets reed, maar hij produceerde geen enkele effectieve kracht, omdat ze zo dicht op elkaar stonden. Reacher voelde niet meer dan een onderhuids trillen.

De portemonnee van de man zat in een zak op zijn rechterheup, net als bij de andere man. Reacher pakte de portemonnee, draaide naar links en stootte zijn elleboog hard tegen de borst van de man, die opnieuw onderuitzakte op het toilet. Reacher maakte zich los uit de wirwar van slappe benen en drukte met zijn schouder de deur open. Hij sloot hem, zo goed en zo kwaad als dat ging, achter zich en liep terug naar zijn stoel.

De tweede portemonnee zat ongeveer even vol als de eerste. Een gezond pakketje biljetten van twintig, een paar leerachtige biljetten die de man als wisselgeld terug had gekregen, een pak creditcards en een rijbewijs uit North Carolina, met een foto van de man erop, op naam van Ronald David Baldacci.

Geen militaire legitimatie.

Reacher zei: 'Als er één opgeschoond is, zijn ze dat allemaal.'

'Of het zijn allemaal burgers.'

'Of niet.'

'Dan zijn het beroeps uit Fort Bragg. Met rijbewijzen uit North Carolina.'

'Wie zitten er tegenwoordig in Fort Bragg?'

'Zo'n veertigduizend man op bijna zeshonderdvijftig vierkante kilometer. Bij de laatste volkstelling was het gewoon een complete stad. Er zit veel luchtmacht, onder andere het 82nd. En Special Forces, en tactische oorlogsvoering, en het Kennedy Special Warfare Centre, en het 16th MP, en een heleboel ondersteuning en logistiek.'

'Een komen en gaan van en naar Afghanistan dus.'

'Met die lui van logistiek erbij. Ze hebben de spullen erheen gebracht, en nu halen ze die weer op. Of niet.'

'Denk je nog steeds dat dit een herhaling is van die zwendel van Big Dog?'

'Ja, maar dan groter en beter. En ik denk niet dat ze het spul hier thuis verkopen. Ik denk dat ze het aan de mensen daar verkopen.'

'We komen er wel achter,' zei Reacher. 'We hebben immers nog maar één stap te gaan.'

'Terug op een laag pitje,' zei Turner. 'Je hebt geregeld wat je moest regelen. Nu gaan we bij je dochter op bezoek.'

Een minuut of vijf later kwam de man uit het toilet, bleek, transpirerend, ogenschijnlijk kleiner, beduidend verzwakt. Alleen het onderste deel van zijn lichaam bewoog, hij hield zijn bovenlichaam stijf, als een robot die maar half functioneert. Hij stommelde door het gangpad, perste zich langs oma en liet zich voorzichtig op zijn stoel zakken.

Reacher zei: 'Hij zou de stewardess om een aspirientje moeten vragen.'

Daarna keerde de normale gang van zaken tijdens de vlucht terug en begon het te lijken op de meeste vluchten die Reacher had gemaakt. Er werd geen maaltijd geserveerd. Niet in de tweede klasse. Je kon spullen kopen, vooral kleine chemische bolletjes, vermomd als verschillende natuurlijke producten, maar Reacher noch Turner kocht iets. Ze zouden in Californië wel iets eten. Dat zou hen hongerig maken, maar Reacher vond het niet erg om honger te hebben. Hij was van mening dat honger hem scherp hield. Hij was van mening dat het zijn creativiteit stimuleerde. Ook zo'n erfenis van de evolutie. Als je honger hebt, bedenk je een slimmere manier om in de buurt te komen van de eerstvolgende wollige mammoet, vandaag, niet morgen.

Hij vond dat hij nog ongeveer drie uur slaap te goed had, omdat hij door Leach om vier uur 's ochtends was wakker gemaakt, dus deed hij zijn ogen dicht. Hij maakte zich geen zorgen over beide mannen. Wat zouden die nog kunnen uitrichten? Ze zouden hem kunnen bespugen met pinda's, waarschijnlijk, maar dat was het dan ook wel. Hij kreeg de indruk dat Turner naast hem tot dezelfde conclusie kwam. Ze legde haar hoofd op zijn schouder. Hij viel rechtop zittend in slaap en werd steeds met een schok wakker als zijn hoofd vooroverzakte.

Romeo belde Julia en zei: 'We hebben een serieus probleem.'
Julia vroeg: 'Op wat voor manier?'
'Turner moet zich het nummer toch hebben herinnerd. Reachers advocaat heeft zojuist een verzoek ingediend voor inzage in het volledige dossier van A.M. 3435.'
'Waarom Reachers advocaat?'
'Ze proberen door de mazen van het net te glippen. Ze gaan ervan uit dat we haar advocaat in het oog houden, maar die van hem misschien niet. Het is niet eens zijn belangrijkste advocaat. Het is dat groentje dat zijn vaderschapszaak doet.'
'Dan krijgen we dat verzoek vast wel van tafel. Het heeft helemaal niets te maken met zijn vaderschapszaak.'
'Het is een verzoek, net als alle andere verzoeken. Aan de procedure valt niet te tornen. We zullen met goede argumenten moeten komen. En dat kunnen we niet, want er is niets bijzonders aan de man. Behalve voor ons. We kunnen ons dergelijke aandacht niet veroorloven. Iedereen zou denken dat we gek zijn geworden. Ze zouden zeggen: wie probeert er in vredesnaam aan de touwtjes te trekken voor die kerel? Het is gewoon een eenvoudige boerenkinkel.'
'Hoeveel tijd hebben we dan nog?'
'Een dag misschien.'
'Heb je die creditcards geblokkeerd?'
'Die van hem. Dat was makkelijk genoeg, want dat was om te beginnen een creditcard van het leger. Maar ik kan niet aan die van haar komen zonder een spoor achter te laten op papier. Margaret Vega bestaat echt.'
'Wat gaan we doen?'
'We gaan het afmaken in Californië. Over niet al te lange tijd staan ze weer met twee benen op de grond, vier tegen twee.'

Reacher en Turner sliepen bijna drie uur en werden wakker toen het vliegtuig de landing inzette bij Long Beach en de stem van de steward weer uit de luidsprekers kwam met opdrachten over rugleuningen van stoelen en klaptafeltjes en rechtop zitten en draagbare elektronische apparatuur. Wat Reacher allemaal niet interesseerde, want hij had zijn rugleuning niet achterover gezet, had het klaptafeltje niet gebruikt, bezat geen elektronische apparatuur, draagbaar of anderszins. Door het raam zag hij de bruine heuvels van de woestijn. Hij hield van Californië. Hij dacht dat hij daar wel zou kunnen wonen, als hij ergens zou kunnen wonen. Het was er warm en niemand kende hem. Hij kon een hond nemen. Ze konden een hond nemen. Hij zag Turner voor zich, ergens in een achtertuin of zo, een roos snoeien of een boom planten.

Ze zei: 'We moeten niet naar Hertz of Avis. Om een auto te huren, bedoel ik. Of een van de grote ketens. Voor het geval die computers ook zijn gekoppeld aan het netwerk van de overheid.'

Hij zei: 'Je wordt nog paranoïde op je oude dag.'

'Dat betekent nog niet dat ze niet achter me aan zitten.'

Hij glimlachte.

Ze vroeg: 'Wat houden we dan nog over?'

'Lokale jongens. Huur-Een-Wrak, of een vier jaar oude Lamborghini.'

'Nemen die contact geld aan?'

'We hebben creditcards.'

'Misschien hebben ze die geblokkeerd. Blijkbaar kunnen ze dat soort dingen doen.'

'Deze niet. Nog niet. Ze weten nog niet eens dat wij ze hebben.'

'Ze hebben toch gezien dat we tickets hebben gekocht voor deze vlucht?'

'Ze hebben gezien hoe Vega en Kehoe tickets hebben gekocht. Maar we zijn nu Vega en Kehoe niet meer. Vanaf nu zijn we Lozano en Baldacci, als het tenminste om creditcards gaat. We gebruiken hun kaarten. Wat vind je daarvan, als boodschap?'

'Ze kunnen creditcards volgen.'

'Dat weet ik.'

'Je wilt dat ze ons vinden, niet?'

'Dat is makkelijker dan dat wij hen moeten zoeken. Maar ik ben het met je eens wat betreft Hertz en Avis. We willen het ze niet al te gemakkelijk maken. We moeten ze de voldoening van een geleverde prestatie schenken.'

'We moeten eerst maar eens zien dat we de luchthaven uit komen. Die kan wel vol staan met MP's. Want onderofficier Espin is niet het domste jongetje van de klas. Die weet vast waar jij naartoe gaat. En hij heeft mensen genoeg. Hij kan wel iemand op elke luchthaven zetten in een straal van honderd kilometer om L.A. Dag en nacht. En de FBI zou er ook kunnen staan. Die lui van de FBI in Pittsburgh hoeven niet bepaald geniaal te zijn om te ontdekken wat onze bestemming is.'

'We houden de ogen open.'

De landingsweg was lang en kalm en de landing was zacht en het vliegtuig taxiede snel en soepel naar de terminal. Toen klonk een zacht belletje en ging er een lampje uit en sprongen zevenennegentig mensen overeind. Reacher bleef zitten, omdat dat niet minder aangenaam was dan staan onder een plafond op een meter tachtig hoogte. En beide mannen drie en vier rijen verder naar voren bleven ook zitten, omdat de mens geen methode weet om in een vliegtuig op te staan zonder de hefboomwerking van handen en armen.

Het vliegtuig liep aan de voorkant leeg, de mensen stroomden naar buiten als het zand in een zandloper. Ze pakten hun bagage en jassen waar ze die hadden opgeborgen en schoven door het gangpad naar voren, zodat de volgende rij ruimte kreeg, en dan de rij daarna. De oude man met het witte haar en de wandelstok en de stagiaire bij de film moesten moeite doen om zich langs hun roerloze buren op de middelste stoel te wurmen. Toen was de volgende rij aan de beurt en bleven beide mannen alleen zitten, omringd door lege stoelen. Reacher schuifelde op zijn beurt door het gangpad, het hoofd gebogen en iets gebukt. Hij bleef drie rijen naar voren stilstaan en trok de man links omhoog aan zijn shirt. Dat leek hem wel het minste wat hij kon doen. Eén rij verder naar voren bleef hij opnieuw stilstaan en trok hij de man rechts overeind. Toen liep hij door, door het gangpad, door de pantry, de deur uit, door hete lucht en de stank van kerosine, de luchthaven in van Long Beach.

47

Op luchthavens wemelt het van solitaire slenteraars, wat het vrijwel onmogelijk maakt om surveillerende mensen te ontmaskeren. Omdat iedereen verdacht is. Iemand die achter een verfrommelde krant zit niets te doen? Een zeldzaam verschijnsel op straat, maar bijna een verplicht nummer op een luchthaven. Alleen al de eerste tien meter waren er wel vijftig mensen die in aanmerking kwamen voor FBI-agent of MP. Maar niemand toonde enige interesse in hen. Niemand keek naar hen, niemand benaderde hen, niemand volgde hen. Dus liepen ze snel weg, in een rechte lijn naar de taxistandplaats, stapten ze achter in een aftandse sedan en vroegen de chauffeur naar een autoverhuurbedrijf buiten de luchthaven, maar geen Hertz, Avis of Enterprise, of een ander bedrijf met lichtreclame. De chauffeur stelde geen verdere vragen. Hoefde geen gedetailleerde instructies. Hij reed gewoon weg, alsof hij wist waar hij naartoe moest. Zijn zwager, waarschijnlijk, of wie hem dan ook maar de beste bonus gaf. In dit geval heette de zwager of de bonuskoning Al, en Al moest behoorlijk cool zijn, want de taxi stopte bij een braakliggend terrein met een stuk of twintig geparkeerde auto's, en achterin een houten keet. Op het dak van de keet was Cool Al's Auto Rental geschilderd, met de hand, door een onervaren schilder, met dunne verf en een brede kwast.

'Perfect,' zei Reacher.

Peter Paul Lozano betaalde voor de taxi, met een biljet dat Reacher van het pak met briefjes van twintig pelde, en daarna liepen Reacher en Turner het terrein op. Het was duidelijk dat Cool Al zijn bedrijf ongeveer halverwege tussen het Huur-Een-Wrak-concept en dat van de vier jaar oude Lamborghini had gepositioneerd. Het terrein stond vol met voertuigen die ooit prestigieus waren geweest en dat een tijd lang waren gebleven, maar die nu waren overgeleverd aan een lang en triest verval. Mercedes-Benz, Range Rover, BMW en Jaguar, stuk voor stuk het op drie na nieuwste model, stuk voor stuk gehavend en gedeukt en een beetje dof.

'Doen die het?' vroeg Turner.

'Geen idee,' zei Reacher. 'Je moet mij niets over auto's vragen. Laten we maar eens kijken wat Cool Al erover te zeggen heeft.'

Wat vertaald en geparafraseerd neerkwam op: 'Ze hebben het altijd gedaan, dus waarom zouden ze het nu niet meer doen?' Een instelling die Reacher tegelijk logisch en optimistisch voorkwam. Cool Al zelf was een man van een jaar of zestig, vijfenzestig, met een volle bos grijs haar en een dikke buik in een geel shirt. Hij zat achter een bureau dat de helft van de keet in beslag nam, waar het heet was en naar stoffig hout en creosoot rook.

Hij zei: 'Ga je gang en zoek een auto uit, wat je maar wilt.'

'Een Range Rover,' zei Turner. 'Ik heb nog nooit in een Range Rover gezeten.'

'Een genot.'

'Dat hoop ik.'

Reacher maakte de deal rond, bij het gigantische bureau, met de rijbewijzen van Vega en Baldacci, en een gefingeerd mobiel telefoonnummer, en een creditcard van Baldacci, en een gekrabbelde handtekening die nergens op leek. Op zijn beurt overhandigde Cool Al hem een sleutel. Hij maakte een weids gebaar naar de rechterkant van het terrein en zei: 'De zwarte.'

De zwarte bleek door de zon geblakerd tot donkerpaars en de folie die de ramen moest blinderen krulde om en bobbelde. De stoelen waren gebarsten en doorgezakt. Uit de jaren negentig, dacht Turner. Niet echt een topmodel meer. Maar de motor startte, en Turner sloeg rechts af en reed de weg op. Ze zei: 'Hij heeft het altijd gedaan, dus waarom zou hij het nu niet meer doen?'

Anderhalve kilometer later deed hij het niet meer, maar met opzet, zodat ze konden ontbijten bij de eerste de beste diner die ze zagen. Een familiezaak aan Long Beach Boulevard. Ze serveerden er al het goede spul, ook de omelet waar Turner al zo lang naar uitkeek. Ze belde Leach met de munttelefoon en vertelde haar dat ze voorzichtig moest zijn. Reacher keek naar de parkeerplaats, maar zag niemand. Niemand die hen volgde, niemand die hen in de gaten hield, niemand die in hen geïnteresseerd was. Dus vervolgden ze hun weg en reden ze naar het noordwesten, op zoek naar een oprit van de 710. Reacher reed het eerste stuk. Het statige oude slagschip beviel hem wel. De folie op de ramen was geruststellend. De ramen waren bijna ondoorzichtig. En mechanisch leek alles te functioneren. De auto zweefde over de weg, alsof het wegdek niet meer was dan een vaag gerucht, ergens ver, ver weg.

Turner vroeg: 'Wat doe je als je ze ziet?'

Reacher vroeg: 'Wie?'

'Je dochter en haar moeder.'

'Je bedoelt wat ik ga zeggen?'

'Nee, ik bedoel van een afstand, de allereerste keer dat je ze ziet.'

'Ik zou niet weten hoe ik ze moest herkennen.'

'Veronderstel dat je ze herkent.'

'Dan ga ik op zoek naar de valstrik.'

'Juist,' zei Turner. 'Ze zijn lokaas, tot het tegendeel is bewezen. De MP en de FBI zijn daar ongetwijfeld in de buurt. Het is een bekende bestemming. Iedereen die je ziet, zou een undercover kunnen zijn. Dus handel overeenkomstig.'

'Ja, mevrouw.'

'Tussen hier en North Hollywood verdubbelt het gevaar met iedere kilometer. We gaan recht op het hol van de leeuw af.'

'Is dit een briefing voor de operatie?'

'Ik ben je commandant. Ik ben verplicht je te briefen.'

'Je preekt voor eigen parochie.'

'Het zou kunnen dat je ze herkent, weet je.'

'Dochters hoeven niet per se op hun vader te lijken.'

'Ik bedoel dat je je misschien de moeder herinnert.'

Julia belde Romeo, want sommige verantwoordelijkheden waren zijn verantwoordelijkheden, en hij zei: 'Ik heb heel slecht nieuws.'

Romeo vroeg: 'Heeft dat op de een of andere manier te maken met het feit dat Baldacci zijn creditcard heeft gebruikt bij een autoverhuurbedrijf dat Cool Al's heet?'

'Wat voor soort Al's?'

'Dat is iets aan de Westkust. Wat is er gebeurd?'

'Reacher heeft ze te grazen genomen in het vliegtuig. Hij heeft ze uitgeschakeld en hun portemonnee meegenomen.'

'In het vliegtuig?'

'Hij heeft Lozano's vingers gebroken en Baldacci's armen en niemand heeft iets gemerkt.'

'Dat is onmogelijk.'

'Blijkbaar niet. Eén tegen twee, in een vliegtuig, met honderd getuigen. Het is een schaamteloze vernedering. En nu huurt hij auto's op onze kosten? Wat denkt die kerel wel?'

Reacher dacht dat hij een slecht chauffeur was. In het begin had hij dat beschouwd als een soort uitvlucht, een voorzorgsmaatregel die hem hielp herinneren dat hij zich moest concentreren, maar langzamerhand was hij erachter gekomen dat het waar was. Zijn ruimtelijk inzicht en zijn reactiesnelheid waren gebaseerd op een menselijke maat, niet op de schaal van een snelweg. Ze werkten dichtbij en persoonlijk. Dierlijk, niet synchroon met machines. Misschien had Turner gelijk. Misschien was hij een roofdier. Niet dat hij een vreselijk slechte chauffeur was. Alleen slechter dan de gemiddelde automobilist. Maar ook weer niet slechter dan de doorsnee automobilist op de I-710, die ochtend, op een deel dat de Long Beach Freeway heette. Mensen zaten te eten en te drinken, zaten zich te scheren, zaten hun haar te borstelen, brachten make-up aan, vijlden nagels bij, vulden formulieren in, zaten te lezen, verstuurden sms'- jes, surften op internet, voerden lange gesprekken in mobiele telefoons, waarvan sommige eindigen met geschreeuw, andere in tranen. En te midden van al dat gewoel probeerde Reacher zijn snelheid aan te houden en in zijn rijstrook te blijven, terwijl hij het verkeer voor zich in de gaten hield en probeerde te berekenen naar welke kant hij zou kunnen uitwijken, mocht dat nodig zijn.

Hij zei: 'We zouden ergens moeten stoppen zodat ik kapitein Edmonds kan opbellen. Ik wil weten of ze te pakken kan krijgen wat we nodig hebben.'

'Houd dat maar op een laag pitje,' zei Turner.

'Dat zou ik wel doen, als het kon. Maar dat laten zij niet toe.

Die andere twee kerels zijn waarschijnlijk met die vlucht naar Orange County meegekomen. Of anders met de eerstvolgende vlucht naar Long Beach. In beide gevallen zitten ze niet meer dan een uur of twee achter ons.'

'Weten wat Edmonds wel en niet te pakken kan krijgen, helpt ons niet tegen die twee.'

'Het is tactisch van cruciaal belang,' zei Reacher. 'Rechtstreeks uit het boekje. We moeten beoordelen of hun cognitieve functies onbeschadigd moeten blijven voor verdere ondervraging.'

'Dat staat niet in het boekje.'

'Misschien hebben ze het boekje opgeschoond.'

'Je bedoelt dat je die twee in leven houdt zodat je het verhaal eruit kunt slaan, als Edmonds heeft gefaald?'

'Ik zou het niet uit ze slaan. Ik zou het vriendelijk vragen, net als bij Big Dog. Maar als ik weet dat ik ze niets hoef te vragen, dan kan ik van tevoren de zaken al hun natuurlijke loop laten nemen.'

'En welke loop is dat?'

'We kunnen niet in de toekomst kijken. Maar waarschijnlijk iets ongecompliceerds.'

'Reacher, je bent op weg om je dochter te ontmoeten.'

'En ik wil graag lang genoeg in leven blijven om dat mee te maken. Werken met iets op een laag pitje en iets op hoog vuur gaat niet. Niet in deze zaak. Beide kwesties moeten op een hoog vuur. Mevrouw. Met de meeste hoogachting.'

Turner zei: 'Oké, maar we kopen een telefoon, zodat we niet steeds hoeven te stoppen. We kopen twee telefoons. Een voor allebei. Prepaid, contant. En een plattegrond.'

Dat deden ze ongeveer anderhalve kilometer verder, door een afrit te nemen van de snelweg, naar een compacte rij winkels rondom een filiaal van een drogisterijketen, waar ze prepaid telefoons verkochten, en plattegronden, en bij de kassa contant geld accepteerden naast alle andere betaalmiddelen die je maar kon bedenken. Ze legden de plattegrond in de auto en sloegen elkaars nummer op in hun telefoon. Daarna leunde Reacher tegen de warme flank van de Range Rover en koos hij het mobiele nummer van Edmonds.

Ze zei: 'Ik heb het verzoek vanochtend meteen ingediend.'

'En?'

'Tot nu toe geen moties om het verzoek te weigeren.'

'Hoe snel zou je die verwachten?'

'Meteen. Of nog sneller.'

'Dus dat is goed.'

'Ja.'

'Dus wanneer?'

'Later vandaag, of morgenvroeg.'

'Heb je een pen?'

'En papier.'

'Ik wil dat je bij HRC op zoek gaat naar Peter Paul Lozano en Ronald David Baldacci.'

'Wie zijn dat?'

'Dat weet ik niet. Daarom wil ik dat je op zoek gaat.'

'Met betrekking tot iets in het bijzonder?'

'Om als winnaar de geschiedenis in te gaan.'

'Ik heb iets gehoord wat jij zou moeten weten.'

'Wat dan?'

'Rechercheur Podolski heeft je kleren gevonden op de stortplaats. Ze hebben ze onderzocht.'

'En?'

'Het bloed klopte niet.'

'Dus moet ik nu mijn adem inhouden en wachten op een excuus van majoor Sullivan?'

'Ze draait bij. Ze was geroerd omdat je een briefje in haar portefeuille had gestopt.'

'Verdwijnt de Metro PD nu uit beeld?'

'Nee, je bent op de vlucht geslagen na een wettige interventie van de politie.'

'Mag dat niet meer tegenwoordig?'

'Ik zal mijn best doen met Lozano en Baldacci.'

'Bedankt,' zei Reacher.

Daarna koersten ze de snelweg weer op, naar het noorden, een van de tienduizend voortrollende voertuigen die knipoogden in het zonlicht.

Romeo belde Julia en zei: 'Ik heb rechtstreeks gesproken met de heer die bekendstaat als Cool Al, onder een voorwendsel, en hij zegt dat ze in een twintig jaar oude Range Rover rijden.'

Julia: 'Het is goed om dat te weten.'

'Niet de snelste auto op de planeet.' Al zou geen auto snel genoeg zijn. Ik heb onze jongens in een helikopter gestopt. Van Orange County naar Burbank. Ze zijn op zijn minst een uur van tevoren in positie.'

'Wie betaalt dat?'

'Niet het leger,' zei Romeo. 'Maak je geen zorgen.'

'Heb je de creditcard van Baldacci geblokkeerd? En die van Lozano ook, neem ik aan.'

'Dat gaat niet. Het zijn privékaarten. Dat moeten ze zelf doen, zodra ze uit het ziekenhuis komen. Tot die tijd zullen we hen moeten schadeloosstellen. Zoals altijd.'

'Dit gedoe kost ons een fortuin.'

'Peanuts, vriend.'

'Maar wel heel veel.'

'Het is bijna voorbij, en dan wordt het weer business as usual.'

Reacher ging door met het slalommen tussen mensen die aten, die dronken, die zich schoren, die hun haar stileerden, die make-up aanbrachten, die nagels vijlden, die formulieren invulden, die lazen, die sms'jes verstuurden, die surften, die schreeuwden en die huilden, tot in East Los Angeles, waar hij de Santa Ana Freeway op reed naar de 101 in Echo Park. Vanaf daar was het een lange, trage worsteling naar het noordwesten door de heuvels, langs namen die voor hem nog steeds glamour uitstraalden: Santa Monica Boulevard, Sunset Boulevard en de Hollywood Bowl. Toen rinkelde zijn telefoon. Hij nam het gesprek aan en zei: 'Ik rijd met één hand op de 101 met de tekst Hollywood rechts van me, en ik voer een gesprek met mijn mobiele telefoon. Ik heb eindelijk het gevoel dat ik erbij hoor.'

Edmonds zei: 'Heb je pen en papier?'

'Nee.'

'Luister dan goed. Peter Paul Lozano en Ronald David Baldacci zijn soldaten in actieve dienst, die op dit moment zijn ingelijfd bij een logistiek bataljon in Fort Bragg, North Carolina. Ze zijn inge-

deeld bij een compagnie die is opgeleid voor transport van kwetsbaar materieel van en naar Afghanistan, wat op dit moment natuurlijk neerkomt op transport uit Afghanistan, omdat we ons terugtrekken, en daar zijn ze erg druk mee. Hun conditierapporten
zijn op dit moment bovengemiddeld. Dat is alles wat ik weet.'
Reacher gaf de informatie door aan Turner nadat hij het gesprek
had beëindigd. Turner zei: 'Daar heb je het al. Spul dat terug zou
moeten komen, komt niet terug.'
Reacher zei niets.
'Denk je niet?'
Hij zei: 'Ik probeer het me voor te stellen. Al dat kwetsbare materieel dat uit grotten of waar dan ook komt, waarvan het meeste
verscheept wordt naar Fayetteville, maar een deel achter in de laadbak van sjofele pick-ups met buitenissige kentekenplaten wordt ge-
kieperd, die dan meteen de bergen in rijden. Misschien zaten die
pick-ups wel vol geld op de heenweg. Misschien is het wel een soort
handje-contantje-zaak. Zoiets dacht jij?'
'Min of meer.'
'Ik ook. Een vissenkom. Een heleboel spanning en onzekerheid.
En het risico van verraad. Daar leren ze op wie je kunt vertrouwen. Omdat alles tegen hen is, zelfs de wegen. Hoe kwetsbaar is
dat spul? Kan dat geen kwaad, zo achter in de laadbak van een
sjofele pick-up met buitenissige kentekenplaten?'
'Wat wil je zeggen?'
'Alles gebeurt in Afghanistan. Maar onze jongens zitten in Fort
Bragg.'
'Misschien zijn ze net terug uit Afghanistan.'
'Ik denk het niet,' zei Reacher. 'Dat zag ik meteen toen ik die
eerste twee tegenkwam. Ik dacht nog dat geen van beiden de afgelopen tijd in het Midden-Oosten was geweest. Geen bruinverbrande huid, geen rimpeltjes van het turen door dichtgeknepen ogen,
geen spanning in de ogen. Jongens van de koude grond. Maar ook
hun A-team. Waarom houd je je A-team in North Carolina als alles in Afghanistan gebeurt?'
'Dit soort mensen heeft in principe een A-team aan beide kanten.'
'Maar er is maar één kant. Het spul komt uit de grot en ver-

dwijnt rechtstreeks in de sjofele pick-ups met de buitenissige kentekenplaten. Het komt nooit ook maar in de buurt van Fort Bragg of North Carolina.'

'Misschien zit ik fout.' Misschien verkopen ze het in Amerika, niet in Afghanistan. Dan zouden ze ook een A-team in Fort Bragg nodig hebben, om het spul weg te sluizen.'

'Maar ik geloof ook niet dat het zo zit,' zei Reacher. 'Omdat het in dat geval alleen maar realistisch zou zijn om klein wapentuig te verkopen. Het zou opvallen als het om groot spul ging. En om het geld bij elkaar te krijgen wat zij ermee lijken binnen te slepen, zou je zoveel moeten verkopen dat de markt erin zou verzuipen. En de markt verzuipt niet. Anders had je dat geweten. Iemand zou wel een telefoontje hebben gepleegd als er een stortvloed aan militair materieel te koop was. Een binnenlandse producent bijvoorbeeld, die uit de markt dreigde te worden geconcurreerd. Dat bericht zou uiteindelijk op jouw bureau terecht zijn gekomen. Daar is het 110th voor.'

'Wat doen ze dan wel?'

'Ik heb geen idee.'

Reacher herinnerde zich alle relevante informatie uit de beëdigde verklaring van Candice Dayton, ook de naam van haar advocaat, en zijn kantooradres. Turner vond de straat op de plattegrond en liet de nagel van haar linkerduim erop rusten, terwijl ze met haar rechterwijsvinger de voortgang volgde. Haar beide handen kwamen dicht bij elkaar. Ze kruisten de Ventura Freeway en ze zei: 'Rijd door tot Victory Boulevard. Daar zou een wegwijzer moeten staan naar Burbank Airport. Dan komen we aanrijden vanuit het noorden. Ik neem aan dat ze vooral op het zuiden gericht zullen zijn. Dan zitten wij aan hun blinde kant.'

Victory Boulevard bleek de volgende afrit te zijn. Ze sloegen rechts af, Lankershim in, en reden terug naar het zuidoosten, parallel aan de freeway die ze een paar minuten eerder hadden verlaten.

'Stop hier,' zei Turner. 'Vanaf hier gaan we het supervoorzichtig doen.'

48

Reacher parkeerde aan het begin van een zijstraat en samen staarden ze naar het zuiden, naar de bebouwing ten noorden van de Ventura Freeway, die een bedrijvigheid verraadde waarmee je een catalogus met Amerikaanse commerciële activiteiten van A tot Z kon vullen, van middenbedrijf en kleinbedrijf tot minibedrijf, detailhandel, groothandel en dienstverlening, sommige degelijk, andere getuigend van veel optimisme, weer andere dynamisch en groeiend of hard op hun retour, en sommige vertrouwd en alomtegenwoordig. Een buitenaards wezen zou concluderen dat kunstnagels even belangrijk waren als plaatmateriaal van twee vijftig bij één vijfentwintig.

Turner had de plattegrond nog steeds voor zich en zei: 'Hij zit aan Vineland Avenue, twee straten ten noorden van de freeway. Dus als je links afslaat op Burbank Avenue, en dan rechts af Vineland Avenue in, rijd je er zo naartoe. Niemand kent deze auto, maar we kunnen het ons niet veroorloven om er vaker dan twee keer langs te rijden.'

Reacher begon weer te rijden, sloeg af en sloeg nog een keer af, en reed over Vineland Avenue zoals elke automobilist dat zou doen, niet langzaam en naar de huizen turend, niet snel en agressief, gewoon een zoveelste voertuig dat anoniem voorbijkwam in de ochtendzon. Turner zei: 'Hij komt zo, rechts, voorbij de volgende zijstraat. Ik zie een parkeerplaats aan de straatkant.'

Reacher zag de parkeerplaats ook. Het was een gedeelde parkeerplaats, geen parkeerplaats alleen voor de advocaat. Want het rechterdeel van het blok was één lang, laag gebouw, bedekt met dakspanen, en met een veranda langs de voorgevel, die geschilderd was in een tint die je volgens Reacher alleen in de Valley zag, een soort vleeskleurige make-up uit de film. Het gebouw was in de lengte opgedeeld in zes verschillende bedrijven: een pruikenmaker, een kristalwinkel, een winkel met medische hulpmiddelen, een cafetaria en een belastingconsulent *Se Habla Español*. De advocaat van Candice Dayton zat min of meer rechts van het midden, tussen de magische kristallen en de elektrische rolstoelen. De parkeerplaats was verdeeld in een stuk of acht vakken en liep voor het hele gebouw langs, bedoeld voor de klanten van alle bedrijven. Reacher dacht dat je als klant van een van de bedrijven mocht gaan staan waar maar plaats was.

De parkeerplaats was halfvol, met op het eerste gezicht stuk voor stuk legitieme auto's, de meeste schoon en glanzend onder de brandende zon, sommige onder een rare hoek geparkeerd, alsof de eigenaar alleen even snel naar binnen was gelopen voor een snelle boodschap. Reacher had uitgebreid nagedacht over het soort auto waarin twee mensen konden wonen, en was tot de conclusie gekomen dat je toch minstens een ouderwetse stationwagon of een moderne suv nodig zou hebben, met een achterbank die je naar voren kon klappen en met genoeg lengte tussen de voorstoelen en de achterklep om een matras neer te leggen. Geblindeerd glas in de zijruiten en de achterruit zou een voordeel zijn. Een oude Buick Roadmaster of een nieuwe Chevrolet Suburban zou kunnen, al zou iedereen die van plan was om in een nieuwe Chevrolet Suburban te gaan wonen onmiddellijk geneigd zijn om die te verkopen, er een oude Buick Roadmaster voor terug te kopen en het wisselgeld in de zak te steken. Dus hij keek vooral uit naar oude stationwagons, stoffig misschien, misschien met zachte banden, tot rust gekomen op de een of andere manier, alsof hij al lange tijd op dezelfde plaats geparkeerd had gestaan.

Maar zulke auto's zag hij niet. De meeste waren volstrekt normaal. Drie of vier van de auto's waren zo nieuw en neutraal dat het huurauto's van de luchthaven zouden kunnen zijn. Daar zouden Espin en het 75th MP in rijden. Sommige vielen zo uit de toon dat het door de FBI in beslag genomen auto's zouden kunnen zijn, die nu werden gebruikt om onopvallend te surveilleren. Schaduwen en het felle zonlicht en getinte ruiten maakten het moeilijk om te zien of er mensen in de auto's zaten of niet.

Ze reden verder, zelfde snelheid, zelfde koers, en kwamen weer op de freeway terecht, omdat Reacher bang was dat het zou opvallen als hij plotseling zou omkeren, en ze reden hetzelfde trage, rechthoekige traject een tweede keer, een tweede keer door Lankershim, en parkeerden opnieuw aan het begin van dezelfde zijstraat, zo ver weg dat ze zich op hun gemak voelden en niet zichtbaar waren vanuit het zuiden.

'Wil je nog een keer kijken?' vroeg Turner.

'Hoeft niet,' zei Reacher.

'Wat nu dan?'

'Ze kunnen wel overal zijn. We weten niet hoe ze eruitzien of wat voor auto ze hebben. Dus het heeft geen zin om rondjes te rijden. We moeten de juiste plek te weten komen van de advocaat. Als de advocaat dat tenminste weet, van dag tot dag.'

'Oké, maar hoe?'

'Ik zou kunnen bellen, of ik zou Edmonds kunnen vragen om voor mij te bellen, maar dan zegt die advocaat dat alle correspondentie aan het kantoor moet worden gericht en dat elke vorm van overleg moet plaatsvinden in het kantoor. Hij kan het niet riskeren haar locatie prijs te geven aan een partij die er zo direct bij betrokken is als ik word verondersteld te zijn. Hij zou ervan uit moeten gaan dat elk contact dat ik met hen zou opnemen, zou uitlopen op iets engs of gewelddadigs. Elementaire professionele verantwoordelijkheid. Ze zouden een schadeloosstelling van miljoenen van hem kunnen eisen.'

'Wat ga je doen dan?'

'Ik ga doen wat mannen doen als ze niets beters te doen hebben.'

'En dat is?'

'Ik ga een hoer bellen.'

Ze keerden en reden weer naar het noorden tot ze een hamburgertent vonden, waar ze koffie dronken en Reacher bepaalde pagina's van de Gouden Gids bestudeerde, die hij van de eigenaar had geleend. Daarna stapten ze weer in de Range Rover en zochten een motel, dat ze vonden naast een van de parkeerterreinen voor langparkeren bij Burbank Airport. Ze checkten niet in. Ze bleven in de auto zitten en Reacher koos een nummer dat hij van buiten had geleerd. De telefoon werd opgenomen door een vrouw met een buitenlands accent. Ze klonk slaperig, en leek van middelbare leeftijd te zijn.

Reacher vroeg haar: 'Wat is het beste wat je hebt aan Amerikaanse meisjes?'

De buitenlandse vrouw zei: 'Emily.'

'Hoeveel?'

'Duizend per uur.'

'Is ze op het moment beschikbaar?'

'Natuurlijk.'

'Accepteert ze creditcards?'

'Ja, maar dan kost het twaalfhonderd per uur.'

Reacher zei niets.

De buitenlandse vrouw zei: 'Ze kan binnen een halfuur bij je zijn, en ze is elke cent waard. Wat voor kleren moet ze aan?'

'Een schooljuf,' zei Reacher. 'Met maar een jaar ervaring.'

'Het spreekwoordelijke buurmeisje? Dat doet het altijd goed.'

Reacher gaf Pete Lozano als zijn naam, en gaf de naam en het adres van het motel achter zich.

'Is dat naast het parkeerterrein van het vliegveld?' vroeg de buitenlandse vrouw.

'Ja,' zei Reacher.

'Daar komen we vaak. Dat vindt Emily zonder problemen.'

Reacher verbrak de verbinding. Ze maakten het zich gemakkelijk en wachtten, zonder te praten, keken alleen door de voorruit over de straat.

Na tien minuten vroeg Turner: 'Alles goed?'

Reacher zei: 'Niet echt.'

'Waarom niet?'

'Ik zit hier uit te kijken naar meisjes van veertien. Ik voel me een viezerik.'

'Herken je er al een?'

'Nog niet.'

Al met al hadden ze vijfendertig minuten gewacht toen Reachers telefoon ging. Het was niet de buitenlandse vrouw die haar excuses aanbood omdat Emily te laat was, maar kapitein Edmonds die iets te melden had wat ze zelf omschreef als voorpaginanieuws. Reacher kantelde de telefoon en Turner hield haar hoofd dichtbij om mee te luisteren. Edmonds zei: 'Ik heb de onverkorte versie van het verhaal over A.M. 3435. Het kwam vijf minuten geleden binnen. Al heb ik er nog even een beetje druk achter moeten zetten, wil ik er wel bij zeggen.'

Reacher zei: 'En?'

'Nee, echt, graag gedaan, majoor.' Absoluut mijn genoegen. Ik vind het helemaal niet erg om mijn carrière op het spel te zetten door mijn neus te steken in zaken waar een JAG-kapitein zich verre van zou moeten houden.'

'Oké, bedankt. Daar had ik mee moeten beginnen. Het spijt me.'

'Er zijn een paar dingen die je moet weten. We zijn nu meer dan tien jaar in Afghanistan en tegen die achtergrond is 3435 een vrij laag nummer. We zitten tegenwoordig al over de tienduizend. Dat betekent dat de informatie over die man al een tijd geleden is verzameld. Ongeveer zeven jaar geleden, denk ik, voor zover ik kan nagaan. En die informatie is niet noemenswaardig bijgewerkt. Alleen routine-aantekeningen. Omdat het een vrij gewone man is. Saai zelfs. Op het eerste gezicht is het een onbeduidend boertje.'

'Hoe heet hij?'

'Emal Gholam Zadran. Hij is nu tweeënveertig, de jongste van vijf broers, allemaal nog in leven. Het lijkt erop dat hij het zwarte schaap van de familie is, door iedereen beschouwd als een nietsnut. De oudere broers zijn allemaal respectabele papaverboeren, die samen op de familieboerderij werken, net als hun voorvaderen al duizend jaar lang hebben gedaan, heel traditioneel, kleinschalig en bescheiden. Maar de jonge Emal had daar geen zin in. Hij heeft verschillende zaken op poten gezet, en die zijn allemaal mislukt. Zijn broers hebben het hem vergeven, hebben hem weer in de armen gesloten, en voor zover bekend woont hij bij hen in de buurt in de heuvels, waar hij absoluut niets productiefs doet en erg in zichzelf gekeerd is.'

'Waarom hebben ze zeven jaar geleden een dossier voor hem gemaakt?'

'Wegens een van die zaken die hij op poten had gezet, die een mislukking werd.'

'Dat was?'

'Er was geen bewijs, anders had hij de kogel gekregen.'

'Wat is er niet bewezen?'

'Het verhaal gaat dat hij zich als ondernemer had geïnstalleerd. Hij kocht handgranaten van de 10th Mountain Division en verkocht ze aan de Taliban.'

'Hoeveel kreeg hij daarvoor?'

'Staat er niet bij.'

'Niet bewezen?'

'Ze hebben wel hun best gedaan.'

'Waarom hebben ze hem niet sowieso de kogel gegeven?'

'Reacher, je praat met een advocaat van het leger. Er is niets bewezen en we zijn nog steeds de Verenigde Staten van Amerika.'

'Veronderstel eens dat ik niet met een advocaat van het leger in gesprek was?'

'Dan zou ik zeggen dat er niets bewezen is en dat we in die tijd de Afghanen de kont kusten en hoopten dat ze op de een of andere manier in de niet al te verre toekomst een burgerregering op de been zouden krijgen, zodat we daar als de sodemieter weg konden, en dat het onder die omstandigheden als uitermate contraproductief zou zijn beschouwd om autochtonen neer te knallen tegen wie niets was bewezen, zelfs niet binnen ons eigen haarscherpe militaire justitiële apparaat. Voor het overige denk ik dat ze hem anders wel zouden hebben omgelegd.'

'Je bent behoorlijk slim,' zei Reacher. 'Voor een legeradvocaat.'

Toen verbrak hij de verbinding, omdat hij naar een meisje keek dat uit een taxi stapte en de oprit naar het motel op liep. Ze straalde. Ze was jong en blond, en fris en energiek, en op de een of andere manier integer, alsof ze vast van plan was om alle jaren die voor haar lagen niets dan goed te doen in de wereld. Ze zag eruit als een schooljuf, net afgestudeerd.

49

Het meisje liep langs de receptie van het motel en toen bleef ze staan, alsof ze niet wist waar ze naartoe moest. Ze had een naam, maar geen kamernummer. Turner liet haar raam omlaag zakken en riep: 'Ben jij Emily?'

Dat hadden Reacher en zij afgesproken. Het leed geen twijfel dat het raar was om op de parkeerplaats van een motel te worden aangesproken door een vrouw in een auto, voorafgaand aan wat ongetwijfeld een bizar triootje moest worden. Maar aangesproken worden door een man onder die omstandigheden zou nog veel gekker zijn geweest. Dus mocht Turner de vraag stellen, waarop het meisje antwoordde: 'Ja, ik ben Emily.'

Turner zei: 'Wij zijn je klanten.'

'Het spijt me. Dat hebben ze me niet verteld. Voor paren kost het meer.'

'Waarschijnlijk heb je dit eerder gehoord, of misschien ook wel niet, maar het enige wat wij willen, is praten. We geven je tweeduizend dollar voor een uur van je tijd. Kleren aan, de hele tijd, alle drie.'

Het meisje kwam dichterbij, maar niet heel dichtbij, en ze ging voor het open raam staan, ze bukte iets en keek naar binnen en zei: 'Waar gaat het eigenlijk precies om?'

Reacher zei: 'Een toneelstukje.'

Ze praatten buiten de auto, om de dreiging weg te nemen. Reacher en Turner stonden tegen de zijkant van de auto geleund, terwijl Emily de driehoek op een afstand van anderhalve meter completeerde, op een plek waar ze zich gemakkelijk kon omdraaien om weg te rennen. Maar dat deed ze niet. Ze haalde de Amex-kaart van Lozano door een gleuf van haar iPhone en op het moment dat ze de goedkeuring had gezien, zei ze: 'Ik doe geen porno.'

Reacher zei: 'Geen porno.'

'Wat voor toneelstukje dan wel?'

'Ben jij actrice?'

'Ik ben een callgirl.'

'Ben je eerst actrice geweest?'

'Ik ben een aankomend actrice geweest.'

'Doe je ook rollenspellen?'

'Ik dacht dat dat hier de bedoeling was. De naïeve, jonge idealiste, ietwat terughoudend maar bereid om te doen wat er gedaan moet worden om wat extra fondsen binnen te slepen voor de school. Of misschien moet ik een grasmaaier lenen van een van de vaders in de ouderraad. Maar meestal is het een sollicitatiegesprek voor een baan. Hoe kan ik laten zien dat ik me echt wil inzetten voor het bedrijf.'

'Met andere woorden, je speelt toneel.'

'Voortdurend. Nu ook.'

'Ik wil dat je gaat praten met de receptioniste op een advocatenkantoor en ervoor zorgt dat ze je welgezind is.' Reacher legde uit wat hij wilde. Ze toonde geen nieuwsgierigheid naar het waarom. Hij zei: 'Kies een moederlijk type, als er iets te kiezen valt. Die leven het meeste mee. Het gaat om een moeder met problemen. Zeg maar dat mevrouw Dayton een vriendin is van je moeder, en dat ze jou geld heeft geleend toen je nog naar school ging, wat jou uit een penibele situatie heeft gered, en dat je haar die gunst nu wilt terugbetalen. En dat je haar sowieso weer een keer wilt zien. Zoiets. Bedenk zelf maar een script. Maar die receptioniste mag niet vertellen waar ze woont. Dat is haar verboden. Dus dit is het moment waarop jij je Oscar in de wacht sleept.'

'En wie krijgt de klappen?'

'Niemand krijgt klappen. Integendeel.'

'Voor tweeduizend dollar? Zoiets heb ik nog nooit gehoord.'

'Als ze echt bestaat, wordt ze geholpen. Als ze niet bestaat, krijg ik geen klappen. Het tij keert onder alle omstandigheden ten goede.'

Emily zei: 'Ik weet niet of ik dat wel wil doen.'

'Je hebt ons geld aangepakt.'

'Voor een uur van mijn tijd. Ik vind het prima om hier te staan en te praten. We kunnen ook in de auto gaan zitten. Ik kan me uitkleden als je dat wilt. Meestal draait het daar toch op uit.'

'Wat vind je van vijfhonderd contant extra? Als fooi. Als je terugkomt.'

'Wat vind je van zevenhonderd?'

'Zes.'

Emily zei: 'En de Oscar gaat naar... Emily.'

Ze wilde hen niet laten rijden. Slimme meid. Woorden zijn goedkoop. Het lange voorspel had net zo goed gebakken lucht kunnen zijn, vooruitlopend op de ontdekking van haar naakte stoffelijke resten in een greppel drie dagen later. Dus gaven ze haar het adres en twintig dollar en nam ze een taxi. Ze keken hem na tot hij uit zicht was, draaiden zich om, stapten in de Range Rover en wachtten.

'Accepteer het maar, Reacher. A.M. 3435 is Emal Zadran, iemand van wie op papier is vastgelegd dat hij wapentuig van de Verenigde Staten kocht en verkocht in de heuvels waar de stammen het voor het zeggen hebben. Tegelijkertijd staat van Peter Lozano en Ronald Baldacci vast dat ze deel uitmaken van een compagnie die de opdracht heeft datzelfde wapentuig van de Verenigde Staten te transporteren van en naar diezelfde heuvels. Is dat oorverdovende lawaai dat ik hoor het geluid van de puzzelstukken die op hun plaats vallen?'

'Hij kocht en verkocht zeven jaar geleden Amerikaans wapentuig in de heuvels.'

'En daarna is hij uit beeld verdwenen. Omdat hij er beter in is geworden. Hij heeft de weg naar boven afgelegd. Hij is nu de baas en de man die je moet spreken. Hij maakt een fortuin voor iemand. Moet wel. Waarom zouden ze anders zo hun best doen om hem buiten beeld te houden?'

'Waarschijnlijk heb je gelijk.'

'Ik wil dat je serieus reageert. Niet gedachteloos ja knikt. Je bent mijn uitvoerend officier.'

'Is dat een promotie?'

'Gewoon nieuwe orders.'

'Maar ik meende het, misschien heb je gelijk. De informant noemde hem een stamoudste. Dat klinkt als iets wat op status duidt. Als een eretitel. En een zwart schaap dat de hele dag zit niets te doen zou je niet beschouwen als iemand met status. Meer als een dorpsidioot. Hij zou zeker niet worden gerespecteerd. Dus die oude Emal doet iets voor iemand. Mijn enige bezwaar is een A-team stand-by in North Carolina, als alles in Afghanistan gebeurt. Maar misschien spelen ze wel een bepaalde rol. Want als wat jij denkt klopt, komt er een heleboel geld binnen. Vrachtwagens vol waarschijnlijk. Een omvangrijke vracht. En dan, ja, dan hebben ze ook een team nodig in North Carolina. Niet om het wapentransport af te handelen, maar het geld.'

Romeo belde Julia en zei: 'Het wordt erger.'

Julia zei: 'Kan dat?'

'Ze hebben zojuist de Amex-kaart van Lozano gebruikt. Tweeduizend dollar om een entertainer in te huren. Weet je wat dat betekent?'

'Vervelen ze zich?'

'Er is maar één soort entertainers dat een draagbare kaartlezer bij zich heeft, en dat zijn prostituees. Ze drijven de spot met ons. Ze zouden het geld aan daklozen geven als die telefoons met draagbare kaartlezers hadden. Of sowieso telefoons, denk ik.'

'En die hebben ze niet.'

'En de advocaat van Reacher heeft ongeveer een uur geleden het volledige dossier van Zadran gekregen. Dus dat kennen ze daar nu ook.'

'Je piekert te veel.'

'Er is een duidelijk verband. Je hoeft geen genie te zijn om dat uit te vogelen.'

'Of misschien pieker je te vroeg,' zei Julia. 'Je hebt het goede nieuws nog niet gehoord.'

'Is er goed nieuws?'

'Onze jongens hebben ze net langs het kantoor van de advocaat zien rijden. In een twintig jaar oude Range Rover, zwart. Het was moeilijk met zekerheid vast te stellen, want de ramen waren geblindeerd, maar ze hadden stellig de indruk dat er twee personen in zaten, een grote en een kleine.'

'Wanneer was dat?'

'Minder dan een uur geleden.'

'Eén keer?'

'Tot nu toe. Om de situatie te verkennen, duidelijk.'

'Gebeurt daar veel?'

'Het is een rijtje winkels. Het lijkt wel een optocht op onafhankelijkheidsdag.'

'Waar zijn ze heen gegaan nadat ze voorbij zijn gereden?'

'De freeway op. Ze zijn waarschijnlijk rondgereden. Waarschijnlijk houden ze zich een paar straten verder naar het noorden schuil.'

'Kunnen we iets doen?'

'Ik denk het wel. Ze waren heel voorzichtig bij dat kantoor. Ze weten vast dat er overal MP's en FBI-agenten zitten. Terwijl ze daar niets te weten kunnen komen. Zij niet. Dat zou een grove ambtsovertreding zijn. Dus ik denk niet dat ze zich opnieuw in de buurt van dat kantoor zullen wagen. En dat betekent dat het verspilde moeite is om het in de gaten te blijven houden. We kunnen ze daar onmogelijk missen, omdat ze er niet meer naartoe zullen gaan. Zo eenvoudig is het. Daarom kunnen we onze jongens beter ergens anders inzetten. Misschien wel in een iets meer proactieve rol. Het is maar een suggestie.'

'Ik ben het met je eens,' zei Romeo. 'Zet ze maar aan het werk.'

Reacher en Turner doodden de tijd door zich af te vragen wat voor soort wapentuig veel geld op zou leveren maar toch in de laadbak van een pick-up paste. Frustrerend, want beide categorieën leken elkaar uit te sluiten. MOAB's waren sinistere, peervormige cilinders met vinnen, tien meter lang, met een doorsnee van meer dan een meter. Drones waren zevenendertig miljoen dollar per stuk waard, maar ze hadden een spanwijdte van bijna achttien meter. En zonder de joysticks waren het niet meer dan domme, grote brokken metaal. En al die joysticks zaten in Texas en Florida. Omgekeerd waren geweren en handwapens niet zoveel waard. Een Beretta M9 kon je voor ongeveer zeshonderd dollar in een winkel kopen. Misschien kreeg je een gebruikte voor vierhonderd, ergens op straat of in de heuvels, minder overhead en kosten, maar dat betekende wel dat je er alleen al driehonderd of vierhonderd van moest verkopen om de honderdduizend dollar op de Kaaimaneilanden te verdienen. En zelfs het leger zou het opmerken als er handwapens met duizenden tegelijk zouden verdwijnen.

Ze konden helemaal niets bedenken.

Toen kwam Emily terug.

50

Emily stapte uit een taxi, net als eerder, nog steeds in haar rol, stralend en naïef, liep naar hen toe en bleef op dezelfde plek staan als eerder, ongeveer anderhalve meter van het raam aan Turners kant. Turner zoemde haar raam omlaag en Emily zei: 'Het voelde niet goed om dat te doen.'

'Waarom?' vroeg Reacher.

'Het was een aardige vrouw. Ik heb haar gemanipuleerd.'

'Met succes?'

'Ik weet waar het is.'

'Waar is het?'

'Je bent me zeshonderd dollar schuldig.'

'Technisch gesproken niet. Het is een fooi, wat betekent dat het een gift is los van het contract. Dat impliceert geen schuld.'

'Probeer je er nu onderuit te komen?'

'Nee, ik ben van nature een betweter.'

'Maakt niet uit, ik wil nog steeds zeshonderd dollar van je hebben.'

Die betaalde Ronald Baldacci, van het pakje met briefjes van twintig in zijn portemonnee. Reacher gaf ze aan Turner, die ze door het raam aan Emily gaf, die om zich heen keek en zei: 'Dit ziet eruit als een drugsdeal.'

'Waar is het?' vroeg Reacher.

Ze noemde een adres, inclusief huisnummer.

Reacher zei: 'Wat is daar? Braakliggend terrein? Een bedrijf met een eigen parkeerterrein?'

'Dat weet ik niet.'

'Wat voor stemming hing er in dat kantoor?'

'Druk. Ik denk niet dat mevrouw Dayton hoog op hun prioriteitenlijst staat.'

'Oké, bedankt Emily,' zei Reacher. 'Ik vond het leuk je te ontmoeten. Nog een prettige dag verder.'

'Dat was het?'

'Wat zou er nog meer moeten zijn?'

'Ga je niet vragen hoe een aardig meisje als ik in dit werk terechtgekomen is? Ga je me geen advies geven voor de toekomst?'

'Nee,' zei Reacher. 'Niemand zou moeten luisteren naar mijn adviezen. En jij lijkt het aardig voor elkaar te hebben. Duizend dollar per uur is niet slecht. Ik ken mensen die genaaid worden voor twintig.'

'Wie?'

'Voornamelijk mensen in uniform.'

Op de kaart van Turner bleek dat het nieuwe adres aan de zuidkant van de Ventura Freeway lag, in een buurt zonder naam. Niet echt Universal City, niet echt West Toluca Lake, zeker niet Griffith Park en te ver naar het zuiden om nog North Hollywood te zijn. Maar het leek Reacher precies de juiste plek. Het zou een komen en gaan zijn van verhuizende mensen, stuk voor stuk niet nieuwsgierig, en er zouden aan de lopende band nieuwe bedrijven starten en ondernemingen worden gesloten. Daarom zouden er ook leegstaande gebouwen zijn en veel parkeerplaats-alleen-voor-personeel voor panden van bedrijven die failliet waren gegaan. De beste manier om er te komen voerde opnieuw over Vineland langs het advocatenkantoor, onder de Ventura Freeway door, en dan lag de buurt rechts te wachten.

Turner zei: 'We moeten ervan uitgaan dat de MP's en de FBI over dezelfde informatie beschikken.'

'Ik wil wedden van wel,' zei Reacher. 'Dus doen we net als bij het advocatenkantoor.'

'Eén keer langsrijden.'

'Zodat sommigen ons misschien voor de tweede keer zien, want ze gaan vast heen en weer, van hier naar het advocatenkantoor en weer terug, bedoel ik. Ze kunnen zich niet al te statisch vastbijten in één plek.'

'Wat doen we als het een klein straatje is, of een straat met eenrichtingsverkeer?'

'Dan breken we de verkenning af. Dan bedenken we iets anders.'

'En in het gunstigste geval kijken we alleen. Geen *meet and greet*. We moeten heel wat surveillancewerk doen, voordat we daar ook maar aan gaan denken.'

'Begrepen.'

'Zelfs als het meest lieftallige veertienjarige meisje de straat op komt rennen met een spandoek *Welkom thuis, papa*. Omdat het een heel ander veertienjarig meisje zou kunnen zijn, met een heel andere papa.'

'Begrepen,' zei Reacher opnieuw.

'Zeg het.'

'Geen meet and greet,' zei Reacher.

'Oké, we gaan.'

Ze reden niet over Vineland Avenue. Als ze opnieuw langs het advocatenkantoor zouden rijden, zou dat van één keer langsrijden twee keer maken, vanuit het perspectief van sommige surveillanten, zonder goede reden, en twee zou ook makkelijk drie kunnen worden, als ze het heen en weer rijden tussen beide locaties verkeerd hadden getimed. En drie keer had geen magische betovering. Bij de meeste mensen bleef er wel iets hangen na drie keer, was Reachers ervaring. Zelfs als ze niet wisten wat ze zagen. Een verspreking in een gesprek met een vriend? Dan had je net dezelfde man voor de derde keer gezien, vanuit een ooghoek. Of dezelfde auto, of hetzelfde bloementransport, of dezelfde jas, of dezelfde hond of dezelfde manier van lopen.

Dus reden ze rond met de klok mee, eerst naar het oosten, en toen naar het zuiden, en kruisten ze de freeway een beetje rechts van een rechte lijn naar het doel. Toen stopten ze. De buurt waar ze moesten zijn, lag rechts voor hen. Het was een wirwar van straten met lage bebouwing, betonnen stoepranden en gras in plaats van trottoirs, met geteerde palen waar tientallen draden aan hingen, sommige zo dik als Reachers pols, terwijl daarachter de bebouwing gering was, een aantal bungalows, een aantal appartementencomplexen, een paar winkels en bodega's. Er was ook een pedicureshop en er stond een pick-up duidelijk in het zicht. Er waren basketbalringen en ijshockeygoaltjes en satellietschotels zo groot als *hot tubs*, en overal stonden geparkeerde auto's.

'Niet goed,' zei Turner.

Reacher knikte, want het was inderdaad niet goed. Alles en iedereen dicht op elkaar gepakt in een kleine ruimte, en door die buurt rijden zou betekenen stilstaan en weer optrekken, en achter elkaar om het ene na het andere obstakel manoeuvreren. Stapvoets zou je als een luxe kunnen zien.

Hij zei: 'Jij bent de commandant.'

Zij zei: 'Jij bent de uitvoerend officier.'

'Ik vind, doorgaan. Maar het is jouw beslissing.'

'Waarom vind jij dat we moeten doorgaan?'

'Al die bezwaren lijken verkeerd, maar je kunt het ook positief bekijken. Het zou in ons voordeel kunnen zijn. De MP's en de FBI weten niet wat voor auto we hebben. Voor hen is dit niet meer dan een oude bak met geblindeerde ramen. Daar kijken ze niet naar uit.'

'Maar die twee van de gedeukte auto misschien wel. Ze zijn steeds goed op de hoogte. In het ergste geval is die creditcard ergens opgedoken en weten ze wat voor auto we hebben.'

'Maakt niet uit,' zei Reacher. 'Ze kunnen niets tegen ons beginnen. Niet hier. Niet onder het oog van getuigen die in dienst zijn van de overheid. Ze moeten weten dat de MP's en de FBI hier ook zijn. Een prachtige catch 22. Ze moeten gewoon lekker blijven zitten en het allemaal aanzien.'

'Ze zouden ons kunnen volgen. De MP's en de FBI zouden daar geen probleem mee hebben. Gewoon een auto die de buurt uit rijdt.'

'Dat ben ik met je eens. Maar zoals ik al zei, dat zou in ons voordeel kunnen uitpakken. Twee vliegen in één klap. Wij nemen poolshoogte bij de locatie en we lokken die kerels naar een plek die we zelf uitkiezen. Al met al een welbestede dag, zou ik zeggen. Zeg ik, als uitvoerend officier. Maar het is aan jou om te beslissen. Daar word jij goed voor betaald. Bijna net zo goed als sommige docenten in het voortgezet onderwijs.'

Turner zei niets.

Reacher zei: 'Twee keer op een hoog vuur, weet je nog?'

Turner zei: 'Oké, rijd maar door.'

Ze bestudeerden de plattegrond en Reacher prentte de afslagen in zijn geheugen. Een keer rechtsaf, dan linksaf en nog een keer rechtsaf en dan waren ze blijkbaar in haar straat. Het huisnummer moest ongeveer halverwege de straat zijn. Turner zei: 'Denk erom. Alleen kijken. Geen meet and greet.'

'Begrepen,' zei Reacher.

'Geen uitzonderingen.'

'Nee, mevrouw.' Hij reed weg van de stoeprand en ging op weg naar de eerste bocht, draaide aan het stuurwiel en reed de buurt in. De eerste straat was een puinhoop. Een mix van woonhuizen en kleine bedrijfjes, een bakkerswagen die geparkeerd stond voor een kruidenierswinkel, een jongensfietsje in de goot, en een auto zonder wielen op houtblokken. De tweede straat was beter. Niet breder, maar hij was recht en minder rommelig. Het peil van de buurt steeg in de eerste vijftig meter. Links en rechts stonden kleine huizen. Geen overdaad, maar degelijk. Sommige hadden een nieuw dak, andere geverfde gestuukte gevels en bij nog weer andere stonden uitgedroogde planten in betonnen bakken. Doorsnee mensen die hun best deden, de eindjes aan elkaar knoopten.

Toen kwam de laatste bocht naar rechts en steeg het peil nog iets verder. Maar niet tot duizelingwekkende hoogten. Reacher zag een lange rechte straat, met aan het einde heel duidelijk zichtbaar de 101, achter hoog hekwerk. Aan weerszijden stonden rijtjeshuizen, gebouwd voor Amerikaanse dienstplichtige soldaten aan het eind van de jaren veertig van de vorige eeuw, en ze stonden er nog steeds. Alle huizen werden onderhouden, zij het in wisselende mate, sommige heel goed, andere waren gerenoveerd, weer andere waren uitgebreid, maar er waren er ook waaraan amper aandacht was besteed. Bij de meeste stond een auto op de oprit, en bij de meeste stond een tweede auto langs de stoeprand. In feite stonden er zoveel dat het de rijweg reduceerde tot één rijstrook.

Traag en onhandig.

Turner zei: 'FBI aan de rechterkant, zeker weten.'

Reacher knikte en zei niets. Een van de auto's langs de stoeprand was een Chevrolet Malibu, een meter of twintig verderop, zilverkleurig, een standaardmodel, met plastic waar chroom zou moeten zitten en twee stompe antennes vastgeplakt op de achterruit, achter het stuur een man die een shirt droeg met een witte kraag.

269

Een auto zonder bijzondere kentekenen, maar ook geen echte poging om te misleiden. Daarom misschien wel een supervisor, die even was gestopt om het moreel op te krikken en de stemming erin te houden. Misschien wel voor de man die voor hem stond geparkeerd.

Reacher zei: 'Kijk eens naar dat ding daar voor hem.'

Het was een burgermodel van een Hummer H2: breed, hoog, reusachtig, een en al glanzende was en zwarte lak en verchroomde accenten, met enorme wielen en dunne banden, bijna als zwarte elastieken.

'Zó acht jaar geleden,' zei Turner. In beslag genomen waarschijnlijk, vanwege een beetje coke in het zijvak van het portier, of omdat hij betrokken was geweest bij zwendel, of omdat er achterin gestolen waar was vervoerd. Eerst geconfisqueerd en daarna weer de weg op gestuurd als undercoverwagen voor surveillance, een beetje ongeloofwaardig, typerend voor de wereldvreemdheid van de overheid.

En twintig meter voor de Hummer stond een kleine witte middenklasser, geparkeerd langs de stoep aan de overkant, met de neus naar hen toe, nietszeggend en schoon, weinig gebruikt, op geen enkele manier eigen gemaakt. Vrijwel zeker een huurauto die van de luchthaven afkomstig was. Het 75th MP. Iemand om medelijden mee te hebben, tweede klasse naar LAX en dan een graatmager account bij Hertz of Avis. De minste auto die ze hadden, meer zat er niet in.

'Zie je het?' vroeg Reacher.

Turner knikte naast hem. 'En we weten welk huisnummer het is. Precies midden tussen de voorbumpers van de Hummer en dat ding zou ik zeggen. Ze zijn wel subtiel, niet?'

'Zoals altijd,' zei Reacher. Hij had naar de huisnummers gekeken. Het adres dat zij zochten, lag aan de linkerkant, dertig meter verderop, als de driehoeksmeting van de autoriteiten klopte. Hij zei: 'Zie je nog meer?'

'Moeilijk te zeggen,' zei Turner. 'In al die auto's kan wel iemand zitten.'

'Laten we dat hopen,' zei Reacher. 'Twee mensen in ieder geval.'

Hij reed verder, langzaam en voorzichtig, gunde zichzelf voortdurend een foutmarge. De oude bak stuurde een beetje slordig en vaag. Plus of min vijftien centimeter was zo ongeveer de afwijking. Hij reed voorbij de zilverkleurige Malibu aan de rechterkant. Het shirt met de witte kraag droeg een stropdas. Absoluut zeker FBI. Waarschijnlijk was het de enige stropdas in de wijde omtrek. Daarna kwam de Hummer. Achter het stuur zat een blanke man met blond haar. Met een crewcut, een dichte bos kortgeschoren, steil rechtopstaand haar boven spierwitte slapen en een spierwitte nek. Waarschijnlijk de eerste met zo'n hoofd die ooit achter het stuur had gezeten van zo'n uitbundig gepimpt voertuig. De overheid. Wereldvreemd.

Toen keek Reacher naar links en begon de huisnummers te tellen. Hij wist niet precies wat hij moest verwachten. Misschien een gat in de bebouwing. Iets wat anders was dan wat er links en rechts van was. Misschien iets wat verzegeld en dichtgetimmerd was, of afgebrand en geëgaliseerd met een bulldozer, of een terrein waarop om te beginnen nooit was gebouwd. Waar dan een grote oude auto zou staan, geparkeerd in de schaduw van de buren. Misschien een Buick Roadmaster.

Maar het adres dat Emily had gekregen, was een huis als alle andere. Het verschilde niet van de huizen links en rechts ervan, de ramen waren niet door de bank met planken dichtgespijkerd, het was niet afgebrand en platgegooid. Gewoon een doorsnee huis, op een doorsnee stukje grond. Er stond een auto op de oprit, maar dat was geen Buick Roadmaster. Het was een tweedeurs coupé, import, vaalrood door de zon, vrij oud, en zelfs nog kleiner dan de witte middenklasser van de MP's. Dus in ieder geval veel te klein om met twee mensen in te slapen. Kwam niet eens in de buurt. Het huis zelf was een oud pand, oorspronkelijk zonder verdieping, waar een verdieping bovenop was gezet. Op de begane grond een raam links en een raam rechts, terwijl boven de blauwe voordeur een nieuwe dakkapel uit het dak stak.

Door die blauwe deur kwam een meisje naar buiten.

Ze zou veertien kunnen zijn. Of vijftien.

Ze was blond.

En ze was lang.

51

Turner zei: 'Niet stoppen,' maar Reacher remde desondanks af. Hij kon er niets aan doen. Het meisje liep om de geparkeerde coupé naar het trottoir. Ze droeg een geel T-shirt en een blauw spijkerjasje, en een grote, zwarte slobberbroek en gele sneakers, zonder sokken, zonder schoenveters. Ze was slank, had lange benen en armen, een en al knieën en ellebogen. Haar haar had de kleur van zomers stro. Een middenscheiding, golvend tot halverwege haar rug. Haar gezicht was ongevormd, zoals de gezichten van alle tieners, maar ze had blauwe ogen en opvallende jukbeenderen, en om haar mond speelde een raadselachtig glimlachje, alsof haar leven een aaneenschakeling was van onbeduidende ergernissen, waar je je maar het beste tegen kon wapenen met geduld en een welwillende instelling.

Ze begon te lopen, naar het westen, weg van hen.

Turner zei: 'Kijk naar voren, Reacher. Voet op het gaspedaal, voorbijrijden en niet stoppen. Rij naar het einde van de straat, nu meteen. Dat is een bevel. Als zij het is, dan wordt dat later wel bevestigd, en dan gaan we er dan wel mee verder.'

Dus Reacher gaf opnieuw gas, van stapvoets naar een drafje, en ze passeerden het meisje op het moment dat die de kleine middenklasser van de MP's voorbijliep. Ze leek er op geen enkele manier op te reageren. Leek niet te weten dat die daar vanwege haar stond. Dan was het haar zeker niet verteld.

Want wat zouden ze ook kunnen zeggen? *Hé, hallo, jongedame, we zitten hier te wachten op je vader, om hem te arresteren. Die jij nooit hebt ontmoet. Als hij tenminste komt opdagen. Nu ze hem net over jouw bestaan hebben verteld.*

Reacher bleef met één oog in de achteruitkijkspiegel kijken en zag haar kleiner worden. Toen stopte hij bij de T-splitsing, sloeg links af, keek nog een laatste keer naar haar, en reed verder. Ze verdween uit zicht.

Niemand kwam achter hen aan. Honderd meter verder bleven ze stilstaan langs de stoeprand, maar de straat achter hen bleef leeg. Wat eigenlijk een kleine teleurstelling was. Al registreerde Reacher het niet als zodanig. In zijn gedachten waren de twee man van de gedeukte auto op het allerlaagste pitje terechtgekomen. Op een kacheltje in een andere wereld.

Hij zei: 'Ze zeiden dat ze in een auto woonde.'

'Misschien heeft haar moeder een nieuwe baan. Of een nieuwe vriend.'

'Heb jij een plek gezien waar we de boel in de gaten kunnen houden?'

'Niets voor de hand liggends.'

'Misschien moeten we meedoen met de rest en gewoon langs de stoeprand parkeren. Zolang we in de auto blijven, kan er niets gebeuren.'

'Er is vast wel iets beters,' zei Turner. Ze keek op de plattegrond, en door de ramen van de Range Rover naar buiten, helemaal rondom, strekte haar nek en zocht naar hoger gelegen grond of iets wat hoger lag dan de rest en vanwaar je goed uitzicht had. Verder naar het zuiden was genoeg van dat alles, in de Hollywood Hills, in de smog, maar dat was te ver weg, en bovendien zou de voorkant van het huis vanuit het zuiden niet te zien zijn. Na verloop van tijd wees ze naar het noordwesten, naar een afrit in de wirwar waar de 134 en de 101 elkaar kruisten. De afrit lag hoog en het leek alsof de lange bocht de hele wijk omarmde, in zijn zwaai van de ene freeway naar de andere. Ze zei: 'We kunnen doen of we motorpech hebben, als er een vluchtstrook langs die afrit ligt. Oververhit, of zo. Dat klinkt niet zo gek voor deze auto. We zouden er uren kunnen blijven staan. De FBI verleent geen pechhulp. Als de LAPD stopt, kunnen we altijd zeggen dat de motor wel zo ongeveer weer afgekoeld is en dat we door zullen rijden.'

'Onderofficier Espin heeft die plek ook ontdekt,' zei Reacher. 'Die heeft ongetwijfeld de omgeving verkend. Als hij daar een geparkeerd voertuig ziet, zal hij op onderzoek uit gaan.'

'Oké, als er iets anders dan een patrouillewagen van de LAPD stopt, gaan we er als een haas vandoor en vechten we het uit in de wildernis van Burbank.'

'We zijn hem allang kwijt voor Burbank. Ik wil wedden dat ze hem een klein viercilindertje als huurauto hebben gegeven.'

Ze gingen op zoek naar een winkel in tweedehandsspullen, omdat ze een tijdje een kwalitatief hoogwaardig product nodig hadden, meteen, en zonder op te vallen. En omdat ze met een gestolen creditcard zouden betalen, was de markt voor tweedehandsgoederen sowieso aantrekkelijker. Ze reden door gewone straten naar West Hollywood, waar ze stopten bij een van de talrijke winkels. Reacher zei tegen de man: 'Laat je beste verrekijker eens zien.' Die had de man genoeg, vooral oude. En dat was wel logisch. Reacher bedacht dat destijds, in de dagen van zijn vader, de mensen een verrekijker kochten omdat je nu eenmaal een verrekijker kocht. Elk gezin had een verrekijker. En een encyclopedie. Geen van beide werd ooit gebruikt. Evenmin als de acht-millimetercamera met een veer die je moest opwinden, als het om het gezin van een kolonel ging of iemand met een hogere rang. Maar het moest er allemaal wel zijn. Hoorde bij de heilige plichten van de huisvader. Nu waren al die huisvaders dood en de huizen van hun volwassen kinderen hadden maar beperkte ruimte. En dus werd al dat spul opgeslagen bij de akoestische gitaren en ringbanden met collegedictaten, nog steeds in met fluweel beklede leren hoezen en met prijzen die varieerden van laag tot heel laag.

Ze vonden een verrekijker die hen aanstond, krachtig maar niet te zwaar, en zo instelbaar dat hij voor beiden bruikbaar was. Baldacci betaalde en ze liepen terug naar de auto.

Turner zei: 'Volgens mij moeten we wachten tot de schemering. Voor die tijd gebeurt er toch niets. Niet als haar moeder een nieuwe baan heeft. En we hebben een zwarte auto. Die ziet Espin niet eens in het donker. Als de straat maar genoeg verlicht is voor onze verrekijker.'

'Oké,' zei Reacher. 'Dan kunnen we beter eerst gaan eten, denk ik. Dit kan wel uren duren. Hoe lang ben jij bereid daarboven te blijven zitten?'

'Zolang als maar nodig is. En net zo vaak als maar nodig is.'

'Bedankt.'

'Ik zou niet kunnen zeggen of dit van alle afspraakjes die ik door de jaren heb gehad, het slimste is wat ik ooit heb gedaan, of het stomste.'

Ze aten in West Hollywood, op hun gemak en duur en goed, op kosten van Peter Paul Lozano, en lieten de middag verglijden in de vroege avond. Toen de straatlantaarns meer licht gaven dan de lucht, stapten ze weer in de auto en reden ze langs Sunset Boulevard naar de 101. Het was druk, zoals altijd, maar die verspilde tijd zorgde ervoor dat het donkerder en donkerder werd in de lucht, zodat de dag volledig ten einde was toen ze de afrit op reden.

Er was geen officiële vluchtstrook langs de rijbaan, maar wel een strook met schuine witte strepen, bedoeld om de curve van de rijbaan te markeren, en ze stopten op die strook alsof hun dashboard een soort kerstverlichting was. Turner pakte de nieuwe oude verrekijker en ze reden langzaam naar een plek waarvan zij vond dat ze geen beter zicht dan daar zouden krijgen. Reacher zette de motor af. Ze bevonden zich op een afstand van ongeveer driehonderd meter tot de blauwe voordeur, een meter of twaalf hoger. Rechtstreeks uit het boekje. Een rechte zichtlijn, vanuit een hogere positie. Helemaal niet slecht. Zeer bevredigend. Bij het huis was het rustig. De voordeur was gesloten. De oude rode coupé stond nog steeds op de oprit. De Malibu van de FBI was verdwenen, maar de Hummer stond er nog, net als de kleine witte middenklasser twintig meter verderop. De rest van het wagenpark was een beetje veranderd. Mensen die in een dagploeg werkten, kwamen thuis, mensen die in een nachtploeg werkten, vertrokken.

Ze keken om de beurt door de verrekijker. Reacher draaide zich opzij op de bestuurdersstoel en zat met zijn rug regen het portier en keek langs Turner naast hem, door het open raam aan haar kant. Het beeld door de verrekijker was donker en onduidelijk. Niet gemaakt voor nachtzicht. Maar het ging. Achter hem passeerden auto's, op een halve meter afstand, een gestage optocht, stuk voor stuk afkomstig van de 101, op weg naar de 134. Niemand stopte om te helpen. De oude Range Rover wiebelde alleen in de slipstream van de auto's die onveranderlijk doorreden, zich van geen kwaad bewust.

Romeo belde Julia en zei: 'Ze zijn net in West Hollywood geweest. Ze hebben iets in een tweedehandswinkel gekocht met de creditcard van Baldacci en daarna hebben ze in een erg duur restaurant gegeten op kosten van Lozano.'

Julia vroeg: 'Wat zouden ze gekocht hebben in die tweedehandswinkel?'

'Maakt niet uit. Waar het om gaat, is dat ze in West Hollywood urenlang niets hebben zitten doen, ogenschijnlijk doelloos, wat je niet zou verwachten als ze nog iets op hun agenda hadden staan, bijvoorbeeld uitzoeken waar mevrouw Dayton tegenwoordig verblijft. Dus ik neem aan dat ze dat ondertussen weten.'

'Hoe, in vredesnaam?'

'Maakt niet uit hoe. Waar het om gaat, is wat ze nu gaan doen. Misschien hebben ze zich in West Hollywood alleen maar schuilgehouden tot het donker werd. En in dat geval zijn ze nu waarschijnlijk weer terug bij het huis om dat een hele tijd in de gaten te houden.'

'Onze jongens zijn daar niet meer.'

'Stuur ze er dan maar weer heen. Zeg tegen ze dat ze met de ogen van een militair naar de omgeving moeten kijken om uit te zoeken waar een goedgetraind team zich zou opstellen voor surveillance. Er kan niet meer dan een handjevol van dat soort plekken zijn. Ze zullen bijvoorbeeld niet op hun hurken in de achtertuin van de buren zitten, om maar wat te noemen. Ze zitten waarschijnlijk een redelijk eind weg. Het handboek vereist een zichtlijn en een hoge positie. Op het dak van een leegstaand gebouw bijvoorbeeld, of een watertoren, of een parkeergarage. Zeg tegen de jongens dat ze een lijst moeten maken met mogelijkheden en dat ze vervolgens uit elkaar moeten gaan om afzonderlijk al die plekken te onderzoeken. Dat is efficiënter. Het moet vanavond afgelopen zijn.'

'Je kunt wapens kopen in tweedehandswinkels.'

'Maar dat hebben ze niet gedaan. Er is een afkoelingsperiode. Ze hebben wetten in Californië. En ze hebben maar dertig dollar uitgegeven.'

'Met de creditcard. Daarnaast kunnen ze best nog wel iets met contant geld hebben gekocht. Lozano en Baldacci hadden genoeg contant geld bij zich in het vliegtuig.'

'Een illegale aankoop? Dan waren ze niet blijven plakken om uitgebreid te gaan eten. Niet in dezelfde buurt. Dan waren ze wel zenuwachtig geworden. Dan waren ze ergens anders heen gegaan. Dat voel ik zo. Daarom zijn ze volgens mij nog steeds ongewapend.'

'Ik hoop dat je gelijk hebt,' zei Julia. 'Dat zou de zaak gemakkelijker maken.'

Turner keek een halfuur door de verrekijker en gaf hem toen terug aan Reacher, terwijl ze in haar ogen wreef en knipperde. Hij maakte de verrekijker breder, paste de focus aan, wat een behoorlijke draai met het scherpstelwiel vereiste. Of zij was halfblind, of hij. Ze zei: 'Ik wil sergeant Leach nog een keer opbellen. Ik wil weten dat alles goed met haar gaat.'

Hij zei: 'Doe haar de groeten.' Hij luisterde met een half oor naar Turners kant van het gesprek, terwijl hij keek naar wat er driehonderd meter verderop gebeurde. Niet veel. De Hummer stond nog steeds op dezelfde plek en de kleine witte middenklasser stond ook nog steeds op dezelfde plek. Niemand ging het huis in of verliet het huis door de blauwe voordeur. Met sergeant Leach ging het kennelijk goed. En dat gold blijkbaar ook voor haar vriendin Margaret Vega. Op dat moment in ieder geval. Tot dat moment. Het gesprek duurde maar kort. Turner zei niets expliciets, maar tussen de regels door leek het of Leach het met haar eens was dat de teerling was geworpen en dat de uitkomst één van tweeën was: de hoofdprijs of naar huis.

De blauwe deur bleef dicht. Reacher hield de kijker vooral op die deur gericht, maar van iedere twintig seconden nam hij er vier om de omgeving te verkennen. Dan volgde hij de straat terug naar de zijstraat waardoor zij waren komen aanrijden, waar de bakkerswagen voor de kruidenierswinkel stond, waar het fietsje in de goot lag en de auto zonder wielen stond. Dan Vineland Avenue, over een afstand aan de zuidkant van de freeway, die ongeveer even groot was als de afstand van het advocatenkantoor tot de freeway aan de noordkant.

Hij richtte de kijker weer op de blauwe deur, die gesloten bleef.

En dan volgde hij de straat opnieuw met de kijker, de andere kant op, maar sloeg nu rechts af in plaats van links af, met een identieke zijstraat, als een spiegelbeeld. Hetzelfde straatbeeld met vergelijkbare bijzonderheden. En dan opnieuw Vineland, vijfhonderd meter zuidelijker. Zodat de buurt niet echt een rechthoek was. De rechterzijde was langer dan de linkerzijde. Als een vaandel. Ergens boven de rechterbovenhoek lag de freeway, daar voorbij het advocatenkantoor, en ergens onder de rechterbenedenhoek was een oude traditionele diner, feestelijk verlicht en glimmend. Reacher wist welke kant hij op zou lopen.

Hij richtte de kijker weer op de blauwe deur, die gesloten bleef.

De deur bleef gesloten tot één minuut voor acht. Toen ging hij open en kwam ze weer naar buiten, net als eerder. Dezelfde langbenige tred, bijna gracieus, hetzelfde haar, hetzelfde shirt, hetzelfde jackje, dezelfde schoenen. Geen sokken en veters, mocht je aannemen, en waarschijnlijk dezelfde spottende trek om de mond, maar het was donker en de kijker had zo zijn beperkingen.

Net als eerder.

Maar ze liep de andere kant op.

Ze liep naar het oosten, niet naar het westen. Ze liep weg van het kruispunt van freeways. Ze liep naar Vineland. Niemand liep met haar mee. Geen beveiliging, ze werd niet geschaduwd. Reacher wees en Turner knikte.

Hij vroeg: 'Denk je dat het mogelijk is dat ze geen van beiden iets hebben verteld?'

Ze zei: 'Natuurlijk hebben ze het meisje niets verteld. Ze kunnen moeilijk zeggen: we hebben je vader gevonden, maar hebben besloten om hem te arresteren.'

'Kunnen ze dat wel tegen de moeder zeggen? Ze zal niet zoveel alimentatie krijgen, als ze de sleutel weggooien.'

'Waar zit je aan te denken?'

'Ze hebben niemand met haar meegestuurd. Dat hadden ze wel moeten doen. Als ik haar niet in huis kan bereiken, probeer ik dat als ze de deur uitgaat. Dat is vanzelfsprekend. Maar er gaat niemand met haar mee. De enige logische verklaring daarvoor is dat ze hun niets hebben verteld, en er is geen enkele verklaring voor vier kerels die hen overal volgen, dus volgen ze hen niet overal.'

'Ze zijn bovendien krenterig. Als ze het hun wel verteld hadden,

hadden ze hun ook bewaking binnenshuis moeten geven. En dat kost geld.'

'Oké, dus als moeder en kind lokaas zijn zonder het te weten, en het huis verlaten, kan Espin, of wie dan ook, de zaak alleen maar in de gaten houden op afstand, en er zo nu en dan langsrijden in een auto.'

'Ja, klopt.'

'Maar niemand verroert een vin en de motor van geen van beide auto's is gestart.'

'Misschien wachten ze tot ze uit zicht is.'

'Eens kijken.'

Dat gebeurde echter niet. Het meisje sloeg rechts af aan het einde van de straat en verdween uit zicht, maar bij het huis kwam niemand in beweging. Geen van beide auto's begon te rijden.

Turner zei: 'Misschien is er een tweede team.'

'Zou je zo'n budget goedkeuren?'

'Natuurlijk.'

'En zij? Als ze te beroerd zijn om bewaking in het huis te plaatsen?'

'Oké, er is maar één team en dat komt niet in actie. Luiheid en zelfgenoegzaamheid. En waarschijnlijk is het lastig om een plek te vinden waar je kunt parkeren.'

'Ze komen niet in actie omdat ze denken dat ik zo onnozel ben dat ik de oprit op loop en op de deur klop.'

Toen reed een auto de straat in, helemaal vanaf het begin van de buurt, vanaf Vineland, door de zijstraat waardoor zij ook waren gereden. De koplampen zwaaiden naar rechts en weer naar links, en toen kwam de auto door de straat, recht op hen af en met verblindende koplampen, voorbij de Hummer, voorbij de blauwe voordeur, tot bijna naast de kleine witte middenklasser. Daar stopte de auto om vervolgens snel achteruit te rijden, voorbij het huis, voorbij de Hummer, helemaal terug tot aan de enige vrije plek om te parkeren aan het begin van de straat, wat natuurlijk veel verder weg was dan de bestuurder zou willen. Hij parkeerde de auto netjes tussen de andere. De koplampen doofden en er stapten twee mannen uit, ver weg en moeilijk zichtbaar, niet meer dan bewegende schimmen eigenlijk, van wie de een misschien iets langer was dan de ander.

279

Een oerinstinct roerde zich en een miljoen jaar later boog Reacher iets naar voren.

52

Het zicht van de verrekijker was gering op die afstand en er was erg weinig licht, dus Reacher liet ruimte over voor twijfel. Er waren dagelijks veertig miljoen mensen in Californië, dus het was erg onwaarschijnlijk dat iemand zomaar twee andere mensen zou zien. Maar onwaarschijnlijke gebeurtenissen vinden nu eenmaal plaats, dus hield Reacher de beide personen nauwlettend in het oog toen ze begonnen te lopen, en prutste met de focus om hen zo scherp mogelijk in beeld te krijgen. Ze liepen op de straat, niet op het trottoir, in het midden, snel, naast elkaar, en kwamen steeds dichterbij. Reacher twijfelde steeds minder. Ze liepen langs de Hummer de lichtcirkel van een straatlantaarn in en toen wist Reacher het zeker.

Hij keek naar de chauffeur van de eerste avond. Naast hem liep de grote man met het kaalgeschoren hoofd en de kleine oren.

Ze bleven pal voor de deur van het huis stilstaan en keerden zich om zodat ze terugkeken in de richting waaruit ze gekomen waren, alsof ze naar een ver verwijderde horizon tuurden, en toen begonnen ze rond te draaien, langzaam, tegen de wijzers van de klok in, met kleine schuifelende stapjes, en wezen zo nu en dan, steeds weg van het huis en omhoog.

Reacher zei: 'Ze zoeken ons.'

Ze bleven ronddraaien, voorbij honderdtachtig graden en toen zagen ze het rechterdeel van de afrit voor het eerst. De man met de oren leek het onmiddellijk te begrijpen. Hij bracht zijn arm omhoog en schetste de bocht van rechts naar links, en toen weer terug, van links naar rechts, volgde de hele boog en gaf aan hoe die de buurt als het ware omarmde. Hij trok zijn hand terug en legde de handpalm op zijn borst, alsof hij wilde zeggen *dat lijkt de eerste rij van het balkon wel daar, en dit hier is het podium, hier waar*

wij staan. Toen hield hij zijn hand boven zijn ogen om ze af te
schermen tegen het licht, en staarde hij naar de afrit, stukje bij beetje, zocht naar de juiste hoek, tot hij doodstil bleef staan, alsof hij
rechtstreeks in de verrekijker keek, vanaf de verkeerde kant.

Reacher zei: 'Ze hebben ons gevonden.'

Turner keek op de plattegrond en zei: 'Ze kunnen hier niet heel
erg snel zijn. Niet zoals de wegen lopen. Ze moeten eerst terug naar
de Hollywood Bowl, dwars door buurten heen, en dan moeten ze
weer deze kant op, achter ons, over de 101. Dat is een flink eind.'

'Het meisje loopt alleen buiten.'

'Ze zoeken ons.'

'En wij zoeken haar. Ze zouden bij haar in de buurt moeten blijven. Dat zou ik doen.'

'Ze weten niet waar ze naartoe is.'

'Dat is geen rakettechnologie. Haar moeder is niet thuis en ze
heeft tot acht uur tv gekeken en nu is ze de deur uit om iets te
eten.'

'Ze zullen haar niet gijzelen.'

'Ze hebben Moorcroft halfdood geslagen. En ze hebben niet veel
tijd meer.'

'Wat wil je doen?'

Reacher gaf geen antwoord. Hij liet de verrekijker bij Turner op
schoot vallen, startte de motor, zette hem in de versnelling en wierp
een blik over zijn schouder. Hij trapte het gaspedaal diep in en reed
van de diagonale witte strepen de rijbaan op, nam de lange bocht,
verliet de 101, reed de 134 op, voegde zich in het langzaam rijdende verkeer, op zoek naar de eerste afrit, die volgens hem niet
lang op zich kon laten wachten. Waarschijnlijk zou dat Vineland
Avenue zijn. Dat was het ook, met de keuze naar het noorden of
naar het zuiden. Centimeter na centimeter vorderde Reacher door
het verstopte verkeer, gefrustreerd, en toen reed hij naar het zuiden, langs de rand van de buurt met hogere bebouwing, voorbij de
eerste zijstraat met gemengde bebouwing, voorbij de tweede
zijstraat, en nog honderd meter verder tot hij de traditionele diner
zag, feestelijk verlicht en glimmend.

En het meisje, dat de straat overstak in de richting van de diner.

Hij remde af zodat ze vijftig meter voor hem overstak en keek naar haar terwijl ze het terrein van de diner op liep. In een hoek was een groep jongeren, een stuk of acht in totaal, jongens en meisjes, die wat rondhingen in de schaduwen en de avondlucht, doelloos, die lol trapten, die zich uitsloofden voor elkaar, zoals tieners dat doen. Het meisje liep op hen af. Misschien was ze niet op weg om iets te gaan eten. Misschien had ze thuis gegeten. Misschien iets uit de vriezer, in de magnetron. Misschien was dit wel een sociaal uitje, standaard na het eten. Misschien was dit een verzamelplaats, waar ze bij elkaar kwamen. Rondhangen en lol trappen, de hele avond lang. Dat zou prima zijn. Veel mensen bij elkaar bood veiligheid.

Ze voegde zich bij de groep. Er werden een paar opmerkingen gemaakt met uitgestreken gezichten, high fives gegeven, er werd gelachen en een beetje gestoeid. Reacher was er nu vlakbij, nam een snelle beslissing, reed het parkeerterrein op en parkeerde in de andere hoek. Het meisje stond nog steeds te kletsen. Haar lichaamstaal verraadde dat ze ontspannen was. Dit waren haar vrienden. Ze konden het goed met haar vinden. Dat was duidelijk. Geen ongemakkelijk gedoe.

Maar een paar minuten later maakte ze zich los van de groep, haar lichaamstaal gaf aan *Ik ga nu naar binnen*. Niemand volgde haar, dat leek haar niet teleur te stellen. Bijna het tegendeel. Ze zag eruit alsof ze hun gezelschap zonder meer op prijs had gesteld, maar dat ze nu van haar eigen gezelschap ging genieten. Ook zonder meer. Alsof ze het allemaal even aangenaam vond.

Turner zei: 'Ze is een einzelgänger.'

Reacher zei: 'En ze is lang.'

'Dat zegt op zich niets.'

'Dat weet ik.'

'We kunnen hier niet blijven.'

'Ik wil naar binnen.'

'Geen meet and greet. Nog niet.'

'Ik ga niet met haar praten.'

'Je vestigt de aandacht op haar.'

'Alleen als die kerels hier deze auto zien.'

Turner zei niets. Reacher keek hoe het meisje de deur opentrok en naar binnen liep. De diner was opgetrokken in de traditionele stijl, overal roestvrij staal, met vouwen en plooien en driedubbele accentueringen als bij een oude auto, en kleine raampjes als bij een oude treinwagon, en neon letters in art-decostijl. Het leek druk binnen. Spitsuur, tussen de klanten voor het dagmenu en die voor een kop koffie op de late avond. Reacher wist alles van diners. Hij kende het ritme. Hij had honderden uren doorgebracht in diners.

Turner zei: 'Alleen observeren.'

Reacher zei: 'Oké.'

'Geen contact.'

'Oké.'

'Oké, ga dan maar. Ik verstop de auto wel ergens en wacht. Zorg dat je niet in de problemen komt.'

'Jij ook.'

'Bel me als je klaar bent.'

'Bedankt,' zei Reacher. Hij klom de auto uit en stak het parkeerterrein over. Hij hoorde auto's op Vineland, en een vliegtuig, hoog in de lucht. Hij hoorde de groep tieners, heen en weer schuifelend en pratend en lachend. Hij hoorde hoe de Range Rover achter hem wegreed. Hij bleef even staan en haalde diep adem.

Toen trok hij de deur van de diner open en liep naar binnen.

Het interieur was in dezelfde traditionele stijl ingericht, even traditioneel als het exterieur. Zitjes links en rechts en een bar over de volle breedte achterin, iets minder dan twee meter van de achterwand, met een opening naar de keuken, maar voor het overige bekleed met spiegelglas. De zitjes werden gevormd door met vinyl overtrokken banken en voor de bar stond een lange rij krukken, een en al chroom en pasteltinten, als een cabriolet uit de jaren vijftig. Op de vloer lag linoleum, alle andere horizontale oppervlakken waren gelamineerd, roze, blauw en bleekgeel, met patronen als lichte potloodkrabbels, die Reacher deden denken, vanwege de datering van het geheel, aan eindeloze, gecompliceerde berekeningen voor het doorbreken van de geluidsbarrière en het ontwikkelen van de waterstofbom.

Achter de bar stond een grijze, kromme barman. Een blonde serveerster van een jaar of veertig deed de linkerkant van de diner, een donkerblonde serveerster van een jaar of vijftig deed de rechterkant. Alle drie waren ze druk in de weer, omdat de diner voor meer dan driekwart vol zat. Alle zitjes links waren bezet, sommige door mensen die aten na een dag van hard werken, andere door mensen die aten voordat ze een avondje uit gingen, één zitje door een trendy viertal dat blijkbaar op zoek was naar authenticiteit. Aan de rechterkant waren twee zitjes vrij. Aan de bar zaten negentien ruggen, terwijl er vijf krukken vrij waren.

Het meisje zat helemaal rechts aan de bar, op de laatste kruk, alsof dat haar eigendom was, alsof het hier een kroeg was en zij al vijftig jaar de oudste stamgast. Voor haar lagen bestek en een servet, en er stond een glas water, maar ze had nog niets te eten. Naast haar was een lege kruk, en daarnaast zat een man over zijn eten gebogen, en nog een, en nog een. De eerstvolgende lege kruk was negen ruggen verderop. Reacher bedacht dat hij haar beter kon zien vanuit een van de lege zitjes, maar in diners golden allerlei ongeschreven wetten, en het werd je niet in dank afgenomen als je tijdens het spitsuur in je eentje in een zitje voor vier plaatsnam.

Dus bleef Reacher op de drempel staan, onzeker, tot de blonde serveerster van de linkerkant van de diner medelijden met hem kreeg en een omweg maakte om bij hem langs te lopen. Ze probeerde uitnodigend te glimlachen, maar ze was moe en de glimlach was niet echt een succes. Het leek meer op een doffe, ongeïnteresseerde, lege blik. Ze zei: 'Gaat u maar ergens zitten, dan komt er zo wel iemand bij u.' Toen haastte ze zich weer weg. Reacher bedacht dat *ergens* inclusief de zitjes voor vier personen betekende, dus keerde hij zich naar rechts en deed hij een stap.

Het meisje keek naar hem in de spiegel.

Ze keek vrij openlijk naar hem. Haar ogen maakten contact met zijn ogen, via de spiegelwand, via reflecties en gebroken reflecties en fouten in het glas en alle andere optische verschijnselen die je op school leert bij natuurkunde. Ze keek niet weg, ook niet toen hij openlijk terugkeek.

Geen contact, had hij beloofd.

Hij liep naar de rechterhelft van de diner en ging in het zitje zitten dat precies één zitje van haar verwijderd was. Om haar het beste te kunnen zien zat hij met een schouder tegen het raam en zijn rug naar de rest van de diner, wat hij niet prettig vond, maar hij had geen keuze. De donkerblonde serveerster dook op met een menukaart en een glimlach die even vaal was als die van de blonde serveerster, en vroeg: 'Water?'

Hij zei: 'Koffie.'

Het meisje keek nog steeds naar hem in de spiegel. Hij had geen honger, omdat het etentje waarop Lozano hen had getrakteerd een waar feestmaal was geweest. Dus schoof hij het menu opzij. De donkerblonde serveerster was niet opgetogen over het feit dat hij niets bestelde. Dat zou geen gratis tweede kop koffie worden.

Het meisje keek nog steeds. Hij nam een slok van de koffie. Die was oké. De barman zette een bord voor het meisje neer en ze verbrak het oogcontact lang genoeg om iets tegen hem te zeggen dat hem deed glimlachen. Op zijn shirt was een borduursel aangebracht met zijn naam, Arthur. Hij zei iets terug, het meisje glimlachte, en hij liep weer weg.

Toen pakte het meisje haar bestek en haar servet in de ene hand en haar bord in de andere hand, gleed van haar kruk, liep naar het zitje waar Reacher zat en zei: 'Zal ik eens bij jou komen zitten?'

53

Het meisje legde haar bestek neer en haar servet, zette haar bord op tafel en deed toen een paar stappen terug naar de bar om haar glas water te halen. Ze wuifde naar de man die Arthur heette en wees naar het zitje, alsof ze wilde zeggen *ik ga ergens anders zitten*. Toen kwam ze terug met haar glas water. Ze zette het naast haar bord, schoof op het met vinyl beklede bankje en ging recht tegenover Reacher zitten. Van dichtbij zag ze er net zo uit als van veraf, maar de details waren scherper. Vooral haar ogen, die goed samenwerkten met haar mond als het erom ging ironie uit te drukken.

Hij vroeg: 'Waarom kom jij eens bij mij zitten?'

Ze zei: 'Waarom niet?'

'Je kent mij niet.'

'Ben jij gevaarlijk?'

'Dat zou kunnen.'

'Arthur heeft een Colt Python onder de bar, ongeveer recht tegenover de plek waar jij nu zit. En aan het andere einde nog een. Allebei geladen. Met .357 magnums uit een loop van twintig centimeter.'

'Eet je hier veel?'

'Praktisch alle maaltijden, maar ik denk dat je vaak moet zeggen. Niet veel. Veel betekent grote hoeveelheden en ik hou van kleine porties.'

Reacher zei niets.

'Sorry,' zei ze. 'Daar kan ik niets aan doen. Ik ben van nature een betweter.'

Hij vroeg: 'Waarom wilde je bij me komen zitten?'

'Waarom heb ik jouw auto vandaag drie keer gezien?'

'Wanneer was de derde keer?'

'Technisch gesproken was het de eerste keer. Ik was bij het advocatenkantoor.'

'Waarom?'

'Nieuwsgierigheid.'

'Waarnaar?'

'Naar waarom we drie keer per dag dezelfde auto's zien.'

'Wij?'

'Iedereen die een beetje oplet,' zei ze. 'Hou je niet van de domme, vader. Er is iets aan de hand in de buurt en we zouden heel graag willen weten wat. En jij ziet eruit als iemand die dat misschien wel zou willen vertellen. Als ik het je vriendelijk vraag.'

'Waarom denk je dat ik je dat kan vertellen?'

'Omdat je een van hen bent, van al die lui die de hele dag spionerend rondrijden.'

Reacher vroeg: 'Wat denk je dat er aan de hand is?'

'We weten dat jullie over elkaar struikelen bij het advocatenkantoor. En we weten dat jullie over elkaar struikelen bij mij in de straat. Dus denken we dat iemand bij ons uit de straat een cliënt is van de advocaat en dat ze samen betrokken zijn bij een of ander duister zaakje.'

'Wie bij jou in de straat?'

'Dat is de grote vraag, toch? Het hangt ervan af hoe erg jullie je best doen met het ophouden van de schijn bij het parkeren. We denken dat jullie dicht bij je doelwit willen zijn, maar niet pal voor de deur, want dat zou te opzichtig zijn. Maar hoe dichtbij? Dat weten we niet. Een heleboel huizen komen in aanmerking als je een beetje naar links en naar rechts gaat, de ene kant op en de andere kant op in de straat.'

Reacher zei: 'Hoe heet je?'

'Weet je nog van die Colt Python?'

'Geladen.'

'Ik heet Sam.'

'Sam hoe?'

'Sam Dayton. Hoe heet jij?'

'Is dat echt alles wat je weet van wat er in jouw straat gebeurt?'

'Probeer niet ons het graf in te prijzen. Ik denk dat we een aardige prestatie hebben geleverd door het zover in elkaar te puzzelen. Jullie houden allemaal de lippen stijf op elkaar. Aardige uitdrukking, hè? De lippen stijf op elkaar. Maar wat jullie verraadt, is dat heen en weer schuiven met auto's van het advocatenkantoor naar onze straat en terug. Ik begrijp waarom jullie het doen, maar het verraadt het verband.'

'Heeft niemand hier met je over gepraat?'

'Waarom zouden ze?'

'Heeft je moeder je iets verteld?'

'Het interesseert haar niet. Ze is heel gestrest.'

'Waarover?'

'Alles.'

'En je vader?'

'Die heb ik niet. Ik bedoel, natuurlijk heb ik er wel een, biologisch, maar ik heb hem nog nooit gezien.'

'Broers en zussen?'

'Heb ik niet.'

Reacher vroeg: 'Wie denk je dat wij zijn?'

'Federale agenten, natuurlijk. DEA, ATF of FBI. Dit is Los Angeles. Het gaat altijd om drugs of wapens of geld.'

'Hoe oud ben jij?'

'Bijna vijftien. Je hebt nog niet verteld hoe je heet.'

Reacher zei: 'Reacher,' en lette nauwkeurig op haar reactie. Maar er kwam geen reactie. Geen vonk. Geen *aha-erlebnis*. Ook geen *Oh my god!!*, wat je eerder van kinderen kon verwachten voor zover Reacher wist. Zijn naam betekende niets voor haar. Helemaal niets. Hij was in haar bijzijn nooit genoemd.

Ze vroeg: 'En, ga je me vertellen wat er aan de hand is?'

Reacher zei: 'Je eten wordt koud. Dat is wat er aan de hand is. Je zou moeten eten.'

'Eet jij niet?'

'Ik heb al gegeten.'

'Waarom ben je dan hier?'

'Vanwege de fraaie inrichting.'

'Arthur is er heel erg trots op. Waar kom jij vandaan?'

'Ik trek veel rond.'

'Dus je bent inderdaad federaal agent.' Toen begon ze te eten van het bord dat voor haar stond. Een maaltijd die op het menu vast werd omschreven als Mom's Amazing Meatloaf. De onmiskenbare geur van rundergehakt en ketchup. Hij wist alles van diners. Hij had zo'n beetje alles gegeten van wat ze te bieden hadden.

Ze vroeg: 'En heb ik gelijk? Gaat het om de advocaat en een cliënt?'

'Gedeeltelijk,' zei Reacher. 'Maar het gaat niet om een duister zaakje tussen die twee. Het gaat meer om iemand die bij een van beiden langs zou kunnen komen. Of bij beiden.'

'Een derde? Met een klacht?'

'Min of meer.'

'Dus het is een hinderlaag? Jullie wachten tot hij komt opdagen? Gaan jullie hem bij mij in de straat oppakken? Dat zou cool zijn. Als jullie het niet bij het advocatenkantoor doen natuurlijk. Hebben jullie een keuze? Als jullie kunnen kiezen, kun je het dan bij mij in de straat doen? Dat zou je eigenlijk toch al moeten overwegen. Bij mij in de straat zou veiliger zijn. Bij die winkels is het drukker. Is die man gevaarlijk?'

'Heb je iemand gezien in de buurt?'

'Alleen jullie eigen mensen. Die zitten de hele dag in hun auto te kijken. En dan die mobiele teams. De man in de zilverkleurige Malibu komt veel langs.'

'Veel?'

'Regelmatig. Zou ik moeten zeggen. Of vaak. En die twee kerels in die huurauto. En dan jullie tweeën in de Range Rover. Maar ik heb nog geen man alleen gezien die er gevaarlijk uitzag.'

'Welke twee kerels in een huurauto?'

'De een heeft een vreemd gevormd hoofd. En bijgeknipte oren.'

'Bijgeknipt?'

'In het begin, van een afstand, dacht ik dat hij gewoon kleine oren had. Maar van dichtbij kun je zien dat ze bijgeknipt zijn. Een soort kleine zeshoeken.'

'Wanneer zag je die man?'

'Vanmiddag. Hij stond voor mijn huis.'

'Heeft hij ook iets gezegd?'

'Geen woord. Maar waarom zou hij? Ik ben geen advocaat en geen cliënt en ik heb met niemand mot.'

Reacher zei: 'Ik mag je niet veel vertellen, maar die twee kerels horen niet bij ons. Die staan niet aan onze kant, begrijp je? Ze zouden in feite best wel eens een deel van het probleem kunnen zijn. Dus blijf maar bij ze uit de buurt. En zeg dat ook maar tegen je vrienden.'

Het meisje zei: 'Dat is niet zo cool.'

Toen rinkelde Reachers telefoon. Hij was niet gewend om een telefoon bij zich te hebben, zodat hij in eerste instantie dacht dat het de telefoon van iemand anders was. Hij negeerde het geluid. Maar het meisje staarde naar zijn zak, totdat hij er de telefoon uit trok. Het opgeslagen nummer van Turner stond op de display.

Hij verontschuldigde zich en nam het gesprek aan.

Turner hijgde.

Ze zei: 'Ik ben op weg naar je toe, en ik wil dat je naar buiten komt, meteen.'

Iets van strak gespannen emotie in haar stem.

Reacher drukte het gesprek weg, liet Sam Dayton achter in het zitje, liep naar buiten en haastte zich over de parkeerplaats naar de weg. Een minuut later zag hij twee koplampen, ver uit elkaar en hoog boven het wegdek, snel zijn kant op komen. De oude Range Rover, vanuit het zuiden, in grote haast. Toen spoelde het licht van de koplampen over hem heen en remde de Range Rover abrupt pal naast hem. Hij rukte het portier open en gleed naar binnen.

Hij zei: 'Wat is er aan de hand?'

Turner zei: 'Een situatie die een beetje uit de hand gelopen is.'

'Hoe erg?'

'Ik heb net iemand neergeschoten.'

54

Turner reed de Ventura Freeway in westelijke richting op en zei: 'Ik dacht dat het advocatenkantoor tegen deze tijd wel gesloten zou zijn, en waarschijnlijk al die andere winkels ook, en dus dacht ik dat iedereen die daar de boel in de gaten hield ook wel zou zijn vertrokken. Dus ben ik ernaartoe gereden om eens rond te kijken, omdat er misschien wel dingen zijn die we moeten weten, bijvoorbeeld het soort sloten op de deuren van dat kantoor, en het soort alarminstallatie. Allebei trouwens vrij eenvoudig. Als het moet, kun je er rustig vijf minuten binnen zijn. En toen keek ik op mijn plattegrond en zag ik dat ik vrij gemakkelijk op Mulholland Drive kon komen, want dat heb ik altijd al gewild, autorijden op Mulholland, als een FBI-agent in een film, en ik dacht: als dat meisje daar bij jou in die diner zit te eten, duurt dat nog wel een halfuur, zodat ik net genoeg tijd heb voor een privé-uitstapje, dus dat heb ik gedaan.'

'En?' vroeg Reacher, eenvoudigweg om haar aan de praat te houden. Mensen neerschieten riep spanningen op, en spanningen waren een gecompliceerd verschijnsel. Iedereen reageerde er anders op. Sommige mensen kropten ze op, andere moesten er juist over praten. Turner leek hem een prater.

Ze zei: 'Ik werd gevolgd.'

'Dat was dom,' zei hij, want ze hield niet van gedachteloos meepraten.

'Ik had hem heel snel door. Tegen het licht van koplampen achter hem kon ik zien dat hij alleen was. Een man alleen in een auto, meer niet. Dus ik besteedde er niet veel aandacht aan. Er zijn

290

heel veel mensen die van Mulholland Drive houden, dus ik had er geen moeite mee dat hij dezelfde kant op reed.'

'Wat was er dan alarmerend aan?'

'Hij reed even hard als ik. Dat is niet vanzelfsprekend. Snelheid is iets heel persoonlijks. Meestal ben ik vrij langzaam. Meestal klonteren de mensen achter mij samen, of halen ze me in. Maar deze man reed steeds achter me aan, de hele tijd. Alsof ik hem aan een sleepkabel had. En ik wist dat hij niet van het 75th MP of de FBI was, want die weten niet in wat voor auto wij rijden, dus moest hij wel bij die andere twee horen, al zat er dan maar één man in de auto, niet twee, wat inhield dat het geen van beiden was, of dat ze uit elkaar waren gegaan en afzonderlijk op jacht waren, maar hoe dan ook, het begon me al snel te vervelen, en in de film loopt het op Mulholland altijd al snel uit de hand, dus het leek me beter om bij de eerste de beste parkeerhaven te stoppen, als een soort boodschap, om aan hem duidelijk te maken dat ik hem had gezien, zodat hij de keuze had om grootmoedig zijn verlies te nemen en door te rijden, of zich een slechte verliezer te betonen en te stoppen en me lastig te vallen.'

'En hij stopte?'

'Zeker weten. Hij was de derde van de vier in de gedeukte auto van vanochtend. Die jij de chauffeur van de eerste avond noemt. Ze zijn uit elkaar gegaan en zijn nu afzonderlijk op jacht.'

'Ik ben blij dat hij het was, en niet die ander.'

'Hij was erg genoeg.'

'Hoe erg?'

'Echt erg.'

'Onzin,' zei Reacher. 'Hij was de moeite niet waard. Ik heb hem als tweede een klap gegeven. Dat betekent dat hij minder was dan de man die voor ons eten heeft betaald.'

'Hij had me klem,' zei Turner. 'Alsof hij een klein kind snoep afpakte.'

'Hoezo?'

'Hij had een pistool.'

'Dat verandert de zaak een beetje.'

'Ja, ongeveer driekwart seconde, toen had hij geen pistool meer en ik wel, en een stemmetje in mijn achterhoofd gilde *gevaar ge-*

vaar gevaar midden op het lichaam boem en ik knipperde met mijn ogen en zag dat ik het had gedaan, dwars door zijn hart. De man was dood voordat hij de grond raakte.'

'En waar heb je mij nu voor nodig?'

'Wou je zeggen dat je me niet mentaal wilt steunen?'

'Niet mijn sterkste kant.'

'Gelukkig ben ik een professionele soldaat en heb ik geen mentale ondersteuning nodig.'

'Hoe moet ik je dan helpen?'

'Ik heb je nodig om het lijk op te ruimen. Ik kan hem niet tillen.'

Mulholland zag er net zo uit als in de film, maar dan kleiner. Ze reden Mulholland op, zo voorzichtig als FBI-agenten, gereed om te stoppen als alles veilig was, gereed om door te rijden als ze zouden worden geconfronteerd met zwaailichten en krakende radio's. Maar die waren er niet. Dus stopten ze. Er was weinig verkeer. Het was schilderachtig, maar niet erg handig.

Het uitzicht vanaf de parkeerhaven was spectaculair.

Turner zei: 'Daar gaat het niet om, Reacher.'

De dode man lag op de grond vlak bij de voorkant van zijn auto. Zijn knieën waren opzij weggeklapt, maar voor het overige lag hij plat op zijn rug. Het leed geen enkele twijfel. Het was de chauffeur van de eerste avond. Met een gat in zijn borst.

Reacher vroeg: 'Wat voor pistool had hij?'

'Glock 17.'

'En waar is dat nu?'

'Afgeveegd en teruggestopt in zijn zak. Voorlopig. We moeten bedenken hoe we dit gaan aanpakken.'

'Dat kan maar op twee manieren,' zei Reacher. 'Vroeg of laat wordt hij gevonden door de LAPD. We kunnen hem het beste in het ravijn gooien. Daar kan hij wel een week liggen voordat ze hem vinden. Misschien wordt hij opgegeten. Of op zijn minst aangevreten, vooral de vingers. Als we hem in de auto leggen, wordt het een stuk minder. Maakt niet uit of we er moord of zelfmoord van maken, want het eerste wat ze doen is zijn vingerafdrukken nemen, en vanaf dat moment slaat Fort Bragg op tilt, en dan wordt de hele zaak van de andere kant opgelost.'

'Niet van onze kant. En dat wil je niet.'

'Jij wel?'

'Ik wil gewoon dat het wordt opgelost. Het maakt mij niet uit door wie.'

'Dan ben jij ongeveer het minst roofzuchtige beest dat ik ooit heb gezien. Ze hebben je naam op de meest vreselijke manier door het slijk gehaald. Je zou hun hoofd eraf moeten willen zagen met een botermesje.'

'Wat ze met mij hebben gedaan, is niet erger dan wat ze met jou hebben gedaan, met Big Dog.'

'Precies. Ik sta op het punt een botermesje te kopen. Dus geef me een kans. Een paar dagen in het ravijn doet niemand kwaad. Want zelfs als wij de zaak niet oplossen, doen Fort Bragg en de LAPD dat wel, misschien volgende week, als ze die kerel uiteindelijk vinden. Hoe dan ook, er komt een einde aan.'

'Oké.'

'En wij houden de Glock.'

Ze hielden de Glock, en een portemonnee en een mobiele telefoon. Toen greep Reacher de voorpanden van de jas van de man in zijn vuisten, tilde hem op en wankelde met hem zo dicht naar de rand van het ravijn als hij maar durfde. Meestal mislukt het wegwerken bij een ravijn. Lichamen blijven hangen, na twee, drie meter, op de helling. Vanwege een gebrek aan hoogte en afstand. Dus draaide Reacher met het lichaam rond als een kogelslingeraar op de Olympische Spelen, twee keer helemaal rond, laag aan de kant waar de grond was, hoog boven het ravijn. Toen liet hij los en slingerde hij het lichaam de duisternis in. Hij hoorde het kraken van geraakte bomen, en het ratelen van losse stenen en daarna niet veel meer, afgezien van het geroezemoes op de vlakte ver beneden hen.

Ze keerden vanaf de parkeerhaven de weg op en reden langs Laurel Canyon terug naar de freeway. Reacher reed. Turner demonteerde de Glock, inspecteerde de onderdelen, monteerde het wapen weer en stak het in haar zak, met één negen millimeter kogel in de kamer en nog vijftien in het magazijn. Toen maakte ze de portemonnee open. De inhoud verschilde niet van die van de andere portemonnees. Een dik pak met briefjes van twintig, een handjevol biljetten van minder, een complete verzameling niet verlopen, legale creditcards en een rijbewijs uit North Carolina met een foto van de man. Hij had Jason Kenneth Rickard geheten en er was iets minder dan een maand voor zijn negenentwintigste verjaardag een einde gekomen aan zijn kortstondige verblijf in dit ondermaanse. Hij was geen orgaandonor.

Zijn telefoon was een goedkoop exemplaar vergelijkbaar met de telefoons die Turner en Reacher bij de drogist hadden gekocht. Een prepaid die niet geïdentificeerd kon worden, ongetwijfeld speciaal bedoeld voor deze operatie. In de lijst met contacten stonden drie nummers. Bij de eerste twee stond *Pete L* en *Ronnie B*, dat waren natuurlijk Lozano en Baldacci, bij het derde stond alleen *Shrago*. Het gesprekkenlogboek liet zien dat er weinig activiteit had plaatsgevonden. Geen enkel uitgaand gesprek en slechts drie binnenkomende gesprekken, alle drie van Shrago.

Turner zei: 'Shrago zal wel die grote kerel zijn met de kleine oortjes. Hij lijkt de leiding te hebben.'

'Ze zijn niet klein,' zei Reacher. 'Ze zijn bijgeknipt.'

'Wat?'

'Zijn oren.'

'Hoe weet je dat?'

'Dat heeft het meisje me verteld. Zij heeft ze van dichtbij gezien.'

'Heb je met haar gepraat?'

'Zij nam het initiatief, in de diner.'

'Waarom zou ze?'

'Ze denkt dat we *feds* zijn. Ze is nieuwsgierig naar wat er gebeurt bij haar in de straat. Ze dacht dat wij haar misschien wel meer zouden vertellen.'

'Waar heeft ze die kerel met de oren gezien?'

'Voor haar huis.'

'En weet ze echt niet wat er aan de hand is?'

'Ze weet zelfs niets van die vaderschapszaak. Mijn naam zei haar helemaal niets. Haar moeder heeft haar duidelijk niets verteld over de beëdigde verklaring. Ze weet zelfs niet dat haar moeder de cliënt is van de advocaat. Ze denkt dat het een van de buren is.'

'Je had niet met haar moeten praten.'

'Ik had geen keus. Ze kwam bij mij aan het tafeltje zitten.'

'Bij een volslagen vreemde?'

'Ze voelt zich veilig in de diner. De barman lijkt een beetje op haar te passen.'

'Hoe was ze?'

'Het is een aardig kind.'

'Jouw kind?'

'Tot nu toe de beste kandidaat. Ze is ongeveer even onaangepast als ik. Maar ik herinner me nog steeds geen vrouw in Korea. Niet die laatste keer.'

Turner zei: 'Bijgeknipte oren?'

'Als kleine zeshoekjes,' zei Reacher.

'Daar heb ik nog nooit van gehoord.'

'Ik ook niet.' Reacher haalde zijn telefoon uit zijn zak en belde Edmonds. Het was negen uur aan de Westkust, dus middernacht aan de Oostkust, maar hij was ervan overtuigd dat ze zou opnemen. Ze was een idealist. De beltoon ging zeven keer over, toen nam ze aan, met een dikke tong, net als eerder. Reacher zei: 'Heb je een pen?'

Edmonds zei: 'En papier.'

'Ik wil dat je nog twee namen voor me natrekt bij het HRC. Vrijwel zeker van diezelfde logistieke compagnie in Fort Bragg, maar ik wil het zeker weten. De eerste is Jason Kenneth Rickard, en de tweede heet Shrago. Ik weet niet of dat zijn voornaam of achternaam is. Probeer iets meer over hem te weten te komen. Blijkbaar heeft hij verminkte oren.'

'Oren?'

'Die dingen aan de zijkant van zijn hoofd.'

'Ik heb vanavond met majoor Sullivan gepraat. Het Secretariaat van het leger wil een snelle afronding van de zaak Rodriguez.'

'Dat kan razendsnel als ze de aanklacht intrekken.'

'Maar dat gaat niet gebeuren.'

'Oké, laat dat maar aan mij over,' zei Reacher. Hij verbrak de verbinding, stopte de telefoon weer in zijn zak en stuurde weer met beide handen. Laurel Canyon Boulevard was een rare naam voor de weg waarop ze reden. Hij liep door Laurel Canyon, vanzelfsprekend, en het was een smal, kronkelend weggetje door heuvelachtig terrein in een erg aantrekkelijke en schilderachtige buurt, maar het was geen boulevard. Een boulevard was een brede, rechte ietwat ceremoniële hoofdverkeersader, vaak omzoomd met rijen bijzondere bomen of ander landschappelijk schoon. Van het Franse *boullewerc*, wat bolwerk betekent, want daar kwam het idee vandaan. Een boulevard was oorspronkelijk de bovenkant van verdedigingswerken, breed en vlak en weids, ideaal om te flaneren.

Ze kwamen uit op Ventura Boulevard, niet hetzelfde als de Ventura Freeway, maar in ieder geval recht en breed. De Ventura Freeway lag voor hen, Universal City lag rechts, Studio City links.

Reacher zei: 'Wacht.'

Turner zei: 'Waarop?'

'De advocaat van Big Dog zat in Studio City. Aan Ventura Boulevard. Dat herinner ik me van de beëdigde verklaring.'

'En?'

'Misschien zijn z'n sloten en alarm ook niet zo geweldig.'

'Dat is nogal een stap, Reacher. Dat is een heel nieuwe verzameling misdrijven op zich.'

'We kunnen in ieder geval een kijkje gaan nemen.'

'Dan ben ik medeplichtig.'

'Je krijgt vetorecht,' zei Reacher. 'Twee duimen op de knop, net als bij een atoombom.'

Hij sloeg links af en reed de weg op. Toen rinkelde er een telefoon. Een luid, elektronisch rinkelen, een neurotisch vogelgeluid. Niet zijn telefoon, ook niet die van Turner, maar de telefoon van Rickard, op de achterbank, naast zijn lege portemonnee.

55

Reacher stopte langs de kant van de weg, draaide zich om en pakte de telefoon. Hij rinkelde luid en trilde in zijn hand. Op de display stond *Binnenkomende oproep*, overbodige informatie, gezien al dat gerinkel en getril, maar er stond *Shrago* bij, wat wel handig was om te weten. Reacher nam het gesprek aan, hield de telefoon bij zijn oor en zei: 'Wat?'

Een stem zei: 'Rickard?'

'Nee,' zei Reacher. 'Niet Rickard.'

Stilte.

Reacher zei: 'Wat dacht je? Een stelletje loopjongens tegen het 110th MP? We staan op drie uit drie. Het lijkt wel slagoefening. Jij bent de enige die nog over is. En je bent nu alleen. En je bent de volgende die aan de beurt is. Hoe voelt dat?'

Stilte.

Reacher zei: 'Maar ze hadden je nooit in deze positie mogen laten komen. Dat was niet eerlijk. Ik weet het. Ik weet hoe die lui van het Pentagon zijn. Ik heb het beste met je voor. Ik kan je helpen.'

Stilte.

Reacher zei: 'Vertel me wie het zijn en ga linea recta terug naar Fort Bragg, dan laat ik je met rust.'

Stilte. Toen een snel piep-piep-piep in zijn oor, terwijl op de display *Oproep beëindigd* stond. Reacher gooide de telefoon terug op de achterbank en zei: 'Ik vraag het twee keer, maar geen drie keer.'

Ze reden verder en Studio City doemde voor hen op, massief en snel. De boulevard werd geflankeerd door bedrijven, sommige in een eigen gebouw, sommige bij elkaar gepakt in een complex, net als het rijtje winkels met het advocatenkantoor in North Hollywood. Sommige gebouwen en complexen deelden een ventweg, andere hadden een eigen parkeerterrein. Het was moeilijk om de nummers te lezen, omdat de meeste gevels donker waren. Twee keer reden ze tevergeefs een parkeerplaats op en weer af. Maar het kostte hen weinig tijd om het juiste adres te vinden. Het was een limegroen gebouw, waarin vijf bedrijven waren gevestigd. Het middelste pand moest van de advocaat van Big Dog zijn.

Maar dat was het niet.

In het middelste pand zat een belastingconsulent. Se Habla Español, en nog honderd andere talen.

Turner zei: 'Er veranderen dingen in zestien jaar. Mensen gaan bijvoorbeeld met pensioen.'

Reacher zei niets.

Ze zei: 'Weet je zeker dat dit het goede adres is?'

'Denk je dat ik me vergis?'

'Het zou je vergeven zijn.'

'Dank je, maar ik weet het zeker.' Reacher reed iets dichterbij, om beter te kunnen kijken. Het pand was niet ingericht in de meest moderne stijl. Borden, boodschappen, trompetgeschal en gouden bergen; ze waren allemaal een beetje gedateerd. De advocaat was niet onlangs met pensioen gegaan.

Achter in de zaak brandde licht.

'Tijdklok,' zei Turner. 'Voor beveiliging. Er is daar niemand.'

'Het is winter,' zei Reacher. 'Tijd voor de aangiftes. Die man zit binnen.'

'En?'

'We kunnen met hem gaan praten.'

'Waarover? Krijg je nog geld terug van de belasting?'

'Hij stuurt op zijn minst de post door van de advocaat. Misschien kent hij hem zelfs wel. Misschien is de oude baas zelfs nog eigenaar van het pand.'

'Misschien is de oude baas tien jaar geleden wel overleden. Of verhuisd naar Wyoming.'

'Er is maar één manier om daarachter te komen,' zei Reacher. Hij stapte uit en bonsde hard op het raam. Hij zei: 'Rond deze tijd van de dag werkt het beter als jij het woord voert.'

Julia belde Romeo, want sommige verantwoordelijkheden waren zijn verantwoordelijkheden, en hij zei: 'Shrago zegt dat Reacher de telefoon heeft van Rickard. En dus ook zijn pistool, neem ik aan. En hij weet dat zij loopjongens zijn van Fort Bragg.'

Romeo zei: 'Dat kwam uit het dossier van Zadran. Het was niet zo moeilijk om dat verband te leggen.'

'We hebben nog maar één man over. We zijn bijna machteloos.'

'Shrago staat zijn mannetje.'

'Tegen hen? We hebben drie man verloren.'

'Maak je je zorgen?'

'Natuurlijk maak ik me zorgen. We verliezen.'

'Heb je een idee?'

'Het is tijd,' zei Julia. 'We weten waar Reacher op afgaat. We moeten Shrago toestemming geven.'

Even leek het erop dat Turner gelijk zou krijgen, dat er niemand was, alleen maar een lamp aangesloten op een tijdklok, maar Reacher bleef op het raam bonzen en uiteindelijk kwam er een man naar voren lopen die wegjagende gebaren maakte met zijn armen. Waarop Reacher reageerde door uitnodigende gebaren te maken, wat leidde tot een impasse waarbij de man gebaarde *ik houd 's avonds geen kantoor*, en Reacher zich voelde als het kind in de film dat midden in de nacht naar het huis van de dokter wordt gestuurd, *kom snel, ouwe Job is levend begraven onder een stapel Voorlopige Aanslagen*. De man gaf het als eerste op. Hij snoof verontwaardigd en kwam stampend door het middengangpad van zijn winkel aanlopen. Hij ontgrendelde de deur en deed hem open. Een jonge, Aziatische man. Een jaar of dertig misschien. Hij droeg een grijze broek en een rood vest.

Hij zei: 'Wat wilt u?'

Turner zei: 'Onze verontschuldigingen aanbieden.'

'Waarvoor?'

'Omdat we u storen. We beseffen dat uw tijd kostbaar is. Maar we vragen u toch om vijf minuten van uw tijd. En daar betalen we graag honderd dollar voor.'

'Wie zijn jullie?'

'In zekere zin werken we op dit moment voor de overheid.'

'Mag ik uw legitimatie zien?'

'Nee.'

'Maar u wilt me honderd dollar betalen?'

'Alleen als u ter zake doende informatie kunt bieden.'

'Waarover?'

'Over de advocaat die hier voor u kantoor hield.'

'Wat is er met hem?'

'Het Congres eist dat wij bepaalde informatie op minstens vijf verschillende manieren verifiëren, en daarvan hebben we er nu vier voor elkaar, dus we hopen dat u nummer vijf kunt zijn, zodat we fijn naar huis kunnen gaan.'

'Wat voor soort informatie?'

'In de eerste plaats zijn wij verplicht te vragen, puur als een formaliteit, of het u persoonlijk bekend is of het voorwerp van ons onderzoek nog leeft of overleden is.'

'Ja, dat is mij bekend.'

'En wat houdt dat in?'

'Hij leeft.'

'Goed,' zei Turner. 'Dat was heel elementair. Het enige wat we verder hoeven te weten is zijn volledige naam en huidige adres.'

'Jullie hadden eerst bij mij moeten komen, niet als laatste. Ik stuur zijn post door.'

'Nee, de lastige gevallen pakken we als eerste op. Dan vlot de dag beter. Heuvelafwaarts, in plaats van heuvelopwaarts.'

'Ik zal het opschrijven.'

'Dank u wel,' zei Turner.

'Het moet wel exact,' zei Reacher. 'U weet hoe pietluttig het Congres kan zijn. Als de een *Avenue* opschrijft, en de ander *Ave*, keuren ze het waarschijnlijk al af.'

'Maak u geen zorgen,' zei de man.

De advocaat heette Martin Mitchell Ballantyne, en hij was niet naar Wyoming verhuisd. Hij woonde nog steeds op een adres in Studio City, Los Angeles, Californië. Bijna op loopafstand. Op Turners plattegrond was te zien dat het dicht bij de plek was waar Coldwater Canyon Drive uitkwam op Ventura. Misschien had de man daar altijd wel gewoond.

In dat geval was het een waardeloze advocaat geweest. Het adres was een appartement, waarschijnlijk uit de jaren dertig, en had te lijden gehad onder tachtig jaar van verval. Het moest er al heel lang slecht hebben uitgezien. Nu was de aanblik wanhopig. Donkergroene gevels, alsof er slijm over omlaag droop, geel licht achter de ramen.

Turner zei: 'Verwacht er niet te veel van. Misschien wil hij ons niet eens spreken. Het is vrij laat voor een bezoek.'

Reacher zei: 'Zijn licht is nog aan.'

'En misschien kan hij zich er helemaal niets van herinneren. Het is zestien jaar geleden.'

'Baat het niet, dan schaadt het niet.'

'Tenzij hij vindt dat het een poging is om een getuige à charge te beïnvloeden.'

'Hij moet het maar als een kruisverhoor beschouwen.'

'Maar je moet niet raar opkijken als hij ons eruit gooit.'

'Het is een eenzame oude man. Die wil niets liever dan op bezoek.'

Ballantyne gooide hen er niet meteen uit, maar leek ook niet heel erg ingenomen met het bezoek. Hij bleef gewoon op de drempel staan, vrij passief, alsof hij een groot deel van zijn leven had doorgebracht met het opendoen van de voordeur laat op de avond in Los Angeles, in reactie op dringende verzoeken. Hij had een doorsnee lengte, zag er redelijk gezond uit en was niet veel ouder dan zestig. Maar hij oogde vermoeid. En hij gedroeg zich uitermate somber. Hij zag eruit als een man die de strijd met de rest van de wereld was aangegaan, maar had verloren. Hij had een litteken over zijn lip, waarvan Reacher vermoedde dat het niet het resultaat was van een chirurgische ingreep. En achter hem stond iemand van wie Reacher vermoedde dat het zijn echtgenote was. Ze keek even somber, maar minder passief en meer openlijk vijandig.

Reacher zei: 'We willen graag een kwartier van uw tijd kopen, meneer Ballantyne. Wat denkt u, kan dat voor honderd dollar?'

De man zei: 'Ik heb geen praktijk meer. Ik heb niet langer een vergunning.'

'Met pensioen?'

'Uit het ambt gezet.'

'Wanneer?'

'Vier jaar geleden.'

'Wij willen graag praten over een oude zaak.'

'En waarom?'

'Omdat we er een film over maken.'

'Hoe oud is die zaak?'

'Zestien jaar.'

'Voor honderd dollar?'

'Voor u als u dat wilt.'

'Kom binnen,' zei de man. 'We zullen eens zien of ik dat wil.'

Ze schuifelden met zijn vieren door een smalle gang een smalle woonkamer in, waarin betere meubels stonden dan Reacher had verwacht, alsof de Ballantynes kleiner waren gaan wonen. Vier jaar geleden misschien. Uit het ambt gezet, misschien wel beboet, misschien wel aangeklaagd, misschien wel failliet.

Ballantyne zei: 'En als ik me niets herinner?'

'Dan krijgt u nog steeds het geld,' zei Reacher. 'Zolang u maar serieus uw best doet.'

'Om welke zaak gaat het?'

'Zestien jaar geleden hebt u een beëdigde verklaring opgemaakt voor een cliënt met de naam Juan Rodriguez, ook bekend als Big Dog.'

Ballantyne boog naar voren, helemaal bereid om zich voor de volle honderd dollar in te zetten, maar hij hoefde zich nog niet eens in te spannen voor meer dan de eerste anderhalve dollar.

Hij ging weer rechtop zitten.

Hij zei: 'Die zaak met het leger?'

Herkenning in zijn stem. En een toon van ellende. Alsof er iets gruwelijks was wakker gemaakt, dat terugkeerde uit de dood. Alsof die zaak met het leger hem alleen maar problemen had opgeleverd.

'Ja,' zei Reacher. 'Die zaak met het leger.'

'En wat is uw belang daarbij?'

'U hebt mijn naam gebruikt op de lege plekken waar een naam moest worden ingevuld.'

'Bent u die man?' zei Ballantyne. 'In mijn huis? Heb ik nog niet genoeg geleden?'

En zijn vrouw zei: 'Verdomme, het huis uit, nu meteen.' Kennelijk meende ze dat, want ze bleef het maar zeggen, luid en duidelijk en giftig, steeds opnieuw, met nadruk op het *nu meteen*. Wat, als het om inhoud en strekking gaat, door Reacher werd begrepen als een duidelijk bewijs dat ze niet langer welkom waren, dat ze zich op het randje van huisvredebreuk bevonden, en omdat hij Turner twee duimen op de atoomknop had beloofd en zich zorgen begon te maken over het probleem van de getuige à charge, haastte hij zich terug naar buiten, meteen, met Turner minder dan een halve meter achter zich. Ze liepen terug naar de auto en leunden ertegenaan. Turner zei: 'Het draait dus allemaal om het archiefsysteem.'

Reacher knikte.

'Dat zoeken we uit,' zei hij.

'Ga je daar Sullivan voor gebruiken?'

'Zou jij dat doen?'

'Absoluut. Ze is hoger in rang en ze zit precies daar bij JAG, niet weggestopt in HRC.'

'Je hebt gelijk,' zei Reacher.

Hij pakte zijn telefoon en belde Edmonds.

56

Edmonds nam het gesprek aan, slaperig en een beetje ongeduldig. Reacher zei: 'Eerder vanavond zei je dat majoor Sullivan je had verteld dat het Secretariaat van het leger aanstuurt op een snelle uitspraak in de zaak Rodriguez.'

'En nu maak je me midden in de nacht wakker om daar nog eens een keer grapjes over te maken?'

'Nee, ik wil dat je voor me uitzoekt wie precies die boodschap heeft doorgegeven aan majoor Sullivan, of op zijn minst langs welke kanalen ze dat te horen heeft gekregen.'

'Heel fijn dat je aan mij hebt gedacht, maar zou majoor Sullivan dat niet zelf moeten afhandelen?'

'Die krijgt het heel druk met iets anders. Dit is heel belangrijk, kapitein. En dringend. Ik wil dat je er zo snel mogelijk mee aan de slag gaat. Dus probeer maar iedereen te bereiken die je bereiken kunt. Zo vroeg mogelijk. Terwijl ze nog op de loopband staan, of wat het dan ook maar is wat mensen 's morgens vroeg doen.'

Reacher klopte op zijn broekzakken en zocht het doormidden gescheurde velletje van het notitieblokje dat Leach hem had gegeven met het privénummer van Sullivan. Hij koos het nummer en telde het aantal keren dat de telefoon overging. Ze nam aan na zes keer, wat hij heel behoorlijk vond. Blijkbaar sliep ze licht.

Ze zei: 'Hallo?'

'Je spreekt met Jack Reacher,' zei hij. 'Weet je nog wie ik ben?'

'Hoe zou ik dat kunnen vergeten? We moeten praten.'

'Dat doen we al.'

'Over jouw situatie.'

'Later, goed? We moeten eerst aan het werk.'

'Nu? Het is midden in de nacht.'

'Ofwel nu, ofwel zo snel mogelijk. Dat hangt ervan af wie je kunt bereiken.'

'Bereiken? Waarvoor?'

'Ik heb net gesproken met de advocaat die de beëdigde verklaring voor Big Dog heeft opgesteld.'

'Over de telefoon?'

'In levenden lijve.'

'Dat was volstrekt ontoelaatbaar.'

'Het was een heel kort gesprek. We zijn bij het eerste verzoek weggegaan.'

'We?'

'Majoor Turner is hier bij mij. Een officier van gelijke rang met dezelfde capaciteiten. Een onafhankelijke getuige. Ze heeft het ook gehoord. Een soort *second opinion*.'

'Wat heeft zij ook gehoord?'

'Heeft jullie juridische archief een zoekfunctie?'

'Natuurlijk.'

'Dus als ik *Reacher, aanklacht tegen* zou intypen, wat zou dat dan opleveren?'

'Precies wat je al hebt, in principe. De beëdigde verklaring van Big Dog of iets vergelijkbaars.'

'Is die zoekroutine snel en betrouwbaar?'

'Heb je me echt midden in de nacht wakker gemaakt om over computers te praten?'

'Ik heb informatie nodig.'

'Het systeem is vrij snel. De zoekroutine is niet erg intuïtief, maar kan je wel rechtstreeks bij een bepaald document brengen.'

'Ik noemde de zaak bij de advocaat en hij herinnerde het zich onmiddellijk. Hij had het over die zaak met het leger. Toen vroeg hij wat mijn belang bij de zaak was, en dat heb ik hem verteld. Toen zei hij: heb ik nog niet genoeg geleden?'

'Wat bedoelde hij daarmee?'

'Je had erbij moeten zijn om het te horen. Het zat helemaal in de toon waarop hij dat zei. De beëdigde verklaring van Big Dog was niet zomaar een klacht die hij op de post heeft gedaan en daarna is vergeten. Het was geen routinekwestie. Het was een *kwestie*. Het was een heel verhaal, met een begin en een einde en iets ertussenin. En het was geen happy end. Dat hoorden we in zijn stem. Het klonk als een treurige periode in zijn leven. Hij keek er met verdriet op terug.'

'Reacher, ik ben advocaat, geen gesprekstherapeut. Ik heb feiten nodig, niet de manier waarop mensen de dingen onder woorden brengen.'

'En ik heb mensen ondervraagd en dan leer je naar mensen te luisteren. Hij vroeg mij wat mijn belang was, alsof hij zich afvroeg: wat voor belang zou iemand in vredesnaam nu nog bij die zaak kunnen hebben? Zijn al die belangen al niet tot in den treure van alle kanten bekeken en opzijgeschoven?'

'Reacher, het is midden in de nacht. Wil je ergens naartoe?'

'Nog even volhouden. Je hebt toch niets beters te doen. Je slaapt nu toch niet meer. Waar het om draait is, dat hij zei: heb ik nog niet genoeg geleden? En op datzelfde moment begon zijn vrouw te roepen en te schreeuwen en gooide ze ons het huis uit. Ze wonen onder bijna belabberde omstandigheden en daar voelen ze zich zeer ongelukkig bij. En Big Dog was een trigger. Een mijlpaal, jaren geleden, met tot op de dag van vandaag voortdurende negatieve gevolgen. Dat is de enige logische verklaring voor hun reactie. Dus nu vraag ik me af of de hele toestand al die jaren geleden wel ooit aanhangig is gemaakt. Misschien hebben ze die advocaat wel een schop onder zijn reet gegeven. Misschien heeft hij toen wel zijn eerste waarschuwing gehad voor het overtreden van de ethische gedragscode. Misschien was dat wel de eerste stap op een rotsachtig pad naar de afgrond, dat vier jaar geleden heeft geleid tot uitzetting uit het ambt. Zo ingrijpend dat hij en zijn vrouw beiden nooit meer iets over die zaak willen horen, omdat dat het begin was van al hun problemen. Heb ik nog niet genoeg geleden? In de zin van: ik heb zestien jaar lang in een hel geleefd vanwege die zaak, en nu begint het allemaal weer opnieuw?'

'Reacher, wat rook jij? Je herinnerde je de zaak niet eens. Dat betekent dat jij niet vanwege die zaak voor de rechter hebt gestaan. Anders zou je het je wel herinneren. Maar als het wel aanhangig is gemaakt zestien jaar geleden en er zelfs toe heeft geleid dat ze die advocaat een schop onder zijn reet hebben gegeven, waarom zouden ze de zaak dan nu weer oprakelen?'

'Maken ze de zaak nu weer aanhangig?'

'Ik sta op het punt om op te hangen.'

'Wat zou er gebeuren als iemand zocht op *Reacher, aanklacht tegen*, vervolgens de beëdigde verklaring opvroeg en die weer invoerde op het niveau van de eenheid? Met een paar rookgordijnen eromheen die zouden doen denken dat het een serieuze aangelegenheid was?'

Geen antwoord.

Reacher zei: 'Dat zou wel heel veel weg hebben van een echte zaak, niet? We zouden een dossier aanmaken, we zouden ons met zijn allen gaan voorbereiden, strategieën uitdokteren, de oproep voor overleg met de aanklager afwachten, en hopen dat onze strategie dat overleg zou overleven.'

Geen antwoord.

Reacher zei: 'Heb jij al met de aanklager overlegd?'

Sullivan zei: 'Nee.'

'Misschien is er wel helemaal geen aanklager. Misschien is dit allemaal een illusie bij de ene partij. Op touw gezet om één minuutje zijn werk te doen. In de zin van: het was de bedoeling dat ik jouw dossier te zien zou krijgen en er dan als de bliksem vandoor zou gaan.'

'Het is geen illusie. Er wordt druk op me uitgeoefend door het Bureau van het Secretariaat.'

'En wie beweert dat? Misschien krijg je berichten, maar je weet niet echt van wie die komen. Weet je eigenlijk wel zeker dat Big Dog dood is? Heb je een overlijdensakte gezien?'

'Dit is waanzinnig geneuzel.'

'Misschien. Maar laat me nog even doorgaan. Stel dat het zestien jaar geleden echt aanhangig is gemaakt. Zonder dat ik erin gekend ben. Misschien wel als één zaak te midden van honderden andere zaken, waarvan er één was uitgekozen voor een proefproces, terwijl mijn zaak er in de wacht naast lag. Als bij een groepsvordering. Misschien was het onderdeel van een nieuw agressief beleid om advocaten te ontmoedigen als aasgieren cliënten binnen te halen. Dat zou ook kunnen verklaren waarom die advocaat zo'n schop onder zijn reet kreeg. Wat voor papierwinkel zou dat hebben opgeleverd?'

'Als het echt aanhangig was gemaakt? Een heleboel. Dat wil je niet weten.'

'Dus als ik zou zoeken op *Reacher, verdediging tegen aanklacht*, wat zou ik dan vinden?'

'Uiteindelijk zou je alles vinden wat gelabeld was als materiaal à decharge, denk ik. Honderden pagina's waarschijnlijk, als het een grote zaak was.'

'Is het net zoiets als winkelen op een website? Dat er steeds een koppeling is van het een naar het ander?'

'Nee, dat zei ik al. Het is een lompe, oude toestand. In elkaar gezet door mensen die ouder zijn dan dertig. We hebben het over het leger, vergeet dat niet.'

'Oké, dus als ik me zorgen maakte over iemand die Reacher heette, en ik zou hem weg willen jagen, en ik had veel haast, zou ik in het archief kunnen zoeken naar *Reacher, aanklacht tegen*, en dan zou ik die beëdigde verklaring van Big Dog vinden en die zou ik weer in omloop kunnen brengen, zonder me ervan bewust te zijn dat hij onderdeel was van een veel groter dossier. Allemaal vanwege de manier waarop het systeem werkt. Klopt dat?'

'In theorie wel.'

'En daar begint jouw werk, op dit moment. Ik wil dat jij aantoont dat de theorie praktijk is geworden. Zoek maar een groter dossier. Zoek maar op alle labeltjes die je kunt bedenken.'

Ze stapten in de auto en reden naar het oosten over de freeway, terug naar Vineland Avenue, en toen naar het zuiden, voorbij de buurt waar het meisje woonde, naar de diner. Ze was vertrokken, natuurlijk, evenals de blonde serveerster, en alle andere klanten die er hun avondeten hadden genuttigd. Het spitsuur was duidelijk voorbij. De late avond was begonnen. Er zaten drie mannen alleen in zitjes, die koffie dronken, er was een vrouw die een stuk taart zat te eten. De donkerblonde serveerster praatte met de barman. Reacher en Turner stonden bij de deur. De serveerster maakte zich los uit het gesprek en groette hen. Reacher zei: 'Het spijt me, ik moest ineens weg. Een noodgeval. Ik heb mijn koffie nog niet betaald.'

De serveerster zei: 'Dat is al geregeld.'

'Door wie? Niet door dat meisje, hoop ik. Dat zou niet correct zijn.'

'Het is al geregeld,' zei de serveerster nog een keer.

'Het is oké,' zei de barman. Arthur. Hij poetste met een doek de bar.

'Hoeveel kost een kop koffie?' vroeg Reacher.

'Twee dollar en een cent,' zei de man. 'Inclusief omzetbelasting.'

'Goed om te weten,' zei Reacher. Hij haalde twee dollar en een cent uit zijn zak, legde die op de bar en zei: 'Voor een kop koffie voor degene die mijn koffie heeft betaald, wie dat dan ook geweest mag zijn. Heel erg bedankt. Voor wat, hoort wat.'

'Oké,' zei de man. Hij liet het geld liggen waar het lag.

'Ze zei dat ze hier heel vaak kwam.'

'Wie?'

'Samantha. Het meisje.'

De man knikte. 'Ze is min of meer vaste klant.'

'Zeg maar tegen haar dat het me spijt dat ik ineens weg moest. Ik wil niet dat ze denkt dat ik onbeschoft ben.'

'Het is maar een meisje. Wat kan jou dat schelen?'

'Ze denkt dat ik voor de overheid werk. Ik wil geen negatieve indruk achterlaten. Ze is slim. Misschien is de publieke dienst wel iets voor haar.'

'Voor wie werk je echt?'

'De overheid,' zei Reacher. 'Maar niet bij die dienst die zij dacht.'

'Ik zal de boodschap doorgeven.'

'Hoe lang ken je haar al?'

'Langer dan ik jou ken. Dus als ik moet kiezen tussen jouw vragen en haar privacy, dan denk ik dat ik voor haar privacy kies.'

'Dat begrijp ik,' zei Reacher. 'Ik verwacht ook niet anders. Maar wil je haar nog één ding voor mij zeggen?'

'En dat is?'

'Zeg tegen haar dat ze niet moet vergeten wat ik heb gezegd over die zeshoekjes.'

'Zeshoekjes?'

'De kleine zeshoekjes,' zei Reacher. 'Zeg maar dat dat belangrijk is.'

Ze stapten weer in de auto en startten de motor, maar reden niet weg. Ze bleven op de parkeerplaats van de diner staan, hun gezichten roze en blauw in het art-decolicht van de neonbuizen. Turner zei: 'Denk je dat ze veilig is?'

Reacher zei: 'Het 75th MP en de FBI zitten de hele nacht naar haar slaapkamerraam te staren, met z'n allen helemaal gefixeerd op een insluiper. Dat zou ik dan moeten zijn, alleen ben ik het niet, want ik ga er niet heen, en Shrago ook niet, denk ik, want die weet wat ik weet. Geen van ons beiden zou vannacht in dat huis kunnen komen. Dus, ja, ik denk dat ze veilig is. Bijna per ongeluk.'

'Dan zouden we zelf ook een plek voor de nacht moeten zoeken. Voorkeur?'

'Jij bent de commandant.'

'Ik zou wel naar het Four Seasons willen. Maar we zouden de creditcards niet moeten gebruiken voor de overnachting, dus kunnen we alleen terecht in motels, en dat betekent dat we terug moeten naar die tent waar ze de kamers per uur verhuren in Burbank, waar we Emily de callgirl hebben ontmoet. Voor het proeven van de echte sfeer.'

'Net zoiets als met de auto over Mulholland rijden.'

'Of iemand neerschieten op Mulholland. Dat gebeurt ook in de film.'

'Alles goed met jou?'

Ze zei: 'Als ik een probleem heb, ben je de eerste die het te weten komt.'

Het motel ademde inderdaad de ware sfeer. Voor het loket van de receptie zaten tralies en ze accepteerden alleen contant geld. De kamer zag eruit alsof het er koud en klam zou moeten zijn, maar het was in Los Angeles, waar niets koud en klam was. De lucht voelde er juist breekbaar en knisperig aan, alsof de oven te lang had aangestaan. Alles functioneerde echter en het was er bijna comfortabel.

De auto stond vijf kamers verderop. Er was geen andere plek om hem te verbergen. Maar dat was veilig genoeg, als Shrago hem zou zien. Hij zou zich richten op de kamer bij de auto, daar de deur forceren, er de verkeerde mensen aantreffen, en aannemen dat de auto één deur verderop was gezet van waar hij moest zijn, maar links of rechts, een kans van vijftig procent, wat betekende dat hij, als hij de verkeerde keuze maakte, zich schuldig zou hebben gemaakt aan drie keer huisvredebreuk voordat hij zijn potentiële slachtoffer zelfs maar onder ogen zou krijgen. En veronderstel eens dat de auto twee deuren verder weg was gezet. Om hoeveel kamers ging het dan? Zijn hoofd zou ontploffen voordat hij alle implicaties van een auto die vijf deuren verderop stond, zou kunnen overzien. Zijn kleine oortjes zouden wegspatten in de verte, als granaatscherven.

Reacher dacht dat hij een uur of vier zou kunnen slapen. Hij was ervan overtuigd dat Edmonds zich in Virginia uit de naad zou werken om informatie te verzamelen. De tijd aan de Oostkust in aanmerking genomen, zou ze hem dus vroeg wakker bellen.

57

Edmonds belde voor de eerste keer om twee uur 's nachts lokale tijd, vijf uur in de ochtend aan de Oostkust. Reacher en Turner werden beiden wakker. Reacher legde de telefoon tussen hun kussens en ze rolden op hun zij met de hoofden naar elkaar toe, zodat ze beiden konden luisteren. Edmonds zei: 'Je vroeg eerder naar Jason Kenneth Rickard, en een man die Shrago heet. Heb je een pen?'

Reacher zei: 'Nee.'

'Luister dan goed. Van hetzelfde laken een pak als die eerste twee.

Zijn allemaal ingedeeld bij dezelfde logistieke eenheid in Fort Bragg. Drie teams per groep en zij vormen een team. Wat dat precies betekent, weet ik niet. Waarschijnlijk specialisten die hebben geleerd op elkaar te vertrouwen.'

'En hun gedeelde geheimen te bewaken,' zei Reacher. 'Vertel over Shrago.'

'Ezra Shrago, geen tweede voornaam, stafsergeant en teamleider. Zesendertig jaar oud. Hongaarse grootouders. Hij maakt deel uit van de eenheid sinds het begin van de oorlog. Hij is vijf jaar lang af en aan in Afghanistan geweest, en is na die tijd uitsluitend op de basis gestationeerd geweest.'

'Wat is er met zijn oren aan de hand?'

'Hij is gevangen geweest.'

'In North Carolina of in Afghanistan?'

'In handen van de Taliban. Hij is drie dagen weg geweest.'

'Waarom hebben ze zijn hoofd niet afgehakt?'

'Waarschijnlijk om dezelfde reden waarom wij Emal Zadran niet hebben doodgeschoten. Zij hebben ook politici.'

'Wanneer is dat gebeurd?'

'Vijf jaar geleden. Daarna hebben ze hem permanent thuis ingekwartierd. Sinds die tijd is hij niet meer in Afghanistan geweest.'

Reacher beëindigde het gesprek en Turner zei: 'Ik heb er geen goed gevoel bij. Waarom zou hij wapens verkopen aan mensen die zijn oren hebben afgesneden?'

'Hij doet de zaken niet. Hij is maar een radertje in de machine. Het interesseert ze niet wat hij denkt. Ze hebben zijn spieren nodig, niet zijn hersens.'

'We zouden hem immuniteit moeten aanbieden. We zouden hem zo over kunnen halen.'

'Hij heeft Moorcroft halfdood geslagen.'

'Ik zei aanbieden, dat is wat anders dan immuniteit geven. We kunnen hem achteraf altijd nog een mes in de rug steken.'

'Bel hem maar op dan en sluit maar een deal. Zijn nummer zit nog steeds in de telefoon van Rickard.'

Turner stond op en zocht de juiste telefoon, stapte weer in bed en koos het nummer, maar het telecombedrijf meldde dat het nummer dat ze had gekozen, haar oproep blokkeerde.

'Efficiënt,' zei ze. 'Ze vegen voortdurend hun straatje achter zich schoon, van minuut tot minuut. Geen meneer Rickard meer. En geen meneer Baldacci of Lozano. Stuk voor stuk geschiedenis.'

'We redden het ook wel zonder de hulp van Shrago,' zei Reacher. 'We komen er wel achter. Misschien wel in een droom, over vijf minuten.'

Ze glimlachte. 'Oké, welterusten dan maar weer.'

Julia belde Romeo, want sommige verantwoordelijkheden waren zijn verantwoordelijkheden, en hij zei: 'Shrago heeft hun auto gevonden. Hij staat bij een motel aan de zuidkant van Burbank Airport.'

Romeo zei: 'Maar?'

'Shrago denkt dat ze hun auto niet voor hun eigen kamer hebben gezet, uit voorzorg. Hij zou wel tien of twaalf kamers moeten proberen, en hij is bang dat hij dat niet voor elkaar krijgt. Een of twee misschien, maar meer niet. En het heeft geen zin om de auto onklaar te maken, want dan huren ze gewoon een andere, met een van onze eigen creditcards.'

'Kan hij niets met dat meisje?'

'Niet eerder dan dat ze de deur weer uit gaat. Dat huis zit potdicht.'

Romeo zei: 'Het juridisch archief meldt activiteiten. Iemand met JAG-toegang die in zijn eentje aan het zoeken is. Wat ongebruikelijk is rond deze tijd van de nacht.'

'Kapitein Edmonds?'

'Nee, die is aan het werk in het systeem van HRC. Ze heeft net uitgebreid het doopceel van Rickard en Shrago gelicht, ongeveer een uur geleden. Ze komen dichterbij.'

'Dichter bij Shrago misschien, niet dichter bij ons. Er is geen direct verband.'

'Dat verband loopt via Zadran. Dat is gewoon een neonreclame. Dus geef Shrago opdracht te verdwijnen uit Burbank. Laat hem maar wachten op het meisje. Zeg maar dat we op hem rekenen, en zeg maar dat hij deze hele rotzooi moet opruimen, vanochtend vroeg, maakt niet uit wat hij ervoor moet doen.'

Edmonds belde voor de tweede keer om vijf uur 's ochtends lokale tijd, acht uur in de ochtend aan de Oostkust. Reacher en Turner kropen weer met de hoofden naar elkaar toe. Edmonds zei: 'Oké, hier komt een update. Het uur voor de loopband is voorbij, en kantoortijd moet nog beginnen, dus alles wat ik heb, bestaat uit geruchten en roddel, maar in D.C. is dat meestal betrouwbaarder dan alle andere informatie.'

Reacher zei: 'En?'

'Ik heb met acht mensen gesproken die op het Secretariaat werken of daar nauw aan verbonden zijn.'

'En?'

'Rodriguez, of Juan Rodriguez, of Dog, of Big Dog doet geen enkel belletje rinkelen. Niemand herkent de naam, niemand is zich bewust van een actuele zaak, niemand heeft een boodschap doorgegeven aan majoor Sullivan, en er is evenmin iemand die iets weet van een hogere officier die bij zoiets betrokken zou zijn.'

'Interessant.'

'Maar niet definitief. Acht mensen is maar een kleine steekproef en ze denken dat een vervelende kwestie van zestien jaar oud weinig ruchtbaarheid zou krijgen. Over een uur weten we meer, als iedereen weer achter zijn bureau zit.'

'Bedankt, kapitein.'

'Lekker slapen, daar?'

'We zitten in een motel dat de kamers per uur verhuurt. We krijgen waar voor ons geld. Hebben ze Ezra Shrago begeleiding aangeboden na die toestand met zijn oren in Afghanistan?'

'Psychiatrische informatie is vertrouwelijk.'

'Maar ik wil wedden dat je die desondanks onder ogen hebt gehad.'

'Ze hebben hem begeleiding aangeboden en dat heeft hij geaccepteerd, wat ze opmerkelijk vonden. De meesten doen het op de manier van het leger, dat wil zeggen dat ze de zaak opkroppen totdat ze een zenuwinzinking krijgen. Maar Shrago was een gewillige patiënt.'

'En?'

'Drie jaar na het incident worstelde hij nog steeds met gevoelens van grote woede, rancune, vernedering en haat. Dat ze hem hier hebben ingekwartierd, was een voorzorgsmaatregel, niet alleen the-rapeutisch. Ze vonden dat het niet meer verantwoord was om hem los te laten in de omgeving van de lokale bevolking. Hij was een tikkende tijdbom. In de aantekeningen staat dat hij diepe gevoe-lens van haat koestert jegens de Taliban.'

Later zei Turner: 'Nu heb ik er helemaal geen goed gevoel meer bij. Waarom zou hij wapens verkopen aan de mensen die hij haat?'

'Hij is een radertje,' zei Reacher. 'Hij woont in North Carolina. Hij heeft al vijf jaar geen kerels meer gezien met een theedoek op de kop. Hij wordt goed betaald.'

'Maar hij doet mee.'

'Hij raakt de draad kwijt. Hij ziet ze niet meer en dus denkt hij niet meer aan ze.'

Reacher liet de telefoon liggen waar die lag, tussen hun kussens, en ze gingen weer slapen.

Maar niet lang. Edmonds belde veertig minuten later voor de der-de keer, om kwart voor zes lokale tijd. Ze zei: 'Gewoon voor de gein heb ik nog een keer gekeken naar de inkwartiering in Fort Bragg, omdat ik wilde weten hoe lang ze hebben samengewerkt als viertal. Shrago was er vanaf het begin, zoals ik al zei, toen kwam Rickard, daarna Lozano, terwijl Baldacci de laatste was, vier jaar geleden, en sinds die tijd zijn ze samen opgetrokken. Daarmee zijn ze het oudste team van de eenheid, verreweg. Ze hebben tijd genoeg gehad om elkaar door en door te leren ken-nen.'

'Oké,' zei Reacher.

'Maar dat is niet echt waar het om gaat. Waar het om gaat, is dat het team vier jaar geleden een tijdelijke commandant heeft ge-had. De vorige was bezweken aan een hartaanval. Het was die tij-delijke commandant die het team van Shrago bij elkaar heeft ge-bracht. En wie denk je dat dat was?'

'Morgan,' zei Reacher.

'In één keer raak. In die tijd was hij majoor. Vrij snel daarna heeft hij promotie gemaakt, om onduidelijke redenen. Hij heeft een akelig dun dossier. Je zou het kunnen lezen als medicijn tegen sla-peloosheid.'

314

'Dat zal ik onthouden. Maar op dit moment slaap ik prima, afgezien van het feit dat de telefoon iedere keer gaat.'

'Idem dito,' zei Edmonds.

Reacher vroeg: 'Wie heeft Morgan vier jaar geleden naar Fort Bragg gestuurd?'

'Daar werk ik nu aan.'

Reacher liet de telefoon liggen waar die lag, tussen hun kussens, en ze gingen weer slapen.

Dat werd hun nog een halfuur gegund voordat het vierde telefoongesprek van die ochtend doorkwam, om kwart over zes lokale tijd, rechtstreeks vanaf majoor Sullivan bij JAG. Ze zei: 'Ik heb net drie uur doorgebracht in het archief en ik vrees dat je theorie niet helemaal standhoudt. De aanklacht van Big Dog is niet zestien jaar geleden aanhangig gemaakt, maar ook niet op enig moment daarna.'

Reacher dacht even na.

'Oké,' zei hij. 'Begrepen. Bedankt voor het proberen.'

'Wil je het goede nieuws ook nog horen?'

'Is er goed nieuws dan?'

'De aanklacht is niet aanhangig gemaakt, maar hij is wel heel grondig onderzocht.'

'En?'

'Het was fraude, van het begin tot het eind.'

58

Sullivan zei: 'Iemand heeft echt zijn best gedaan om jou uit de wind te houden. Je moet aardig wat respect hebben afgedwongen, majoor. Het was geen groepsvordering. Er was geen nieuw agressief beleid om advocaten te ontmoedigen als aasgieren cliënten binnen te halen. Het draaide allemaal om jou. Iemand wilde jouw naam zuiveren.'

'Wie?'

'Het zware werk is gedaan door een kapitein van het 135th MP met de naam Granger.'

'Een man of een vrouw?'

'Een man, gestationeerd aan de Westkust. Don Granger.'

'Nooit van gehoord.'

'Al zijn aantekeningen gingen in afschrift naar een tweesterren-generaal van de MP met de naam Garber.'

'Leon Garber,' zei Reacher. 'Hij was mijn leermeester, min of meer. Ik ben hem veel verschuldigd. Zelfs nog meer dan ik dacht blijkbaar.'

'Ik denk het wel. Ik denk dat hij de hele zaak heeft aangestuurd. En jij moet zijn oogappeltje zijn geweest, want het was een ver-domd zwaar offensief. Maar je bent Granger ook wel het een en ander verschuldigd. Hij heeft zich uit de naad gewerkt en hij kreeg iets in de gaten wat niemand was opgevallen.'

'Wat was het verhaal?'

'Jullie verzamelen heel wat klachten. Jullie standaardreactie is om stommetje te spelen in de hoop dat het overwaait, en vaak gebeurt dat ook, maar als dat niet gebeurt, wordt er een verdediging opge-tuigd, met wisselende resultaten door de jaren heen. Zo is het heel lang gegaan. Maar toen begonnen ironisch genoeg die zaken die wa-ren overgewaaid een probleem te vormen. In al jullie dossiers zaten oude niet bewezen aantijgingen. De meeste daarvan waren natuur-lijk klinkklare onzin, die terecht was genegeerd, maar sommige rie-pen twijfel op. Commissies die besluiten moesten nemen over pro-motie kregen die dossiers onder ogen. Die begonnen zich af te vragen of er geen vuur was waar rook was, en sommige mensen bleven ste-ken in hun rang, en het werd een probleem. En de klacht van Big Dog was erger dan de meeste klachten. Ik denk dat generaal Gar-ber van mening was dat die verklaring te giftig was en niet gene-geerd kon worden, ook al zou hij vanzelf zijn overgewaaid. Hij wil-de niet dat het daar in dat dossier bleef zitten. Veel te veel rook.'

'Hij had het me rechtstreeks kunnen vragen.'

'Granger heeft hem gevraagd waarom hij dat niet deed.'

'En wat was het antwoord?'

'Garber was van mening dat het misschien wel waar was. Dat wilde hij alleen niet van jou horen.'

'Echt?'

'Hij dacht dat je je misschien wel had laten gaan bij de gedachte dat die SAW's in Los Angeles op straat terecht zouden komen.'

'Dat was een probleem voor de LAPD, niet mijn probleem. Het enige wat ik wilde, was een naam.'

'Die je ook hebt gekregen, en hij kon niet bedenken hoe je dat anders voor elkaar had kunnen krijgen.'

'Hij heeft er achteraf ook niet met me over gepraat.'

'Hij was bang dat je bij die advocaat langs zou gaan om de man een kogel door zijn hoofd te jagen.'

'Misschien had ik dat wel gedaan.'

'Dan moet Garber een wijs man zijn geweest. Op zijn strategie viel niets aan te merken. Hij heeft Granger op de zaak gezet, en het eerste wat er volgens Granger niet deugde was Big Dog. En het tweede wat volgens hem niet deugde was de advocaat. Maar er was nergens een barst in het verhaal te ontdekken en hij wist dat jij vlak voordat de man in elkaar werd geslagen, bij hem was geweest, en de beëdigde verklaring lag er nu eenmaal, dus hij kon geen kant op. Hij bedacht hetzelfde wat jij bedacht, namelijk dat iemand anders het gedaan moest hebben, of een hele club anderen, misschien wel een kleine afvaardiging van een ontevreden klant, wat in die context betekent: een bende latino's zoals Rodriguez zelf, of zwarten, maar op eigen kracht kwam hij er niet verder mee. Dus ging hij naar de LAPD, maar de politie had niets te bieden, wat Granger niet noodzakelijkerwijs beschouwde als definitief, omdat in die tijd de politie tot aan de oren verwikkeld was in allerlei gevoelige rassenkwesties. Dat was schering en inslag bij de LAPD in die tijd. Dus werden ze zenuwachtig van gesprekken met een vreemde over bendes, omdat die vreemde misschien in werkelijkheid wel een journalist was die maar al te bereid was om problemen met bendes te vertalen in termen van rassendiscriminatie. Dus ging Granger zelf opnieuw aan de slag met het idee dat er bendes bij betrokken konden zijn geweest, en zocht hij uit wie er in die tijd gewapend en gevaarlijk waren geweest, als een soort startpunt, en hij ontdekte dat er in die tijd helemaal niemand gewapend en gevaarlijk was geweest. Er was een periode geweest van tweeënzeventig uur waarin nergens een misdrijf was gerapporteerd waarbij bendes betrokken waren. Dus trok Granger aanvankelijk de conclusie dat bendes op hun retour waren in Los Angeles, en dat hij beter ergens anders op zoek kon gaan, maar dat leverde niets op, en Garber stond op het punt om de zaak af te sluiten. Op dat moment zag Granger wat hem tot dan toe was ontgaan.'

Vanaf haar kussen zei Turner: 'Die periode van stilte van tweeënzeventig uur kwam omdat de LAPD alle rapporten over bendecriminaliteit in de papierversnipperaar hadden gestopt. Waarschijnlijk op advies van de pr-mensen. Het had niets te maken met dat er niets was gebeurd.'

'Correct, majoor,' zei Sullivan. 'Maar alle details stonden nog steeds in de aantekenboekjes van de agenten. Het lukte Granger om de een of andere inspecteur genoeg onder druk te zetten om het ware verhaal boven water te krijgen, een bizar verhaal. Ongeveer twintig minuten nadat Reacher vertrokken was, kwamen vijf zwarte jongens van El Segundo opdagen die Big Dog in zijn voortuin begonnen af te tuigen. Een buurman belde de politie en de LAPD ging eropaf, zag de kloppartij een minuutje aan en arresteerde toen de jongens van El Segundo. Het was ook de politie die Big Dog naar het ziekenhuis heeft gebracht. Maar bij de arrestatie was een zekere mate van excessief geweld gebruikt en er was zwaar letsel toegebracht, dus werden de rapporten aangepast. Toen kwam het bericht van bovenaf dat alles wat niet helemaal koosjer was, moest verdwijnen, en de leidinggevenden van politiedistricten namen het zekere voor het onzekere en lieten alles vernietigen. Maar misschien had het ook niets met voorzichtigheid te maken en was er gewoon niets wat koosjer was.'

Reacher zei: 'Dus ik sta in een beëdigde verklaring, terwijl de LAPD met eigen ogen heeft gezien dat anderen het hebben gedaan?'

'Granger heeft fotokopieën gemaakt van de aantekenboekjes. Het zit allemaal in onze archieven.'

'Die Big Dog heeft een advocaat met ballen opgeduikeld.'

'Erger dan jij denkt. Plan A was om mee te gaan met de stroom en de LAPD zelf aan te klagen. Waarom niet? Dat deed iedereen. Granger heeft op een avond een keer rondgekeken in het kantoor van de advocaat aan Ventura Boulevard en daar vond hij een tweede beëdigde verklaring, identiek aan die van jou, maar in plaats van jouw naam werd daar overal de LAPD genoemd. Maar de ironie wil dat dat niet zou werken, omdat de LAPD feitelijk kon aantonen dat ze die dag niet daar in de buurt waren geweest, omdat er met alle logboeken was geknoeid, en op het moment dat dat smetje duidelijk werd, heeft de advocaat plan B in werking gesteld, een aanklacht tegen het leger. Op zich natuurlijk frauduleus en crimineel, maar aan de redenering mankeerde niets. Want de LAPD zou nooit meer kunnen toegeven dat ze alle processen-verbaal van die dagen hadden laten verdwijnen omdat dat politiek goed uitkwam, dus van die kant had de advocaat absoluut niets te vrezen. En Big Dog had dollartekens in de ogen, en bij de jongens van El Segundo viel niets te halen, dus was het leger de beste optie.'

'Hoe heeft Granger de zaak opgelost?'

'Hij moest op eieren lopen, want hij wilde de LAPD niet publiekelijk in diskrediet brengen. Maar hij kende iemand bij JAG die iemand kende bij de Orde van Advocaten, en samen hebben ze de advocaat een beetje onder druk gezet. Granger liet hem een nieuwe beëdigde verklaring opstellen waarin hij bekende dat de eerste beëdigde verklaring vals was. Hij was daar persoonlijk bij aanwezig. Die tweede verklaring zit overigens ook in het archief pal achter de valse beëdigde verklaring. En daarna heeft Granger de man een dikke lip bezorgd.'

'Heeft hij dat ook opgeslagen in het archief?'

'Hij verdedigde zich blijkbaar tegen een niet uitgelokte aanval.'

'Dat soort dingen gebeurt inderdaad. Hoe gaat het met kolonel Moorcroft?'

'Hij is buiten levensgevaar, maar het gaat niet goed.'

'Wens hem sterkte en beterschap als je de kans krijgt. En bedankt voor je inspanningen.'

Sullivan zei: 'Ik ben je een excuus verschuldigd.'

Reacher zei: 'Nee, helemaal niet.'

'Dank je, maar je bent mij nog wel dertig dollar verschuldigd.'

Reacher zag Turner voor zich, in Berryville, Virginia, na het warenhuis, in haar nieuwe broek, zijn shirt opbollend om haar lichaam, het rugpand tot aan haar knieën. Hij zei: 'Dat zijn de beste dertig dollar geweest die ik ooit in handen heb gehad.'

Ze vierden het nieuws op de beste manier die ze maar konden bedenken en daarna was het te laat om weer te gaan slapen, dus stonden ze op en douchten ze, en zei Turner: 'Hoe voelt het nu?'

'Niet anders dan anders,' zei Reacher.

'Waarom niet?'

'Omdat ik wist dat ik het niet had gedaan, dus bood het geen nieuwe informatie, en het heeft me ook niet opgelucht, omdat ik er om te beginnen niet mee in mijn maag zat, want het interesseert me niet wat mensen denken.'

'Zelfs ik niet?'

'Jij wist dat ik het niet had gedaan. Net zo goed als ik weet dat jij die honderdduizend niet hebt aangenomen.'

'Ik ben blij dat ze haar verontschuldigingen aanbood. Het was heel vriendelijk van jou om te zeggen dat dat niet hoefde.'

'Dat was niet vriendelijk,' zei Reacher. 'Ik constateerde gewoon een feit. Ze hoefde zich echt niet te verontschuldigen. Omdat haar aanvankelijke vooroordeel terecht was. En ik had niet moeten zeggen dat ik het niet had gedaan, omdat ik het bijna wel had gedaan. Ik ben heel dicht bij het punt geweest waarop elk woord in die beëdigde verklaring waar zou zijn geweest. Niet vanwege die SAW's in de straten van Los Angeles. Daar maakte ik me geen zorgen over. Het vereist een heleboel kracht en training om zo'n ding goed te gebruiken. En ze hebben onderhoud nodig. De beste man van de groep krijgt het machinegeweer, niet de zwakste, en lopen er zulke kerels rond in Los Angeles? Volgens mij niet. Ik ging ervan uit dat die SAW's één keer zouden worden afgevuurd en daarna zouden eindigen als bootankers. Niets om je druk over te maken. Ik maakte me meer zorgen om de andere spullen. Claymore-mijnen en handgranaten. Geen enkele kennis vereist. Maar heel veel bijkomende schade in een stedelijk gebied. Onschuldige voorbijgangers, en kinderen. En die grijnzende zak blubber verdiende er een fortuin mee, dat hij allemaal verspilde aan dope en hoeren en twintig Big Macs per dag.'

Turner zei: 'Tijd voor ontbijt. En wat mij betreft komen we niet meer terug. Ik heb wel genoeg sfeer geproefd hier.'

Ze stopten hun tandenborstel in de zak, trokken hun jas aan en zetten koers naar het parkeerterrein. Het licht van de straatlantaarns was nog sterker dan dat van de naderende dag. De auto stond waar ze hem hadden achtergelaten, vijf kamers verderop.

Er was iets op geschreven.

Het was geschreven in het vuil op het raam aan de passagierskant. Iemand had met een brede vingertop vier woorden getrokken, vijftien letters in totaal, blokletters, keurig netjes, correct gespeld en met een vraagteken: WAAR IS HET MEISJE?

59

Samantha Dayton werd vroeg wakker, zoals vaak gebeurde, en ze klom de smalle trap naar de zolder af en keek uit het raam naar buiten. De Hummer was weg. Midden in de nacht vertrokken waarschijnlijk, om zijn positie in te nemen bij het advocatenkantoor. Op de plaats van de Hummer stond nu een paarse Dodge Charger, die er veel te cool uitzag voor een auto van de politie. Maar dat was het wel. In algemene zin. Want technisch gezien was het de auto van een federale agent, vermoedde ze. DEA, of ATF, of FBI. Ze herkende de bestuurder. Ze begon greep te krijgen op het roulatiesysteem. Verderop in de straat stond de kleine witte middenklasser waar hij steeds had gestaan. En die vormde het echte mysterie. Want dat was geen auto van de politie. Het was waarschijnlijk een huurauto. Hertz of Avis, van LAX, dacht ze. Maar de DEA en de ATF en de FBI hadden stuk voor stuk een kantoor in Los Angeles, met veel personeel en een uitgebreid wagenpark. Dat betekende dat de man in de kleine witte middenklasser bij een organisatie hoorde die belangrijk genoeg was om een rol te spelen, maar die te klein en te gespecialiseerd was voor een lokaal kantoor. De man was dus met een vliegtuig ingevlogen, ergens anders vandaan, Washington D.C. waarschijnlijk, daar waar alle grote geheimen werden bewaard.

Ze ging onder de douche, kleedde zich aan, trok haar favoriete zwarte broek aan en haar favoriete spijkerjack, maar een schoon blauw T-shirt, en daarom ook blauwe schoenen. Ze kamde haar

haar en keek nog een keer naar buiten. Het liep tegen de tijd die ze het uur nul noemde. Twee keer per dag kwam de kleine witte middenklasser in beweging, om te eten, dacht ze, of voor een sanitaire stop, en ongeveer vier keer per dag verwisselden de Hummer en de Charger van positie, maar het leek erop dat de bureaus dat niet coördineerden, want één keer per dag, 's morgens vroeg, was iedereen tegelijk verdwenen, gedurende ongeveer twintig minuten. Nul agenten, het uur nul. Het alledaagse leven keerde terug in de straat. Een soort probleem van logica, dacht ze, of eenvoudige wiskunde, met een x aantal auto's, een y aantal locaties en een z aantal uren dat moest worden afgedekt. Iets moest wijken.

Ze keek naar buiten en zag dat de kleine witte middenklasser al weg was. De Charger kwam in beweging op het moment dat ze naar buiten keek, maakte zich los van de stoeprand en reed weg. Het werd stil in de straat. Terug naar het patroon van alledag. Het uur nul.

Reacher liep zijn redenering van eerder nog een keer langs: het 75th MP en de FBI hielden het huis in het oog en letten vooral op mogelijke indringers. *Ik ga er niet heen, en Shrago ook niet, want geen van ons beiden zou in dat huis kunnen komen.*

Hij zei: 'Hij bluft. Hij probeert ons zenuwachtig te maken. Hij probeert ons uit de tent te lokken. Meer niet. Hij kan niet eens bij het meisje in de buurt komen.'

Turner zei: 'Weet je dat absoluut zeker?'

'Nee.'

'Wij kunnen er niet heen. Je naam is nog niet gezuiverd, pas als Sullivan het officieel maakt. En mijn naam is al helemaal niet gezuiverd, dat zal wel nooit meer gebeuren.'

'We kunnen er één keer heen.'

'Nee, dat kan niet. Ze hebben de auto daar gisteren al een keer gezien. Misschien wel twee keer. En als we worden gearresteerd, helpen we haar daar niet mee, en onszelf ook niet.'

'We kunnen een andere auto huren. Bij Burbank Airport. Daar komt Shrago binnen een uur achter, maar dat uur hebben we dan in ieder geval.'

Het ontbijt was altijd een probleem. Er was nooit iets in huis, en bovendien kwam haar moeder 's morgens pas laat uit bed, moe en gestrest, en zou ze het niet op prijs stellen als er in de keuken met potten en pannen gerammeld werd. Dus was ontbijt een expeditie, een woord waar ze wel van hield, volgens haar afgeleid uit het Latijn, *ex* voor uit, en *ped* voor voet, net als in pedaal of pedicure, zodat het alles bij elkaar zoiets betekende als te voet eropuit gaan en dat was precies wat ze meestal deed, vanzelfsprekend omdat ze nog niet mocht autorijden, want ze was pas veertien, ook al was ze dan al bijna vijftien.

Ze zag ernaar uit om in een auto te rijden. Autorijden had zoveel voordelen omdat het haar actieradius zou vergroten. Met de auto zou ze voor haar ontbijt naar Burbank kunnen gaan, of Glendale of Pasadena, of zelfs Beverly Hills. Terwijl ze te voet niet verder kwam dan de diner, naar het zuiden aan Vineland, of een eettentje bij het advocatenkantoor, naar het noorden langs Vineland. Dat was het wel zo ongeveer, want verder waren het allemaal taco's of quesadillas of Vietnamees, en al die tenten waren niet open voor ontbijt. Frustrerend.

Normaal gesproken.

Maar niet echt belangrijk die ochtend, omdat voor de feds dezelfde beperking gold en dat zou het makkelijker maken om hen te vinden. Een kans van vijftig procent eigenlijk, alsof je een munt opgooit, en ze hoopte maar dat hij op de goede kant zou vallen, want die grote, die Reacher heette, leek bereid om te praten over dingen die de moeite waren om naar te luisteren, want hij zat blijkbaar als een spin midden in het web, als iemand die aan de touwtjes trok, die plotseling werd weggebeld, en haar alles vertelde over de man met de oren.

Dus, kop of munt?

Ze trok de blauwe deur achter zich dicht en begon te lopen.

Ze zetten de oude Range Rover bij het verhuurbedrijf langs de stoeprand waar een wegsleepregeling van kracht was, en gingen in de rij staan achter een bejaard stel uit Phoenix met grijs haar. Toen ze aan de beurt waren, gebruikten ze het rijbewijs en de creditcard van Baldacci en kozen ze een middenklasser, en nadat ze links en rechts handtekeningen en parafen hadden gezet, kregen ze de sleutel. De auto in kwestie was een witte Ford, net gewassen, het water droop er nog af. Hij was onopvallend en anoniem en dus in alle opzichten heel geschikt, zij het dat de ruiten een subtiele, moderne groene tint hadden, heel wat anders dan de ondoorzichtige folie op de ruiten van de Range Rover. Rijden in die Ford zou heel anders aanvoelen. Het zicht naar binnen toe zou alleen beperkt worden door verblindend zonlicht en reflecties. Of helemaal niet.

Turner had haar plattegrond meegebracht en zette een route uit waarbij ze Vineland kon mijden tot op het laatste moment. De dag brak helder en fris voor hen aan en het verkeer bleef rustig. Het was nog steeds erg vroeg. Ze reden Burbank uit langs smalle straatjes, voornamelijk door kantoorparken, daarna door North Hollywood, staken de freeway over ten oosten van Vineland en naderden de buurt onder een hoek. Ze voelden zich naakt en onbeschermd achter het dunne groene glas.

'Eén keer erlangs,' zei Turner. 'Met een rustige, constante snelheid tot het einde van de straat, onder geen enkele omstandigheid stoppen, voortdurend uitgaan van het normale en rekening houden met auto's van wetshandhavers, en als er toevallig iets anders gebeurt, rijden we toch helemaal naar het einde van de straat en zien we daar wel verder. We mogen niet vast komen te zitten voor het huis. Oké?'

'Oké,' zei Reacher.

Ze reden de eerste straat in, langs de kruidenier, langs de auto zonder wielen, en sloegen links af en daarna rechts af. Toen reden ze haar straat in, die zich lang en recht en normaal uitstrekte, een smalle tunnel met metalen wanden van kop tegen kont geparkeerde auto's aan weerszijden, blinkend in de ochtendzon.

Turner zei: 'FBI voor ons rechts. Paarse Dodge Charger.'

'Ik zie hem,' zei Reacher.

'Plus de laatste auto van dat groepje links. De MP Special.'

'Ik zie hem,' zei Reacher opnieuw.

'Het huis ziet er normaal uit.'

Het huis zag er inderdaad normaal uit. Solide en onwrikbaar en onverstoorbaar, alsof er binnen mensen lagen te slapen. De voordeur was gesloten en alle ramen waren dicht. De oude rode coupé was niet van zijn plaats geweest.

Ze reden verder.

Turner zei: 'Tot dusverre zijn alle andere auto's leeg. Geen teken van Shrago. Het was een schijnbeweging.'

Ze reden verder met een rustige, constante snelheid, naar het einde van de straat en zagen niets waarover ze zich zorgen hoefden te maken.

'Laten we maar gaan ontbijten,' zei Reacher.

Romeo belde Julia en zei: 'Ze hebben een andere auto gehuurd. Een witte Ford, bij Burbank Airport.'

Julia zei: 'Waarom? Ze weten toch dat ze dat niet voor ons verborgen kunnen houden?'

'Ze houden zich verborgen voor de FBI en de MP's. Een andere auto is een gezonde tactiek.'

'Een witte Ford? Ik zal het meteen doorgeven aan Shrago.'

'Boekt hij al vooruitgang?'

'Ik heb niets meer van hem gehoord.'

Romeo zei: 'Wacht even.'

'Wat is er?'

'Nog een transactie met de creditcard van Baldacci. De heer die bekendstaat als Cool Al heeft zojuist betaling geaccepteerd voor een tweede dag met de Range Rover. Dat betekent dat ze niet een andere auto hebben. Ze hebben er een auto bij. Ze hebben zich opgesplitst en verplaatsen zich afzonderlijk. Dat is slim. Het is twee tegen één. Ze buiten hun voordeel uit. Geef dat in ieder geval door aan Shrago.'

Ze reden rond de zuidkant van de buurt en weer noordwaarts over Vineland tot bij de diner. De witte Ford deed wat hij moest doen. Niemand keek er een tweede keer naar. Hij was even onopvallend en anoniem en onzichtbaar als een gat in de lucht. Ideaal, afgezien dan van die doorzichtige ruiten.

Het was druk in de diner rond die tijd van de ochtend, een en al bedrijvigheid en geen flauwekul, arbeiders met een dag hard werken voor de boeg die de nodige brandstof insloegen. Geen tieners met een ironische glimlach om de lippen. Het meisje was er ook nog niet. Dat was geen verrassing, want ook al was ze dan een vaste gast die er voor praktisch alle maaltijden kwam, het was nog erg vroeg. Reacher wist bijna niets van meisjes van veertien, maar hij kon zich voorstellen dat vroeg opstaan niet tot hun tien lievelingsbezigheden van de dag behoorde. De man die Arthur heette, was achter de bar in de weer en de donkerblonde serveerster haastte zich her en der. Misschien een gebroken dienst, 's avonds laat en 's morgens vroeg. De blonde serveerster was nergens te zien. Misschien begon die pas tegen lunchtijd, tot na het spitsuur van het avondeten.

Ze namen het laatste zitje rechts, direct achter de lege kruk van het meisje. Een hulpje bracht hun water en de donkerblonde serveerster schonk koffie in. Turner bestelde een omelet, Reacher bestelde pannenkoekjes. Ze aten en genoten ervan en bleven hangen en wachtten. Het meisje kwam niet opdagen. De andere klanten maakten langzamerhand plaats voor nieuwe, mensen met een baan op een kantoor of in een winkel in plaats van de arbeiders, de bestellingen iets verfijnder en iets minder calorierijk, met tafelmanieren die iets minder weg hadden van kolen scheppen in een fornuis. Reacher dronk nog vier koppen koffie. Turner bestelde toast. Het meisje kwam niet opdagen.

Reacher stond op, liep naar de bar en ging op de lege kruk van het meisje zitten. De man die Arthur heette, zag het hem doen, zoals een goed barman betaamt, en knikte, alsof hij wilde zeggen *ik ben zo bij je.* Reacher wachtte, Arthur schonk koffie in, en sinaasappelsap, ruimde een bord op, nam een bestelling op en kwam toen naar Reacher toe. Reacher vroeg hem: 'Komt Samantha altijd hier ontbijten?'

De man zei: 'Meestal.'

'Hoe laat doet ze dat?'

De man vroeg: 'Zou ik er ver naast zitten als ik zou beweren dat jij de veertig al gepasseerd bent?'

'Hartelijk dank, maar nee.'

'Er zijn mensen die beweren dat het aan de tijd ligt waarin we leven, maar ik denk dat het nooit anders is geweest, ik bedoel dat het gaat opvallen als een man van in de veertig een ongezonde hoeveelheid vragen begint te stellen over een veertienjarig meisje, en dat er zelfs mensen zijn die in actie komen en tegenvragen gaan stellen.'

'En terecht,' zei Reacher. 'Maar welke koning heeft jou tot moraalridder geslagen?'

'Jij stelde mij vragen.'

'Ik heb met plezier met haar gepraat en ik zou graag opnieuw met haar praten.'

'Dat klinkt niet geruststellend.'

'Ze is nieuwsgierig naar iets waar de politie bij betrokken is, dat is geen goede combinatie.'

'Die toestand bij haar in de straat?'

'Ik was van plan om haar wat informatie aan te bieden in ruil voor de belofte dat ze niet in de weg zou lopen.'

'Ben jij van de politie?'

'Nee, ik ben hier op vakantie. Ik moest kiezen: dit of Tahiti.'

'Ze is nog niet oud genoeg voor de feiten.'

'Ik denk het wel.'

'Ben jij bevoegd om daarover te oordelen?'

'Haal ik adem?'

'Ze staat altijd vroeg op. Ze zou al klaar zijn met haar ontbijt en alweer zijn vertrokken. Allang. Ik neem aan dat ze vandaag niet komt.'

60

Reacher betaalde de rekening met geld van Baldacci. Ze stapten weer in de Ford en Turner zei: 'Of ze heeft vandaag thuis ontbeten, of ze heeft haar ontbijt overgeslagen. Het is een tiener. Je moet niet verwachten dat ze alles volgens vaste patronen doet.'

'Ze zei dat ze hier voor vrijwel alle maaltijden kwam.'

'Wat niet hetzelfde is als alle maaltijden, punt uit.'

'De man zei: meestal.'

'Wat niet hetzelfde is als iedere dag.'

'Maar waarom zou ze vandaag overslaan? Ze is nieuwsgierig en ze denkt dat ik een bron van informatie ben.'

'Waarom zou ze denken dat jij hier bent?'

'De sterke arm der wet moet ook eten.'

'Dan is dat tentje bij het advocatenkantoor net zo logisch. Ze weet dat je op twee plekken kunt eten.'

'We zouden moeten gaan kijken.'

'Te moeilijk. Vanaf de straat zouden we niets kunnen zien en we kunnen niet zomaar naar binnen lopen. Bovendien staat ze vroeg op. Dan is ze er allang geweest en weer weg.'

'We zouden nog een keer langs haar huis moeten rijden.'

'Daar zouden we niets wijzer van worden. De deur zit dicht. We hebben geen röntgenogen.'

'Shrago hangt daar ergens rond.'

Turner zei: 'Laten we weer naar die afrit van de freeway gaan.'

Reacher zei: 'In een witte auto? Overdag?'

'Tien minuten. Voor onze gemoedsrust.'

Bij daglicht deed de oude verrekijker het fantastisch. Het uitvergrote beeld was scherp en enorm levendig. Reacher kon elk detail zien, van de straat, van de kleine witte middenklasser, van de paarse Dodge, van de blauwe voordeur. Maar er gebeurde niets. Alles leek rustig. Gewoon de zoveelste zonnige dag, gewoon de zoveelste surveillance, saai en vervelend, zoals surveillances meestal zijn. Geen spoor van Shrago. Een paar van de auto's hadden getint glas of stonden zo in de zon dat het licht verblindend werd weerspiegeld, maar dat waren stuk voor stuk auto's met te veel toeters en bellen om huurauto's te zijn. En de auto's die zo kaal waren dat het huurauto's zouden kunnen zijn, waren leeg.

'Hij is er niet,' zei Turner.

'Ik wou dat ik wist waar hij wel was,' zei Reacher.

Toen ging zijn telefoon. Kapitein Edmonds in Virginia. Ze zei: 'Ik heb nog een dossier gevonden over Shrago, vijf jaar oud. Het besluit om hem weg te houden uit het Midden-Oosten was omstreden. We waren betrokken bij twee oorlogen, we kwamen mensen tekort, honderden zijn onvrijwillig opnieuw opgeroepen, de National Guard is jaren achtereen in zijn totaliteit in het buitenland geweest, dus het idee om een ongeleid projectiel in loondienst te hebben dat niet kon worden ingezet in Irak of Afghanistan, was absurd. De eerste optie die ze hem hebben geboden, was vrijwillig ontslag nemen uit dienst, maar hij pleitte voor bijzondere omstandigheden, dus moesten ze hem horen, en het conflict is uiteindelijk helemaal op het hoogste niveau bij HRC uitgevochten voor een assistent-plaatsvervangend stafchef voor personeel, die in het voordeel van Shrago besliste.'

'En?' zei Reacher.

'Diezelfde assistent-plaatsvervangend stafchef was ook verantwoordelijk voor het benoemen van plaatsvervangende commandanten. Hij was degene die Morgan een jaar later naar Fort Bragg overplaatste.'

'Boeiend.'

'Dat dacht ik. Daarom bel ik. Shrago is hem het een en ander verschuldigd, en Morgan is zijn pion.'

'Hoe heet hij?'

'Crew Scully.'

'Wat is dat nu voor rare naam?'

'Blauw bloed uit New England.'

'Waar zit hij nu?'

'Hij heeft promotie gemaakt. Hij is nu zelf plaatsvervangend stafchef.'

'En waar is hij voor verantwoordelijk?'

'Personeelszaken,' zei Edmonds. 'Supervisie over HRC. Technisch gesproken is hij mijn baas.'

'Wie is verantwoordelijk voor de overplaatsing van Morgan naar het 110th deze week?'

'Ik neem aan de man direct onder Scully. Tenzij er dingen veranderd zijn.'

'Kun je dat voor me uitzoeken? En wil je ook uitzoeken of Scully toegang heeft tot de datasystemen van Homeland Security?'

'Ik denk niet dat hij daarvoor gemachtigd is.'

'Ik denk het ook niet,' zei Reacher. Hij verbrak de verbinding en gaf zich weer over aan het staren naar de straat.

Julia belde Romeo, want sommige verantwoordelijkheden waren

zijn verantwoordelijkheden, en hij zei: 'Shrago zegt dat ze niet apart in auto's zitten. Hij had besloten om bij dat verhuurbedrijf te kijken en kwam nog net op tijd om te zien hoe de Range Rover werd weggesleept.'

'Niet zo slim van ze. Met één auto hebben ze minder bewegingsvrijheid. En dat is in ons voordeel.'

'Daar gaat het niet om. De Range Rover wordt betaald met de creditcard van Baldacci. Nu moeten wij de boete voor het wegslepen betalen en de dagelijkse huur. Het is de zoveelste vernedering.'

'Wat heeft Shrago nog meer gezien?'

'Hij is dichtbij. Zij is het huis uit. Loopt rond. Niemand in de buurt in een omtrek van een kilometer. Hij wacht op een goede plek.'

'En hoe gaat hij de boodschap overbrengen?'

'Bij de diner. Daar zijn ze al twee keer geweest. Er werkt daar een man die Arthur heet en wel bereid lijkt om de boodschap door te geven.'

De tien minuten van Turner waren er al bijna veertig geworden, maar er was nog niets gebeurd, niet op de afrit achter hen en niet op de straat voor hen. Ze zei: 'We moeten vertrekken hier.'

Reacher zei: 'Waar naartoe?'

'Gewoon, rijden. Maakt niet uit. In een straal van anderhalve kilometer van haar voordeur, want als ze buitenshuis is, dan is ze te voet. Door straten in de buurt, niet over de freeway, ook alweer omdat ze te voet is. Shrago redeneert ongetwijfeld op dezelfde manier.'

Ze startten de motor van de Ford en reden de 134 op, maar namen meteen de eerste afrit en begonnen te zoeken op Vineland, de ene straat na de andere, in willekeurige volgorde, met uitzondering van de straat waar zij woonde, want dat wilden ze niet riskeren. De meeste straten waren driehonderd meter lang, met zijstraten van zestig meter. Dat betekende dat er ruwweg iets meer dan vijftig huizenblokken op een vierkante kilometer stonden, en dat betekende weer dat er in een gebied met een straal van anderhalve kilometer een kleine vijfhonderd huizenblokken waren, alles met elkaar zo'n honderdtachtig kilometer wegdek. Maar niet helemaal, want sommige huizenblokken waren twee keer zo groot, en de bermen en op- en afritten van de freeways namen ook ruimte in beslag, en sommige percelen waren nooit bebouwd. Daardoor werd het misschien wel tot honderd kilometer gereduceerd. Iets meer dan drie uur rijden, bij een veilige snelheid van dertig kilometer per uur. Niet dat de kans dat ze haar toevallig zouden tegenkomen groter werd door rond te rijden, want zo werken tijd en ruimte niet, maar het voelde beter om in beweging te zijn.

Het eerste uur zagen ze niets dan trottoirs en lantaarnpalen en bomen en huizen en winkels en geparkeerde auto's, met honderden tegelijk. Ze zagen niet meer dan een handjevol mensen, en ze besteedden nauwkeurig aandacht aan al die mensen, maar geen van allen was het meisje en geen van allen was Shrago. Ze zagen geen auto's die net als die van hen langzaam voortkropen. De meeste reden van hier naar daar, onschuldig en normaal, met een normale snelheid, soms iets harder. Dat was ook de enige opwinding gedurende het hele tweede uur. Een dofzwarte BMW reed door rood en werd vol in de flank aangereden door een oude Porsche die uit een zijstraat kwam. Stoom steeg op en er ontstond een kleine oploop, en daarna sloeg Reacher links af, zodat hij niet meer zag wat er verder gebeurde, tot hij na opnieuw een keer afslaan, bij hetzelfde kruispunt uitkwam. Tegen die tijd was er een patrouillewagen van de politie gearriveerd, met zwaailicht, en na nog drie keer afslaan was er een tweede patrouillewagen bij gekomen, en een ambulance.

Maar verder gebeurde er niets. Helemaal niets. Nog een halfuur later zei Turner: 'We kunnen beter vroeg lunchen. Want dat doet zij misschien ook wel, als ze vroeg ontbeten heeft. Of helemaal niet ontbeten heeft.'

'De diner?' zei Reacher.

'Ik denk het wel. Vrijwel alle maaltijden betekent misschien wel dat ze er een keer een overslaat, maar niet twee.'

Dus reden ze terug door de doolhof en kwamen net even ten noorden van de buurt uit op Vineland. Ze reden in zuidelijke richting tot ze de traditionele diner links voor zich zagen.

En het meisje, dat de straat overstak in de richting van de diner.

61

Julia belde Romeo en zei: 'Ik ben bang dat het plan in duigen is gevallen. We hebben pech gehad. Hij moest haar natuurlijk vlak bij zijn auto pakken. Onder ideale omstandigheden pal ernaast. Hij kon haar niet krijsend over straat slepen, niet een heel eind. Dus heeft hij een omweggetje gemaakt om voor haar te komen en de auto te parkeren, en toen heeft hij hetzelfde weggetje terug genomen om haar tegemoet te lopen. Het ging allemaal goed, en hij was er helemaal klaar voor om haar bij het passeren zijn auto in te sleuren, hij had nog een meter of twintig te gaan, toen de een of andere idioot door rood reed en tegen iemand anders aan knalde. Van alle kanten kwamen er ineens mensen op af, en een patrouillewagen, en nog een, en vanzelfsprekend kon Shrago niets doen met al die mensen en de LAPD erbij, dus heeft het meisje even naar het tafereel staan kijken en is toen doorgelopen. Shrago moest haar laten gaan, want in eerste instantie kon hij met zijn auto niet weg bij die toestand, en toen dat uiteindelijk lukte, was hij haar kwijt en kon hij haar niet meer vinden.'

Romeo zei: 'En wat nu?'

'Hij begint opnieuw. Hij zoekt alles af waarvan we weten dat ze er wel eens komt. Haar huis, het advocatenkantoor, de diner. Hij vindt haar wel ergens weer.'

'Dit moet opgelost worden in Californië. We kunnen ons niet permitteren dat ze deze kant op komen.'

Reacher remde af zodat het meisje vijftig meter voor hem overstak. Toen draaide hij aan het stuur en volgde hij haar de parkeerplaats op. Ze liep rechtstreeks naar de ingang van de diner. Hij parkeerde de auto. Turner zei: 'Moet ik met je meegaan naar binnen?'

Reacher zei: 'Ja, dat wil ik wel graag.'

Ze gingen naar binnen en wachtten op de drempel, op dezelfde plek waar ze eerder hadden gewacht. De diner zag er nog net zo uit als de avond ervoor. De blonde serveerster was weer aan het werk links in de diner, terwijl de afgetobde donkerblonde serveerster het rechterdeel voor haar rekening nam. Arthur was in de weer achter zijn bar en het meisje zat op haar kruk, helemaal aan het eind. De blonde serveerster kwam op hen af, met dezelfde lege glimlach, Reacher wees naar het zitje rechts dat precies één zitje van het meisje verwijderd was, en de blonde serveerster liet hen zonder ook maar een spoor van aarzeling over aan de zorgen van de donkerblonde serveerster. Ze liepen naar binnen en gingen zitten. Reacher opnieuw met zijn rug naar de ruimte, Turner tegenover hem, met het gelamineerde tafelblad tussen hen in. Het meisje zat met haar rug naar hen beiden, op nog geen twee meter afstand.

Maar ze keek naar hen in de spiegel.

Reacher wuifde naar haar spiegelbeeld, deels als groet, deels als uitnodiging *kom erbij zitten*, en op het gezicht van het meisje tekende zich een verwachtingsvolle blijdschap af, alsof Kerst aanstaande was. Ze gleed van haar kruk, ving Arthurs blik op en wees met een duim over haar schouder, alsof ze wilde zeggen *ik ga daar weer zitten*. Toen zette ze de twee stappen naar hun zitje. Turner schoof op en het meisje ging naast haar op het bankje zitten. Met zijn drieën vormden ze een compact driehoekje.

Reacher zei: 'Samantha Dayton, Susan Turner. Susan Turner, Samantha Dayton.'

Het meisje keerde zich op het vinyl naar Turner, schudde haar de hand en zei: 'Ben jij zijn assistent?'

Turner zei: 'Nee, ik ben zijn commandant.'

'Cool. Welk bureau?'

'Militaire politie.'

'Super. En wie zijn al die anderen?'

'Alleen wij en de FBI.'

'Sturen jullie de operatie aan, of zij?'

'Wij, natuurlijk.'

'Dus die man in de witte auto hoort bij jullie?'

'Ja, die hoort bij ons.'

'En waar komt hij vandaan?'

'Dat zou ik je wel kunnen vertellen, maar dan zou ik je daarna moeten doodschieten.'

Het meisje lachte. Ze was helemaal in haar sas. Informatie vanuit de organisatie, een vrouwelijke commandant, en nog grapjes ook. Ze zei: 'Dus die man die zou moeten komen opdagen, is een militair? Zoiets als een deserteur die nog een keer afscheid komt nemen van zijn familie voordat hij voorgoed verdwijnt? Maar waar zou zijn familie dan een advocaat voor nodig hebben? Of is het zijn advocaat? Is hij een spion of zo? Een heel hoge officier, een heel oude al, heel gedistingeerd, maar gedesillusioneerd? Die geheimen verkoopt?'

Reacher vroeg: 'Heb je vandaag nog iemand gezien?'

'Dezelfde mensen als gisteren.'

'Geen mannen alleen?'

'De man met de bijgeknipte oren is vandaag alleen. In de huur-auto. Misschien is zijn partner ziek.'

'Waar heb je hem gezien?'

'Hij kwam over Vineland aanrijden. Ik zat in dat tentje daar te ontbijten. Bij het advocatenkantoor. Alhoewel we nog eens op-nieuw moeten nadenken over de betrokkenheid van dat kantoor. Dit hele gedoe is een driehoek, toch? En we weten niet voor wie de advocaat werkt. Misschien wel voor de buurman, misschien ook wel voor de soldaat. Misschien wel voor allebei, denk ik, al zou ik niet weten hoe. Of waarom, eigenlijk.'

Reacher vroeg: 'Hoe laat heb je ontbeten?'

'Vroeg. Net nadat de agenten weg waren.'

'Waren die weg?'

'Twintig minuten maar. Dat lijkt het patroon te zijn. Jullie moe-ten beter coördineren. Iedereen vertrekt op hetzelfde moment. Zo komt er een gat in de dekking.'

'Dat is niet goed.'

'Ik vind het prima. Het betekent dat ik de deur uit kan zonder dat zij het weten. En als ik dan terugkom, zijn ze helemaal verrast, omdat ze dachten dat ik nog steeds binnen was.'

'Heb je dat vanochtend ook gedaan?'

'Dat is wat ik elke ochtend doe.'

'Heeft de man met de oren je zien vertrekken?'

'Ik denk het niet.'

'Heeft hij je nog ergens anders gezien?'

'Ik geloof het niet. Ik heb geprobeerd zo weinig mogelijk op te vallen. Vanwege jullie mensen, niet vanwege hem. Maar ik heb hem niet gezien. Ik heb zijn auto later nog wel gezien. Die stond langs de stoeprand waar een aanrijding was geweest.'

Reacher zei: 'Je moet bij die man uit de buurt blijven.'

'Dat weet ik. Dat heb je me gisteren verteld. Maar ik kan niet de hele dag thuis blijven zitten.'

Turner wachtte even en vroeg toen: 'Hoe lang wonen jullie daar al in dat huis?'

'Altijd al, denk ik. Ik kan me niet herinneren dat we ergens anders hebben gewoond. Ik weet wel bijna zeker dat ik daar geboren ben. Zo zeggen mensen dat toch, ook al klopt dat dan niet helemaal. Voor mij in ieder geval niet, want ik ben in het ziekenhuis geboren. Maar daarna ben ik naar huis gegaan, naar dát huis. Dat is wat de uitdrukking dat je ergens bent geboren, tegenwoordig betekent, denk ik, nu de hele geboorte-industrie is geïnstitutionaliseerd.'

Turner vroeg: 'Heb je ooit in een auto gewoond?'

'Dat is een rare vraag.'

'Je kunt het ons rustig vertellen. Wij kennen mensen die dat graag hoog op de agenda zouden zien staan.'

'Wie?'

'Een heleboel mensen. Wat ik bedoel is, wij oordelen niet.'

'Heb ik problemen?'

Reacher zei: 'Nee, jij hebt geen probleem. We zoeken alleen een paar dingen uit. Hoe heet je moeder?'

'Heeft zij problemen?'

'Nee, niemand heeft problemen. Tenminste, niet bij jullie in de straat. Dit gaat om die andere man.'

'Kent die mijn moeder? *Oh my god*, houden jullie *ons* in de gaten? Wachten jullie tot hij bij mijn moeder langsgaat?'

'Eén stap tegelijk,' zei Reacher. 'Hoe heet je moeder? En ja, ik weet het van die Colt Python.'

'Mijn moeder heet Candice Dayton.'

'Dan wil ik haar graag ontmoeten.'

'Waarom? Wordt ze ergens van verdacht?'

'Nee, dit is persoonlijk.'

'Hoezo?'

'Omdat ik de man ben die ze zoeken. Ze denken dat ik jouw moeder ken.'

'Jij?'

'Ja, ik.'

'Jij kent mijn moeder niet.'

'Ze denken dat ik haar misschien wel zou herkennen als ik tegenover haar sta, of misschien zou zij mij herkennen.'

'Ze zou jou niet herkennen, en jij haar niet.'

'Dat is moeilijk met zoveel stelligheid te zeggen, zonder het uit te proberen.'

'Geloof me maar.'

'Ik zou je graag geloven.'

'Hé, ik kan je met honderd procent zekerheid zeggen dat jij mijn moeder niet kent en dat mijn moeder jou niet kent.'

'Omdat jij mij niet eerder hebt gezien? We hebben het over een hele tijd geleden, misschien wel voordat jij geboren bent.'

'Hoe goed zou jij haar gekend moeten hebben?'

'Goed genoeg om elkaar te kunnen herkennen.'

'Dan heb je haar niet gekend.'

'Wat bedoel je?'

'Waarom denk je dat ik altijd hier eet?'

'Omdat je het hier fijn vindt?'

'Omdat ik hier gratis eten krijg. Omdat mijn moeder hier werkt. Daar loopt ze. De blonde serveerster. Je bent al twee keer langs haar gelopen en je hebt niet eens met je ogen geknipperd. En zij ook niet. Jullie hebben elkaar nooit gekend.'

62

Reacher schoof over het bankje en draaide zich half om en keek. De blonde serveerster was druk bezig, links, rechts, blies een streng haar uit haar ogen, veegde een handpalm af op haar heup, glimlachte, nam een bestelling op.

Hij kende haar niet.

Hij zei: 'Is zij ooit in Korea geweest?'

Het meisje zei: 'Weer zo'n rare vraag.'

'Hoezo, raar?'

'Als je haar zou kennen, is het een rare vraag.'

'Hoezo?'

'Omdat ze tot vervelens toe zielig doet over het feit dat ze in haar hele leven maar één keer Los Angeles County uit is geweest, toen een vriendje haar meenam naar Vegas maar geen geld had om het hotel te betalen. Ze heeft niet eens een paspoort.'

'Weet je dat zeker?'

'Daarom verft ze haar haar. Dit is het zuiden van Californië. Ze heeft geen papieren.'

'Ze heeft geen papieren nodig.'

'Ze is een burger zonder papieren. Dat is lastig uit te leggen.'

'Gaat het goed met haar?'

'Dit is niet wat ze van het leven had verwacht.'

'Gaat het goed met jou?'

'Prima,' zei het meisje. 'Maak je over mij maar geen zorgen.'

Reacher zei niets. Arthur dook ineens van achter hem op, boog voorover en fluisterde het meisje iets in het oor, heel stil, maar de harde medeklinkers verraadden wat hij zei: *Er is een meneer die deze meneer en mevrouw moet spreken.* Het meisje sprong overeind, met gloeiende wangen, maar al te bereid om plaats te maken voor iemand die nog belangrijker was en een positie bekleedde die nog dichter bij het vuur was. Arthur trok zich terug, het meisje haastte zich achter hem aan, en met de soepelheid van zijde werd haar plaats op het bankje meteen ingenomen door een kleine geblokte figuur, behendig, met de ellebogen al op tafel, een triomfantelijke uitdrukking op zijn gezicht.

Onderofficier Pete Espin.

Reacher keek Turner aan en Turner schudde haar hoofd, wat betekende dat Espin meer mensen in de diner had, minstens twee, waarschijnlijk gewapend en waarschijnlijk dichtbij. Espin maakte het zich gemakkelijk op het bankje, vouwde toen zijn handen, alsof hij een pak kaarten netjes in elkaar schoof en zei: 'U bent haar vader niet.'

Reacher zei: 'Blijkbaar.'

'Ik heb het uitgezocht, gewoon voor de lol. Het State Department laat weten dat mevrouw Dayton nooit een paspoort heeft ge-had. Het ministerie van Defensie laat weten dat ze nooit met enig ander document naar Korea is geweest. Dus heb ik nog wat zaken nagetrokken en het blijkt dat die advocaat spul via internet ver-koopt. Elk document dat je maar wilt hebben, en er komt in te staan wat je maar wilt. Twee prijsniveaus. Alleen op papier, of plausibel. Bij dit soort zaken betekent plausibel echte vrouwen, ech-te kinderen, en een echte kopie van een geboorteakte. De man is niet de enige op dit terrein. Het is een bloeiende sector. Er is een grote voorraad. Heb je een kind nodig dat op een bepaalde datum is geboren? Je hebt het voor het uitkiezen.'

'Wie heeft die beëdigde verklaring gekocht?'

'Hij had Romeo als naam opgegeven, maar zijn geld deugde. Af-komstig van de Kaaimaneilanden.'

'Wanneer heeft Romeo dat ding gekocht?'

'Dezelfde ochtend dat majoor Turner is gearresteerd. Het is een *direct service*. Je geeft ze de namen en plaatsen en data en zij knoei-en de verklaring in elkaar. Je kunt zelfs tekst uploaden als je dat wilt. De documenten worden opgemaakt op een computer en per e-mail verstuurd. Ze zien eruit als een fotokopie. Ze hebben Can-dice Dayton gekozen vanwege de geboortedatum van haar doch-ter. De advocaat kende haar als serveerster, omdat hij hier wel kwam om te eten. Ze heeft honderd dollar gekregen voor haar handtekening. Maar die geboortedatum was dom. Had u dat al be-dacht? Het was precies halverwege uw termijn in Red Cloud. Maar dan ook precies. Dat doet meer denken aan iemand die op een ka-lender heeft gekeken dan aan een biologisch proces.'

'Klopt,' zei Reacher.

'Dus u gaat vrijuit.'

'Maar waarom hebben ze dat ooit in gang gezet? Dat is de gro-te vraag. Weet je daar ook een antwoord op? Waarom heeft Ro-meo die beëdigde verklaring gekocht?'

Espin zei niets.

'En wie is Romeo in werkelijkheid? vroeg Reacher.

Geen antwoord.

Turner zei: 'En nu?'

Espin zei: 'U staat onder arrest.'

'Reacher ook?'

'Zeker.'

'Bel majoor Sullivan bij JAG.'

'Zij heeft mij gebeld. De zaak met Big Dog is een stille dood gestorven, maar tussen het moment dat hij die cel in Fort Dyer in liep en nu heeft majoor Reacher minstens honderd misdrijven gepleegd waar we kennis van hebben, en misschien nog wel meer, variërend van onwettige opsluiting van personen in het kader van een afzonderlijk misdrijf tot fraude met creditcards.'

Reacher vroeg: 'Heb je een bericht van ons doorgekregen via sergeant Leach?'

'Ik moest me niet aanstellen.'

'Ik vroeg wat jij in onze situatie zou hebben gedaan.'

'Ik zou het systeem hebben vertrouwd.'

'Gelul.'

'Helemaal als ik onschuldig was.'

'Was ik onschuldig?'

Espin zei: 'Aanvankelijk wel.'

Reacher zei: 'Je hebt geen antwoord gegeven op mijn vraag. Waarom heeft Romeo die beëdigde verklaring gekocht?'

'Dat weet ik niet.'

'En kan het ook Romeo zijn geweest die de zaak met Big Dog weer nieuw leven inblies?'

'Misschien.'

'Waarom zou hij dat doen? En dat andere? Die twee valse beëdigde verklaringen. Wat was het doel daarvan? Wat kan hun enige mogelijke doel zijn geweest?'

'Dat weet ik niet.'

'Jawel, dat weet je wel. Je bent een slimme kerel.'

'Romeo wilde dat u ervandoor zou gaan.'

'Waarom wilde Romeo dat ik ervandoor zou gaan?'

'Omdat u zich met de zaak van majoor Turner bemoeide.'

'En wat zegt dat over de zaak van majoor Turner? Als zij schuldig is, zou Romeo mij erbij willen hebben als getuige. Hij zou me in het getuigenbankje willen hebben zodat ik hardop alle smoezelige details voor de jury zou kunnen bevestigen.'

Espin aarzelde even. Toen zei hij: 'Ik heb orders om u beiden terug te brengen, majoors. Allebei. Ik word niet betaald om zelf beslissingen te nemen.'

'Je weet dat het een complot is,' zei Reacher. 'Je hebt me net verteld dat Romeo geld op de Kaaimaneilanden heeft. Hij heeft zelf die bankrekening van majoor Turner geopend. Dit is geen hersenchirurgie. Je hebt wel betere zwendels voorbij zien komen. Dit komt uit het handboek voor idioten. Dus blijft er niets van overeind. En dat duurt niet lang meer. Want Turner en ik zijn niet achterlijk. We branden hun huis af. Dus je kunt kiezen. Je bent de marionet die ons in handboeien mee naar huis neemt, een paar dagen voordat wij een klinkende overwinning boeken, of je gebruikt je hersenen en begint na te denken over waar je wilt staan als het stof is neergedaald.'

'En waar zou dat moeten zijn?'

'Niet hier.'

Espin schudde zijn hoofd. 'U weet hoe het werkt. Ik moet met iets thuiskomen.'

'Wij hebben wel iets voor je.'

'Wat voor iets?'

'Een arrestatie die je helemaal zelf hebt verricht, besluitvaardigheid die een onderscheiding waard is, om geen steen op de andere te laten, de kers op de taart. En die kers is altijd het meest smakelijke en zichtbare deel van de hele grote taart die eronder zit.'

'Ik moet met meer thuiskomen dan met verkooppraatjes uit reclamefolders.'

'Iemand heeft kolonel Moorcroft halfdood geslagen, en ik denk dat jullie allemaal wel tot de conclusie zijn gekomen dat ik dat niet heb gedaan. Dus wie dan wel? Je brengt iemand binnen met een lange geschiedenis in een heel grote zaak, met een lintje erom voor de politiek, omdat je de schijnwerpers de andere kant op laat schijnen.'

'Waar zou ik die persoon met die lange geschiedenis moeten zoeken?'

'Je zou moeten zoeken naar iemand die om onduidelijke redenen een tijdlang niet op zijn post is geweest.'

'En?'

'Je zou hebben bedacht dat iemand kolonel Moorcroft uit de officiersmess is gevolgd en hem gedwongen heeft bij hem in de auto te stappen, of hem daartoe heeft overgehaald. Je zou hebben bedacht dat het alleen maar zo kan zijn gegaan. En je zou hebben bedacht dat het geen onderofficier was. Want het ging om de officiersmess? Dus zou je op zoek zijn gegaan naar een officier.'

'Hebt u een naam?'

'Morgan. Die heeft die afranseling van Moorcroft georganiseerd. Hij heeft Moorcroft afgeleverd. Inspecteer zijn wasmand maar. Ik betwijfel of hij heeft meegedaan, maar ik wil wedden dat hij er dicht genoeg bij stond om het goed te kunnen zien.'

'Was hij niet op de basis op dat moment?'

'Hij beweert dat hij in het Pentagon was. Zijn afwezigheid is netjes vastgelegd. Het was een bron van zorgen. En het Pentagon houdt logboeken bij. Een heleboel werk, maar ik wed tien tegen één dat je kunt bewijzen dat hij niet in het Pentagon is geweest.'

'Snijdt dit hout?'

'Morgan maakt deel uit van een kleine groep, waar aan de ene kant voor zover wij weten vier onderofficieren uit Fort Bragg bij horen, en aan de andere kant twee plaatsvervangende stafchefs.'

'Dat wordt zwaar als u ongelijk hebt.'

'Dat weet ik.'

'Twee?'

'De een werkt bij Homeland Security, de ander niet.'

'Dat wordt heel zwaar als u ongelijk hebt.'

'Heb ik ongelijk?'

Espin gaf geen antwoord.

Reacher zei: 'Het is altijd vijftig procent kans, Pete. Alsof je een munt opgooit. Ik heb gelijk, of ik heb ongelijk, je rekent ons in, of je rekent ons niet in, plaatsvervangende stafchefs zijn wat ze beweren te zijn, of ze zijn het niet. Altijd vijftig procent kans. Een van beide is altijd waar.'

'En u kunt daar onpartijdig over praten?'

'Nee, ik ben partijdig. Ik trek de vellen van hun kop in hun slaap. Maar dat ik kwaad ben, wil nog niet zeggen dat ze het niet hebben gedaan.'

'Hebt u namen?'

'Eén tot nu toe. Crew Scully.'

'Wat is dat nu voor rare naam?'

'Blauw bloed uit New England, blijkbaar.'

'Ik wil wedden dat hij van West Point komt.'

'Ik kom van West Point en ik heb geen stomme naam.'

'Ik wil wedden dat hij rijk is.'

'Er zitten zat rijke mensen in de bak.'

'En de ander?'

'Dat weten we niet.'

'Waarschijnlijk het beste maatje van Crew Scully op de middelbare school. Dat soort lui blijft aan elkaar klitten.'

Reacher zei: 'Misschien.'

Espin vroeg: 'Ik pak Morgan en majoor Turner pakt die twee?'

'Je haalt de krantenkoppen.'

'Wat voeren die lui in hun schild?'

Dus Turner deed het hele verhaal uit de doeken. Over contant geld dat op de zwarte markt bij elkaar wordt geharkt en sjofele pick-ups met buitenissige kentekenplaten met veel geld in de laadbak, en het geld dat wordt overgeladen in vrachtcontainers van het leger, en de inhoud van die vrachtcontainers in de laadbak van die pick-ups, die dan meteen de bergen in rijden. Het verborgen geld dat heimelijk wordt verscheept en even heimelijk wordt uitgeladen door de vier onderofficieren in North Carolina. Allemaal gefaciliteerd door een Afghaan van wie in dossiers is vastgelegd dat hij in wapens heeft gehandeld, en gecoördineerd door de twee plaatsvervangende stafchefs die er, naar je mag aannemen, flink wat aan overhouden, en die misschien daarnaast ook nog wel een eigen strategische agenda hebben.

Espin zei: 'Ik dacht dat u serieus was.'

63

Espin zei: 'Wat u vertelt, gebeurt gewoon niet. Het militaire apparaat van de Verenigde Staten heeft zijn lessen wel getrokken, majoor. Al lang geleden. Tegenwoordig tellen we de paperclips. Alles heeft een streepjescode. Alles zit in een bomvrije computer. Op alle belangrijke bases is MP gestationeerd. We hebben meer controles dan een hond vlooien heeft. We raken geen spullen meer kwijt. Geloof me maar. Die ouderwetse chaos behoort tot het verleden. Ook al is het een sok met een gat erin, dat ding komt thuis. Als er ook maar één kogel wegraakt, is er zoveel stront aan de knikker dat de lucht van hier naar daar bruin is. Het gebeurt gewoon niet, mevrouw.'

Turner zei niets.

Reacher zei: 'Maar er gebeurt iets. Dat weet je.'

'Ik luister. Zeg maar wat er gebeurt.'

'Ga eens praten met rechercheur Podolski bij de Metro PD. Morgan was niet op zijn post op het kritieke moment.'

'Het is nog steeds Morgan die u me aanbiedt?'

'Hij is de moeite waard. Het enige wat ik kreeg waren twee nepzaken.'

'Het lijkt me dat de waarde van Morgan net is gedaald als onderdeel van een geloofwaardig complot.'

'Er gebeurt iets,' zei Reacher opnieuw. 'Valse bankrekeningen, valse juridische documenten, afranselingen, vier kerels die ons het hele land door achternazitten. Als het allemaal voorbij is, zal het er behoorlijk geloofwaardig uitzien. Wijsheid achteraf is iets heel moois. En wie slim is, zorgt als eerste voor wijsheid achteraf.'

'Een verdomd grote gok,' zei Espin.

'Het is altijd vijftig procent kans, Pete. Alsof je een munt opgooit. Morgan is waardevol of hij is waardeloos, er gebeurt iets of er gebeurt niets, en jij bent een slaafse marionet of je loopt voor de troepen uit, terwijl er al een lintje op je ligt te wachten.'

Espin zei niets.

Reacher zei: 'Tijd om dat muntje op te gooien, Pete. Kop of munt.'

'Hebt u een plan?'

'Wij gaan terug naar D.C. Je hoeft ons niet mee te nemen daarnaartoe. We gaan sowieso.'

'Wanneer?'

'Nu.'

'Morgan is daar.'

'Ze zijn allemaal daar.'

Espin zei: 'Wat vindt u ervan dat we samen vliegen?'

Reacher zei: 'Wat ons betreft prima. Maar alleen jij. Verder niemand.'

'Waarom?'

'Ik wil dat je je mensen nog een dag hier laat. De laatste van die vier uit Fort Bragg is hier nog in de buurt. Hij denkt dat hij dat meisje kan gebruiken als lokaas. Dus ik wil dat ze beschermd wordt. Ook al is ze niet mijn dochter, ze is een aardige meid. Misschien wel omdat ze mijn dochter niet is.'

'Ik denk dat mijn mensen nog wel een dag kunnen wachten.'

'Ik wil dat ze beveiliging van dichtbij krijgt, maar onopvallend. Maak haar niet bang. Beschouw het maar als een oefening. Want waarschijnlijk is het toch alleen maar theorie. Hij wil ons pakken. En hij weet meteen in welk vliegtuig wij zitten, want dat vertelt Romeo hem. Dus waarschijnlijk komt hij meteen achter ons aan. Hij zit misschien wel in hetzelfde vliegtuig.'

Espin zei niets.

Reacher zei: 'Neem een besluit, soldaat.'

Espin zei: 'Ik hoef niets te beslissen. Uw voorstel geeft mij nog zes uur de tijd om iets te beslissen.'

'Maar je moet wel iets beslissen.'

'Met Delta vanaf LAX over anderhalf uur,' zei Espin. Hij gebaarde naar zijn mannen, die Reacher niet kon zien, dat ze zich moesten terugtrekken, met standaardhandgebaren van de infanterie, schoof naar het gangpad, stond op en liep weg.

Reacher en Turner volgden hem een minuut later. Het meisje zat in de helft van de diner waar haar moeder werkte, op een kruk en zei iets tegen Arthur dat hem deed glimlachen. Reacher keek naar haar toen hij langs haar liep. Een en al armen en benen, een en al knieën en ellebogen, het spijkerjasje, de broek, het nieuwe blauwe T-shirt, de bijpassende schoenen, geen sokken, geen veters, het haar met de kleur van zomers stro, golvend tot halverwege haar rug, de ogen en de glimlach. Vaderschap. Altijd onwaarschijnlijk. Net zoiets als het winnen van de Nobelprijs, of meespelen in de World Series. Niet weggelegd voor hem.

In de auto vroeg Turner: 'Hoe voel je je?'

'Niet anders dan anders,' zei hij. 'Eerder had ik geen dochter, en nu ook niet.'

'Wat zou je hebben gedaan?'

'Maakt nu niet meer uit.'

'Alles oké?'

'Ik denk dat ik aan het idee begon te wennen. En ik vond haar aardig. Misschien hadden we wel gemeenschappelijke trekjes. En dat is vreemd. Ik denk dat mensen hetzelfde kunnen zijn, overal op de wereld. Zelfs als ze geen bloedverwanten zijn.'

'Denk je dat zij bang zou zijn voor de huilende wolf?'

'Ik denk dat ze nu al jaloers op hem is.'

'Misschien zijn jullie dan toch wel verwant. In een heel ver verleden.'

Reacher keek nog één keer naar het meisje, door een van de kleine raampjes van de diner. Toen reed Turner weg, naar het zuiden over Vineland en verdween ze uit zicht.

Voor LAX moesten ze over de 101 naar de 110, en dan uiteindelijk een stukje opzij over El Segundo Boulevard, iets wat ze het merendeel zou kosten van het anderhalve uur dat Espin hen had gegund, want het verkeer vorderde traag op de freeways. Edmonds belde nog een keer uit Virginia toen ze zich nog steeds ten noorden van de Hollywood Bowl bevonden, en zei: 'Crew Scully heeft Morgan persoonlijk overgeplaatst naar het 110th. Die keer heeft hij niets gedelegeerd. Wat hij normaal gesproken wel doet bij tijdelijke posten. En hij heeft geen toegang tot de datasystemen van Homeland Security.'

Reacher zei: 'Zoek eens uit of hij een vriend heeft met toegang.'

'Daar ben ik al mee bezig.'

'Laat het me weten als je iets vindt.'

'Gaan we nog steeds als winnaar de geschiedenis in?'

'Reken er maar op van wel,' zei Reacher. Hij verbrak de verbinding.

Het verkeer rolde traag door, maar merkwaardig genoeg steeds maar door en steeds maar heel traag, alsof al die automobilisten camera's bedienden en hadden bedacht dat ze een scène in slow motion zouden schieten. Turner zei: 'Op deze manier bestaat de kans dat we ons zelf arresteren, weet je. Espin kan ons de handboeien omdoen op het moment dat we dat vliegtuig uit lopen, de terminal in, in Washington.'

'We bedenken wel iets,' zei Reacher. 'Zes uur is heel veel tijd.'

'Heb je al een idee?'

'Nog niet.'

'Dit zijn professionele wapenhandelaars. Dat is het enige wat ze doen.'

'Vijftig procent kans, Susan. Dat is het enige wat ze doen of dat is het niet.'

'Wat zouden ze anders kunnen doen?'

'We hebben zes uur om daarover na te denken.'

'En veronderstel dat we er niet uit komen?'

Reacher zei: 'Espin hoorde de naam Crew Scully en dacht meteen dat de man rijk moest zijn. Stel eens dat hij rijk is? Veronderstel eens dat ze allebei rijk zijn?'

'We weten dat ze rijk zijn.'

'Maar we denken dat we weten hoe ze zo rijk zijn geworden. Veronderstel eens dat ze al rijk waren. Veronderstel eens dat ze altijd al rijk zijn geweest. Veronderstel eens dat het aristocratisch oud geld is van de Oostkust.'

'Oké, ik zal mijn ogen openhouden voor oude mannen met verwassen roze pantalons.'

'Het kan het hele verhaal anders maken. Wij gaan ervan uit dat ze uit winstbejag handelen. Maar misschien is geld maar ondergeschikt. Misschien kunnen ze hun eigen hobbels wel gladstrijken. Die honderdduizend was misschien wel eigen geld.'

'Dit is geen hobbyisme, Reacher. Niet met valse bankrekeningen en valse juridische documenten en oude mannen die in elkaar worden geslagen en vier kerels die achter ons aan zitten.'

'Mee eens, dit is veel meer dan een hobby.'

'Wat is het dan wel?'

'Dat weet ik niet. Ik denk alleen maar hardop. Ik probeer een voorsprong te nemen op die zes uur.'

Ze lieten de witte Ford achter in een parkeergarage bij de terminal van Delta en gooiden de sleutel in een afvalbak. Dat zou Romeo een aardige duit kosten aan huur en sleepkosten. Turner demonteerde de Glock van Rickard en gooide de onderdelen in vier verschillende afvalbakken. Toen liepen ze door een verkeerde deur naar binnen en maakten een omweg. Ze arriveerden aan de achterkant van de ticketbalie. Espin was er al. Hij moest over de 405 zijn gekomen. En alleen. Er was niemand bij hem. Er stond niemand naast hem, er stond niemand in de schaduwen te wachten. Hij stond roerloos naar de hoofdingang van de terminal te kijken. Ze liepen van achteren op hem af en hij draaide zich verrast om. Reacher kocht drie eersteklastickets met de creditcard van Baldacci.

64

Ze waren twintig minuten voordat het instappen begon bij de gate en gingen zitten op een plek waar ze een ruim uitzicht hadden, maar ze zagen Shrago nergens. Dat verwachtte Reacher ook niet. Los Angeles was een grote stad, waarin het moeilijk was om je te verplaatsen en de transactie met de creditcard zou eerst moeten worden ontdekt en dan zou Shrago nog op weg moeten naar de luchthaven, dat kostte alles bij elkaar gewoon te veel tijd. Dus dronk Reacher koffie en ontspande hij zich. Toen begon het instappen en op dat moment ging ook zijn telefoon, zodat Reacher zijn stoel zocht terwijl hij praatte. Zo ongeveer net als alle andere passagiers.

Het was Edmonds, vanuit Virginia. Ze zei: 'Het 75th heeft me zojuist op de hoogte gebracht van de situatie rond Candice Dayton.'

'Ik zei al dat ik me haar niet kon herinneren.'

'Ik bied mijn verontschuldigingen aan. Ik had minder sceptisch moeten zijn.'

'Maak je geen zorgen. Ik begon het bijna zelf te geloven.'

'Ik heb rondgevraagd naar de vrienden van Crew Scully.'

'En?'

'Er is een jaargenoot van West Point met wie hij is blijven optrekken. Ze hebben beiden in no time carrière gemaakt. Ik heb het vijf verschillende mensen gevraagd en die noemden allemaal dezelfde man.'

'Wat doet hij?'

'Op dit moment is hij plaatsvervangend stafchef Inlichtingen.'

'Dat past wel ongeveer.'

'Ze hebben een vergelijkbare achtergrond, wonen bij elkaar in de buurt in Georgetown en zijn lid van dezelfde clubs, waarvan er een paar bijzonder exclusief zijn.'

'Zijn ze rijk?'

'Niet op de manier waarop sommige mensen rijk zijn. Maar wel op een aangename ouderwetse manier. Je weet hoe het gaat met dat soort mensen. Aangenaam wil zeggen een paar miljoen.'

'Hoe heet hij?'

'Gabriel Montague.'

'Je had gelijk over een vergelijkbare achtergrond. Gabe en Crew. Dat klinkt als een kroeg in de buurt van Harvard. Of een winkel waar je een gescheurde spijkerbroek koopt voor driehonderd dollar.'

'Dit is geen kattenpis, Reacher. Dit zijn reuzen. En je hebt absoluut exact nul komma nul aan bewijsmateriaal.'

'Jij denkt als een advocaat. En toevallig heb ik die net nodig. Ik ben onschuldig. Ik wil geen valse haarkloverijen over wat ik heb gedaan nadat ze me hadden opgesloten voor twee dingen die ik niet had gedaan. Dat ik ben ontsnapt, kwam omdat ik daar recht op had.'

'Majoor Sullivan werkt daaraan. Ze wil dat alles van tafel gaat. De vruchten van een giftige boom.'

'Zeg maar dat ze moet opschieten. We komen nu terug, met een soort semiofficieel escorte. Ik heb geen zin in spelletjes en toestanden op Reagan National. Ze heeft nog een uur of zes.'

'Ik zal het zeggen.'

Toen klonk de stem van de steward uit de luidsprekers met de mededeling dat hij op het punt stond om de deur van de cabine te sluiten en dat iedereen alle draagbare elektronica moest uitzetten. En zo voldeed Reacher voor de eerste keer in zijn leven aan de instructies en stopte hij zijn telefoon in zijn zak. Het vliegtuig werd van de terminal weggereden en begon te taxiën. Het steeg op over de oceaan, maakte een wijde bocht van honderdtachtig graden naar rechts en zette koers naar het oosten, passeerde opnieuw de kustlijn boven Santa Monica en klom hoger en hoger terwijl het landinwaarts vloog, zodat North Hollywood en de Ventura Freeway en Vineland Avenue en de traditionele diner en het kleine huis met de blauwe voordeur aan bakboord onder hen lagen, ver weg en ver beneden hen, bijna niet zichtbaar meer.

Het is lastig om in de eerste klas een gesprek met drie mensen te voeren. De stoelen zijn breed, zodat een stoel bij het raam aan de ene kant een heel eind verwijderd is van de stoel aan het gangpad aan de andere kant. Bovendien liepen stewardessen eindeloos heen en weer van en naar de pantry, met een onbeperkte hoeveelheid gratis eten en drinken. Dat droeg er wel toe bij dat Reacher beter ging begrijpen waarom mensen rijk zijn aangenaam noemden, maar het maakte praten lastig. Uiteindelijk gaf Espin het op en ging hij op de leuning van de stoel van Turner zitten, terwijl Turner dichter tegen Reacher aan kroop, op zijn stoel bij het raam, zodat ze uiteindelijk elkaar alle drie konden zien en horen. Espin zei: 'Als ik om een arrestatiebevel voor Morgan vraag, willen ze uiteraard weten wat de aard is van deze vermeende samenzwering. Dus u kunt maar beter een verhaal klaar hebben tegen de tijd dat we dit vliegtuig uit lopen. Of u hebt niets voor me. En dan moeten we nog maar eens goed nadenken over uw speciale status.'

Reacher zei: 'Zo werkt het niet, Pete. Dit is geen auditie. We proberen geen rol te krijgen in de film. En jij hebt hier geen stem in. Op Reagan National gaan we ieder onze eigen weg, met of zonder verhaal, of je het nu leuk vindt of niet, en je gaat ons uitwuiven met een blije lach op je gezicht, op beide benen bij de uitgang, of met een gebroken been in een rolstoel. Zo werkt het. Duidelijk?'

Espin zei: 'Maar we delen de informatie die we hebben?'

'Absoluut. Bijvoorbeeld dit: ik hoor net van kapitein Edmonds dat Crew Scully een heel goede vriend heeft die Gabriel Montague heet.'

'Dat laat zich raden met zo'n naam. Hebben ze samen op de middelbare school gezeten?'

'Min of meer, in ieder geval op West Point.'

'Wat doet hij?'

'Hij is plaatsvervangend stafchef Inlichtingen.'

'Dat is ongeveer het hoogste wat je kunt bereiken.'

'Bijna.'

'Hebt u bewijzen?'

'Mijn advocaat schatte het in op precies nul komma nul. Om aan te geven dat we alles delen.'

'Maar u denkt dat het om die twee gaat?'

'Nu wel.'

'Waarom nu wel?'

'William Shakespeare. Die schreef een toneelstuk dat *Romeo en Julia* heet. Twee geslachten, even gedistingeerd. Twee geliefden die het lot niet gunstig gezind was, want Julia behoorde tot het geslacht Capulet en Romeo tot het geslacht Montague. Net als de Sharks en de Jets in *West Side Story*. Je kunt de film huren.'

'U denkt dat Montague zich voordoet als Romeo? Zou hij zo stom zijn?'

'Hij vindt dat waarschijnlijk grappig. Net zoiets als verwassen roze pantalons. Hij denkt waarschijnlijk dat mensen zoals wij nog nooit van William Shakespeare hebben gehoord.'

'Uw advocaat had gelijk. Precies nul komma nul.'

'Zij is advocaat. Jij niet. Jij bent de man met het muntje. Montague is Romeo of Montague is Romeo niet. Vijftig procent kans.'

'Dat is net zoiets als naar Vegas gaan en je hele hypotheek op rood zetten.'

'Gelijke kansen is iets heel moois.'

'Dit zijn plaatsvervangende stafchefs. U zou wel heel zeker van uw zaak moeten zijn. Elk schot zou dodelijk moeten zijn.'

Romeo belde Julia en zei: 'Ze zijn op weg naar huis. Drie tickets eerste klas. Het is de zoveelste vernedering. Met het derde ticket vliegt Espin, van het 75th MP. Ik dacht eerst dat hij ze had gearresteerd, maar waarom zou Reacher dan de tickets kopen? Ze hebben een omtrekkende beweging gemaakt. Dat hebben ze gedaan. Espin is overgelopen.'

Julia zei: 'Shrago is nog minstens een uur van de luchthaven.'

'Zeg maar dat hij moet opschieten. Hij heeft een stoel met American, de eerstvolgende vlucht deze kant op.'

'Hoe ver zit hij dan achter Reacher?'

'Twee uur.'

'Dat is erg veel. We hebben nog maar één man over en die is niet eens in de buurt. Volgens mij zijn we verslagen.'

'Dit is altijd een mogelijke uitkomst geweest. We wisten waar we aan begonnen. We wisten wat we uiteindelijk misschien zouden moeten doen.'

'We hebben het lang volgehouden.'

'En we houden het nog wel twee uur vol. Er gebeurt niets. Majoor Turner zal wel onder de douche moeten. Reizen met vrouwen is inefficiënt. En daarna wordt het gemakkelijker voor Shrago. We hoeven ze niet meer te zoeken.'

Espin vertrok en kwam weer terug, heen en weer over het gangpad, op basis van de forensische waarde van het gesprek en de mate waarin hij zich ongemakkelijk voelde. Scheef op een armleuning zitten was niet het soort gemak waarvoor Baldacci had betaald. Het merendeel van de tijd zat hij alleen op zijn stoel te peinzen. Net als Turner, en Reacher. Zonder tastbaar resultaat. Toen riep Turner Espin opnieuw over het gangpad, en toen hij zich had geïnstalleerd op de armleuning, zei ze: 'We hebben één vast punt, en dat is de logistieke keten. Het is een lopende band in twee richtingen die nooit stilstaat. Op dit moment stuurt hij lege kisten daarheen en volle kisten hiernaartoe. En die volle kisten zitten vol met de juiste spullen. Sokken met streepjescodes en gaten. Dat accepteer ik. Er gebeurt dus niets. Alleen weten we dat er wel iets gebeurt. Dus wat als die lege kisten niet leeg zijn? We weten dat die stammen geen spullen kopen met streepjescodes, maar wat als ze spullen kopen die er exclusief voor hen naartoe worden gevlogen? Als een soort postorderbedrijf. Dat maakte de vier man in Fort Bragg belangrijk. Ze pakten de kisten in die leeg hadden moeten zijn.'

Espin zei: 'Aan beide kanten draaien allerlei systemen.'

'Allebei even achterdochtig?'

'Ik denk niet dat dat mogelijk is.'

'Dus het zou kunnen?'

'Misschien.'

'Maar Reacher denkt dat het winstbejag niet het belangrijkste motief is. Waardoor het een soort persoonlijk project zou kunnen zijn. Misschien doen ze aan vriendjespolitiek. Misschien bewapenen ze de ene splinter tegen de andere. Misschien denken ze wel dat ze geweldige experts zijn als het om Afghanistan gaat. Die lui uit het oude New England denken altijd dat ze half Brits zijn. Misschien herinneren ze zich de oude dagen als pioniers aan de *Northwest Frontier*. Misschien denken ze wel dat ze uniek en geniaal zijn.'

'Misschien.'

'Maar de lopende band werkt in twee richtingen. Dat moeten we niet vergeten. Misschien brengen ze ook wel spul hiernaartoe, verstopt tussen het andere materieel. Dan zijn de jongens in Fort Bragg opnieuw belangrijk. Ze moeten het heimelijk uitpakken en verder verschepen.'

'Wat voor soort spul?'

'Als geld niet het belangrijkste is, misschien wel iets waar ze persoonlijk in zijn geïnteresseerd. Kunst, misschien wel, standbeelden en beeldhouwwerken. Dat spul dat de Taliban in stukken slaat. Gedistingeerde oude heren zouden daar best gevoelig voor kunnen zijn. Alleen is hun reactie wel zwaar overdreven. Niemand wordt in elkaar geslagen voor een oud beeld.'

'Voor wat voor spul dan wel?'

'We hebben twee oude heren met persoonlijke interesses die heel geheim moeten blijven. Want de interesses zijn crimineel en op de een of andere manier beschamend. Maar ook winstgevend, op een gedistingeerde manier. Dat gevoel heb ik.'

'Jonge meisjes? Jonge jongens? Wezen?'

'Bekijk het eens door de ogen van Emal Zadran. Hij was een mislukkeling en een loser, maar hij is gerehabiliteerd. Hij heeft op de een of andere manier respect verworven in de gemeenschap. Hoe? Iemand heeft hem een rol gegeven. Op die manier. Als ondernemer opnieuw, dat ligt het meest voor de hand. Iemand wilde

352

iets kopen of verkopen en Zadran werd de tussenpersoon. Omdat hij de juiste mensen kende. Hij beschikte al over de juiste connecties. Misschien wel essentiële relaties, misschien wel puur toeval.'

Espin zei: 'Wat kopen of verkopen?'

Reacher zei: 'Dat zoeken we uit in D.C., meteen nadat jij ons hebt uitgewuifd, staand of zittend.'

De rest van de vlucht sliepen ze. Het was warm in de cabine, de stoelen waren comfortabel, de bewegingen kalmerend. Reacher droomde over het meisje, over toen ze nog veel jonger was, drie misschien, mollig, niet puberaal hoekig, met dezelfde kleren aan, maar dan in miniatuur, met kleine tennisschoentjes zonder veters. Ze liepen ergens door een straat, haar kleine hand zacht en warm in zijn geweldige klauw, haar kleine beentjes maalden als gekken rond om hem bij te houden, en hij keek voortdurend over zijn schouder, maakte zich ergens zorgen over, vroeg zich bezorgd af hoe zij zou moeten hardlopen als dat nodig was, met die schoenen zonder veters, tot hij bedacht dat hij haar natuurlijk zo kon optillen en in zijn armen nemen en met haar zou kunnen wegrennen, misschien wel voor altijd, dat zoet geurende gewichtloze lichaampje totaal geen last, en de opluchting stroomde door zijn lichaam en de droom zakte weg, alsof de klus was geklaard.

Toen veranderde de luchtdruk en klonk de stem van de steward weer uit de luidsprekers met mededelingen over rugleuningen van stoelen en klaptafeltjes en rechtop zitten. Espin keek naar hen over het gangpad en Turner en Reacher keken terug. De teerling was geworpen. De man nam een beslissing. Was hij een marionet of liep hij voor de troepen uit? Vijftig procent kans, dacht Reacher, net als alles wat er maar gebeurde op de wereld.

Ze naderden de landingsbaan. Het grote vliegtuig was plotseling weer zwaar en log, en op het moment dat de stewardessen hun gordels hadden vastgegespt, zette iedereen zijn telefoon weer aan. Reacher zag dat hij een voicemailbericht had ontvangen van majoor Sullivan, een uur geleden. Hij opende het bericht, er klonk wat statische ruis en toen: 'Bevestiging dat er niets tegen je zal worden ondernomen voor kwesties die het gevolg zijn van de valse beëdigde verklaringen. Dus je gaat vrijuit, vanaf dit moment. Maar majoor

Turner wordt nog steeds beschouwd als een ontsnapte gevangene. In haar situatie is niets veranderd. Dus de klok begint gewoon weer te tikken, net als eerder, op het moment dat jullie landen. Jij zult als medeplichtige worden beschouwd. Medeplichtig aan een zeer ernstig vergrijp. Tenzij je op de luchthaven de andere kant op loopt. En, als jouw advocaat, raad ik je ten zeerste aan om dat te doen.'

Hij wiste het bericht en belde Edmonds. Ze nam aan en hij vroeg: 'Waar waren Scully en Montague zeven jaar geleden?'

Ze zei: 'Ik zal proberen het uit te zoeken.'

Toen landde het vliegtuig en begon de klok weer te tikken.

65

Als eerste aan boord, betekende ook als eerste van boord. De officiële deur aan het einde van de vliegtuigslurf was nog gesloten toen ze daar arriveerden. Het reizen door tijdzones betekende dat het al laat was aan de Oostkust. Reacher duwde de deur open en verkende het terrein. Bij de gate stond een klein gezelschap mensen. Minder erg dan in Long Beach. Misschien niet meer dan tien undercover MP's en FBI-agenten binnen de eerste tien meter. Reacher hield de deur open, liet Espin er als eerste door en bleef zorgvuldig naar hem kijken. Maar Espin keek naar niemand in het bijzonder, zocht met niemand oogcontact en maakte geen steelse gebaren. Hij bewoog zich door het gezelschap als een gewoon mens. Reacher en Turner liepen achter hem aan en even later stonden ze bij elkaar stil in een gang onder een bord dat aangaf waar de bagage kon worden opgehaald. Reacher zei: 'Ga jij maar verder. Wij blijven hier.'

Espin zei: 'Waarom?'

'Voor het geval je jouw mensen aan de andere kant van de beveiliging hebt geposteerd.'

'Er zijn geen mensen.'

'Maar we blijven toch hier.'

'Waarom?'

'Tactische overwegingen.'

'Je krijgt vierentwintig uur.'

'Je vindt ons nooit terug.'

'Ik heb jullie in L.A. gevonden, en hier is ook lokaas. Ik weet waar ik moet zoeken.'

'Concentreer je maar op Morgan.'

'Vierentwintig uur,' zei Espin. Toen liep hij weg.

Reacher en Turner keken hem na en Reacher zei: 'Kom op, we gaan ergens koffie drinken.'

Turner zei: 'Blijven we hier?'

Reacher keek naar het bord met aankomsttijden van vluchten en zei: 'Dat zou op een bepaalde manier wel logisch zijn. De volgende vlucht is American, over ongeveer twee uur. Daar zit Shrago vast aan boord. En vanaf de deur van het vliegtuig tot aan de beveiliging is hij vast ongewapend. Dus dit zou de beste plek moeten zijn om met hem af te rekenen.'

'Gaan we dat doen?'

'Nee, maar dat wilde ik Espin wel doen geloven. Voor het geval hij het over een uur in zijn broek begint te doen. Dan gaat hij ervan uit dat we hier nog steeds zijn. Maar dat zijn we niet. We halen koffie om mee te nemen. We gaan meteen achter hem aan.'

Reachers ervaring had hem geleerd dat alle succesvolle expedities in Washington D.C. één ding gemeen hadden en dat was een goede uitvalsbasis. Maar die kon je niet kopen met contant geld. Voor een beetje fatsoenlijk hotel had je een creditcard nodig. Dat betekende dat Margaret Vega zou moeten betalen of dat ze Gabriel Montague zouden doorgeven waar ze waren. Turner was ervoor om hem dat te vertellen, zodat het Shrago zou aanlokken, zodat ze met hem af zouden kunnen rekenen. Reacher was het niet met haar eens.

Ze zei: 'Waarom niet?'

'Als ze Shrago naar ons toe sturen en hij verdwijnt, weten ze wat er met hem is gebeurd.'

'Natuurlijk.'

'Ik wil niet dat ze weten wat er met hem is gebeurd. Ik wil ze in onzekerheid laten. Zo lang mogelijk. Ik wil dat ze in het duister zitten te turen, in de hoop dat ze een teken opvangen.'

'Daarom hebben we meer vrouwen nodig bij de MP. Voor ons is het genoeg om te winnen. Jullie mannen moeten de ander ook het gevoel geven dat hij heeft verloren.'

'Ik wil dat ze hun mobiele telefoons niet uitzetten. Meer niet. Misschien is dat wel de enige manier om het allemaal te bewijzen. Misschien is dat wel de enige manier om ze te vinden. Shrago moet ergens op een onbekende plek verdwijnen en dan moeten we hun nummers uit zijn mobiel halen, en dan moet sergeant Leach een hele nieuwe club vrienden optrommelen, en dan moeten we die mobiele telefoons vinden voordat ze die uitzetten.'

Dus betaalde Margaret Vega voor een nacht op de twaalfde verdieping van een heel aardig hotel met uitzicht op het Witte Huis, in een kamer die voorzag in alles wat ze nodig hadden, en in heel veel wat ze niet nodig hadden. Turner wilde kleren kopen, maar het was middernacht en alle winkels waren dicht. Dus douchten ze lang en ontspannen en wikkelden ze badjassen van vijf centimeter dik om zich heen en zaten ze de tijd te doden tot het voor hun gevoel nog maar twintig minuten zou duren voordat de wielen van het vliegtuig waarin Shrago zat de landingsbaan zouden raken aan de andere kant van de rivier. Toen kleedden ze zich weer aan en verlieten ze de kamer.

Romeo belde Julia en zei: 'Ik heb een alarm laten hangen aan de creditcard van Margaret Vega, voor het geval Turner in haar eentje zou gaan winkelen, en ze hebben er net mee betaald voor een hotel hier in de stad.'

Julia zei: 'Shrago's telefoon is over twee minuten weer in de lucht.'

'Laat hem direct een taxi nemen daarnaartoe.'

Ze zagen Shrago de terminal uit komen. Ze zaten in een taxi twintig meter verderop. De taxi was vijf meter lang en een meter tachtig breed, maar volstrekt onzichtbaar. Het was een taxi bij een luchthaven. Shrago zag hem niet. Hij stond te wachten achter iemand anders en stapte in een eigen taxi toen hij aan de beurt was.

'Dat is 'm,' zei Reacher.

'Ik zie 'm,' zei de chauffeur. De meter liep nog van de rit van het hotel. Daar kwam een fooi van honderd dollar bovenop. En nog eens honderd voor de lol. Dat was de deal. Het was niet hun geld.

De chauffeur reed weg van de stoeprand en bleef ongeveer vijftig meter achter de taxi van Shrago. Die reed naar het centrum van de stad, over de brug, 14th Street in, langs de Mall en door de Federal Triangle. Toen stak hij New York Avenue over en stopte.

Shrago stapte uit.

De taxi reed weg.

Ze bevonden zich ongeveer ter hoogte van Lafayette Square, pal voor het Witte Huis, maar dan twee straten verder naar het oosten, nog steeds in 14th Street. Turner vroeg: 'Wat zoekt hij hier?'

'Niets, blijkbaar,' zei Reacher, want Shrago begon te lopen door 14th Street, naar de hoek met H Street.

Hij sloeg links af.

Reacher betaalde de chauffeur met het geld van Billy Bob, driehonderd-laat-de-rest-maar-zitten dollar. Ze stapten uit en haastten zich naar dezelfde hoek. Shrago was al een zijstraat verder. Hij liep snel. Hij stond op het punt de hoek van Lafayette Square te passeren, wat hem naar links niets op zou leveren om naar te kijken. Niet in het donker. En slechts één ding naar rechts, in principe.

'Hij gaat naar ons hotel,' zei Turner. 'Lopend, zodat de taxichauffeur zich achteraf niets kan herinneren. Montague heeft de creditcard van Vega ook.'

'Van de vlucht naar Californië. Slimme kerel. Hij is die kaart blijven volgen.'

'Daardoor ontspoort jouw strategie een beetje.'

'Er is geen plan dat overeind blijft na het eerste contact met de vijand.'

Ze stelden zich verdekt op. Shrago niet. Die liep zonder aarzelen het hotel in. Als een drukbezet man die iets belangrijks te regelen had. Hij leefde zich in in zijn rol.

Turner zei: 'Heb je al een nieuw plan?'

Reacher zei: 'Wij zijn daar niet. Daar komt hij na verloop van tijd wel achter. Dan komt hij weer naar buiten.'

'En dan?'

'Wat vond je van dat eerste plan, met die mobiele telefoons?'

'Behoorlijk goed.'

'Misschien kan Shrago dat voor ons overeind houden. Zodra hij in de gaten krijgt dat wij daar niet zijn, belt hij misschien wel met-een zijn baas. Om hem op de hoogte te houden. Misschien eist zijn baas dat wel van hem. In dat geval heeft wat er daarna gebeurt niets met ons te maken, want we waren daar niet. Dat heeft hij ze dan net verteld. Dan tasten ze weer in het duister.'

'Als hij belt.'

'Vijftig procent kans. Hij belt, of hij belt niet.'

'Als we te weten komen dat hij heeft gebeld.'

'Misschien is hij wel aan het bellen als hij naar buiten komt.'

'Hij kan ook in die lege hotelkamer al gebeld hebben.'

'Vijftig procent kans. We zien het, of we zien het niet. We weten het, of we weten het niet.'

Ze bleven wachten in de schaduwen van het park. Het was bijna twee uur 's nachts. Het weer was niet veranderd. Het was nog steeds koud en klam. Reacher dacht aan de schoenen zonder veters van het meisje. Geen schoenen voor alle vijftig staten. Toen dacht hij aan de beveiliging in het hotel, de nachtwaker, die een vals ID controleerde, die het register opensloeg, naar de kamer belde en naar boven ging met een loper. Tien minuten misschien.

Het bleek negen minuten te zijn.

Shrago kwam het hotel uit.

Hij had geen telefoon in zijn hand.

Turner zei: 'Kop of munt, Reacher.'

Reacher stapte uit de schaduw en zei: 'Sergeant Shrago, ik heb je hier nodig. Ik heb een dringende boodschap voor je.'

66

Shrago bleef stokstijf staan. Roerloos op het trottoir van H Street. Reacher stond recht tegenover hem aan de andere kant van de straat. Het was doodstil. Het was twee uur 's nachts. Een *company town*. Reacher zei: 'Sergeant Shrago, het nieuws is dat je op dit moment tot een categorie mensen behoort die je zou kunnen omschrijven als hopeloos. Omdat je nu niet kunt winnen. We zijn te dichtbij. Tenzij je met ons allebei afrekent, hier en nu. Hier op straat. Maar dat doe je niet. Want dat kun je niet. Omdat je niet goed genoeg bent. Dus jij gaat vanavond niet naar huis met de hoofdprijs. Wat jij moet doen, is de schade beperken. En dat kan. Het enige wat je hoeft te doen, is alles opschrijven.'

Shrago gaf geen antwoord.

Reacher zei: 'Je kunt het ook allemaal hardop dicteren op band als je moeite hebt met schrijven. Maar linksom of rechtsom zullen ze het verhaal uit je trekken. Dit wordt een gigantisch schandaal. Niet alleen maar het leger dat vragen stelt. Er komen senaatscommissies. Je moet zorgen dat je je als eerste meldt. De eerste laten ze altijd gaan. Alsof je een held bent. Dat moet jij zijn, Shrago.'

Shrago zei niets.

'Je kunt zeggen dat je de mannen aan de top niet kent. Dat levert minder stress op. Dat geloven ze wel. Concentreer je maar op Morgan. Hoe die Moorcroft heeft afgeleverd voor dat pak slaag. Dat slikken ze als zoete koek.'

Geen reactie.

'Je hebt maar twee opties, sergeant. Je kunt vluchten en je kunt de straat oversteken. En vluchten levert je niets op. Als we je vanavond niet te pakken krijgen, krijgen we je morgen te pakken. Dus je beste optie is de straat oversteken. Dat moet je sowieso, of het nu is om ons de hand te schudden of om met ons af te rekenen.'

Shrago stak de straat over. Hij stapte van de stoeprand en begon te lopen, dwars over rijbanen die misschien smal zouden aandoen in een auto, maar te voet behoorlijk breed waren. Reacher keek toe, het hele eind, keek naar zijn ogen en zijn schouders en zijn handen, en hij zag een man die een rol speelde, een man die het licht had gezien, een man die eindelijk begreep wat zijn plicht was, en die zijn rol behoorlijk goed speelde, maar toch de hele tijd liet doorschemeren dat zijn plan was om Reacher lang genoeg te ontwijken om Turner uit te schakelen, zodat de strijd een kwestie zou worden van man tegen man. Reacher zag het aan zijn ogen, die een maniakale glans hadden, en aan zijn schouders die gespannen waren en naar voren gericht door de adrenaline, en aan zijn handen, die weliswaar open waren maar verkrampten en weer ontspanden, steeds maar een paar centimeter, alsof hij niet kon wachten om erop los te slaan.

Hij stapte het trottoir op.

Reacher zei niets. Hij gooide geen olie op het vuur. Dat was niet nodig. Hoe het ook zou gaan, Shrago zou zijn verhaal vertellen aan Espin. Als hij uit een auto kwam, of als hij bijkwam uit een coma. Het was zijn keuze. Hij was als vrij man geboren.

Maar hij was niet slim. Hij negeerde de keuze voor een auto en koos voor het coma. Wat Reacher wel kon begrijpen. Direct handelen was altijd de beste keuze. Shrago koos positie met Reacher rechts en Turner achter Reachers verste schouder. Reacher schatte in dat de man van plan was zijn linkerelleboog met een backhand-beweging in Reachers keel te planten, om zich tegelijkertijd zo af te kunnen zetten alsof hij een roeiriem door het water trok, om langs Reacher bij Turner te komen en haar met zijn vrije rechterhand en voldoende tijd, één definitieve klap te geven. Een klap die hard zou moeten zijn en midden in haar gezicht terecht zou moeten komen. Gebroken neus, misschien gebroken jukbeenderen, misschien een gebroken oogkas, bewusteloos, hersenschudding. Misschien zelfs wel een schedelbreuk, of een gebroken nek.

Maar dat zou niet gebeuren.

'Spelregels,' zei Reacher. 'Er wordt niet in oren gebeten.'

Van dichtbij zag de man er bijzonder uit. Zijn hoofd glom in het lantaarnlicht, zijn ogen lagen diep in de kassen en de beenderen in zijn hoofd waren hard en scherp, alsof je je hand zou kunnen breken alleen al door hem een klap te geven. Hij had zijn broek strak om zijn middel gesnoerd met een riem, daaronder bolden zijn dijen op en daarboven zwol zijn borstkas breed op. Hij was een jaar of vijftien jonger dan Reacher, een jonge stier, keihard, de agressie hing als een geur om hem heen. Van zijn oren waren alleen de centrale kronkels intact, maar de platte delen daaromheen waren weggesneden, weggeknipt waarschijnlijk, met een schaar, voor zover maar mogelijk was, zodat wat ervan over was, veel weg had van pasta, van ongekookte tortellini, glanzend, met de huidskleur van een blanke. Niet echt helemaal zeshoekjes. Een zeshoek is een regelmatige vorm, met zes gelijke zijden, terwijl de stompjes van Shrago waren bijgeknipt met geen ander doel dan zo veel mogelijk van zijn oren te verwijderen, zeker niet met een symmetrisch resultaat in gedachten. Eigenlijk waren het meer onregelmatige polygonen, om precies te zijn. Reacher bedacht dat hij er een discussie over op zou hebben gezet als het meisje zijn dochter was geweest. Het heeft alleen maar zin om een betweter te zijn als wat je denkt klopt.

Hij zei: 'Laatste kans, sergeant. Tijd om een belangrijke beslissing te nemen. We weten alles over Scully en Montague en Morgan. Je kunt je huid alleen maar redden als je gaat praten. Het beste wapen van een soldaat zijn zijn hersens. Het wordt tijd dat je die van jou in stelling brengt. Maar wat je ook kiest, ik breek in ieder geval je arm. Een volledige breuk. Omdat je dat meisje in Berryville pijn hebt gedaan. Dat had ze niet verdiend. Heb jij iets tegen vrouwen? Waren het vrouwen die je oren hebben afgeknipt?'

Shrago zette zich schrap en draaide vanuit de heup, woest, naar rechts en iets omlaag, zo hard dat zijn linkerarm achter zijn rug werd geslingerd, zo ver dat zijn rug te zien was in het lantaarnlicht. Het vervolg zou dezelfde zwaai terug zijn, nog sneller, nog woester, dit keer de linkerarm heel beheerst, de elleboog gericht op Reachers keel, uitgestrekt, zodat de klap niet alleen hard zou aankomen, maar ook zou dienen als scharnierpunt voor de hefboomwerking waarmee hij zich naar Turner wilde slingeren.

Zou. Wilde.

Reacher wist dat het kwam, dus hij bewoog een minieme fractie van een seconde na Shrago, beantwoordde Shrago's zwaai met een eigen zwaai, als twee dansers, bijna synchroon, met Reachers massieve rechtervuist onder een lage hoek precies daar waar Shrago's nier zou uitkomen, na die grote zwaai, terwijl Reacher voortdurend probeerde de emotie te ontleden, probeerde in te schatten hoeveel daarvan met die oren te maken had, en hoeveel met Scully en Montague, want de mate van passie die in de verdediging van een zaak wordt gelegd, is een maat voor de beleving, en uiteindelijk dacht hij dat veel te maken had met de oren, maar dat er toch ook iets zoets en genoeglijks en lucratiefs werd verdedigd.

Toen bereikte Shrago een balanspunt, opgewonden als een springveer, en liet hij de kracht vrijkomen in die woeste zwaai de andere kant op, met zijn elleboog naar het doel gericht, maar voordat hij ook maar een paar graden van die draai had afgelegd, trof Reachers rechtervuist hem met een verlammende klap, honderd procent raak, op zijn nier, met een ziekmakende, verbijsterende, uitwaaierende pijn als gevolg, en Shrago wankelde, raakte zijn coördinatie kwijt, gaf zijn dekking prijs, en het was aan Reacher om zijn zwaai af te maken, helemaal alleen, in zijn eigen tempo, en hij liet zijn linkervuist van laag naar omhoog komen en de zijkant van Shrago's nek zoeken, onder de hoek van zijn kaak, een snelle, solide dubbele klap, één, twee, rechts, links, de nier, de kaak, waardoor Shrago de andere kant op tolde, weliswaar nog steeds op zijn voeten, maar rijp voor acht tellen, al kreeg hij die niet, want een straatgevecht in het donker aan de rand van Lafayette Park is geen beschaafde sport met heldere regels. Reacher keek naar Shrago in het zwakke licht en bedacht dat er waarschijnlijk maar één deel van zijn eigen lichaam harder was dan de botten in Shrago's gezicht, dus hij stapte naar voren en deelde een kopstoot uit, precies op de brug van Shrago's neus, als een snelle bowlingbal, alsof er een hoofd aan het begin van de baan lag, precies op de plek waar je de bal loslaat. Reacher danste terug achteruit, Shrago bleef een seconde lang wankelen, toen kwam de boodschap, dat boven het licht was uitgegaan, aan bij zijn knieën en zakte hij op een hoop in elkaar alsof hij van een muur af was gesprongen. Reacher rolde hem op zijn buik, met zijn schoenzool, bukte zich, greep een pols en draaide die achter de rug tot de arm strak stond en brak de elleboog met dezelfde schoenzool. Hij doorzocht de zakken, vond een portemonnee en een telefoon, maar geen wapen, omdat de man rechtstreeks van de luchthaven was gekomen.

Hij stond op en haalde een keer diep adem en keek naar Turner en zei: 'Bel Espin en zeg dat hij deze kerel moet ophalen. Zeg maar dat hij krijgt wat hij nodig heeft voor zijn arrestatiebevel.'

Ze wachtten in de schaduwen bij de verre hoek van het park. De telefoon van Shrago was net zo'n goedkoop geval als die van Rickard, een prepaid wegwerpexemplaar dat niet geïdentificeerd kon worden, speciaal bedoeld voor de operatie. Het enige verschil was dat er in de lijst met contacten vier nummers stonden, niet drie, de nummers van Lozano, Baldacci en Rickard, en een vierde nummer met als enige aanduiding *Thuis*.

De gesprekkenlijst liet zien dat Shrago twee minuten voordat hij uit het hotel naar buiten was gekomen, naar huis had gebeld.

'Uit onze lege kamer,' zei Turner. 'Je had gelijk. Je plan heeft het contact met de vijand overleefd.'

Reacher knikte. Hij zei: 'Ze hebben hem waarschijnlijk ergens anders naartoe gestuurd om te zoeken. Als dat zo is, verwachten ze geen telefoontje van hem, niet voordat hij iets weet. En ze zullen hem waarschijnlijk niet eerder dan morgenvroeg bellen. En dat gesprek nemen wij niet aan. Dat zal hen verward maken en een beetje bezorgd. Misschien hebben we wel twaalf uur, voordat ze hem afschrijven.'

'We moeten Espin vertellen dat hij het niet aan de grote klok hangt. Anders ziet Montague de arrestatie. Hij houdt ongetwijfeld het 75th in de gaten.' Dus Turner belde Espin een tweede keer. Daarna belde ze sergeant Leach. Ze begon met dezelfde gewetensvolle inleiding waarmee ze haar eerste telefoongesprek met sergeant Leach was begonnen en adviseerde haar het gesprek onmiddellijk te beëindigen en het te rapporteren aan kolonel Morgan. Maar ook dit keer deed Leach dat niet, dus gaf Turner haar het nummer dat Shrago had gebeld en vroeg haar iedereen in te schakelen van wie ze wist dat die in staat was om freelance enige inlichtingen in te winnen. De toon van Turners stem verraadde dat Leach voorzichtig positief gestemd was over de mogelijke uitkomst van die zoektocht. Reacher glimlachte in het donker. Een sergeant in het leger van de vs. Er was niets wat die niet voor elkaar kreeg.

Toen stopte er een auto aan de andere kant van het park, een gedeukte personenwagen, het soort auto waarmee Reacher op de eerste avond bij het motel was gedumpt. Twee mannen stapten uit, in gevechtstenue en op kistjes. Ze sleepten Shrago uit de bosjes en legden hem op de achterbank. Met de nodige moeite. Shrago was geen lichtgewicht.

De mannen stapten weer in en reden weg. Reacher en Turner bleven nog even staan, zoals hun fatsoen hun voorschreef bij een begrafenis niet onmiddellijk na de plechtigheid te vertrekken. Toen staken ze de straat over, liepen het hotel binnen en namen de lift naar hun kamer.

67

Ze douchten opnieuw, louter en alleen als een symbolische reiniging, en om nog een paar handdoeken te gebruiken, waarvan er een stuk of veertig in de badkamer lagen, de meeste groot en dik genoeg om onder te slapen. Toen wachtten ze tot Leach zou terugbellen. Ze gingen ervan uit dat dat snel of helemaal nooit zou gebeuren, want de juiste mensen maakten deel uit van haar netwerk of ze maakten daar geen deel van uit. Maar de eerste telefoon die rinkelde, was die van Reacher met nieuws van Edmonds. Ze zei: 'Zeven jaar geleden hadden ze Scully net assistent plaatsvervangend stafchef gemaakt, voor personeel. Die baan heeft hij nog steeds. Destijds was hij gelegerd in Alexandria. Nu zit HRC in zijn geheel in Fort Knox, Kentucky. Met uitzondering van het bureau van de plaatsvervangend stafchef, dat is achtergebleven in het Pentagon. Daarom kan Scully nog steeds in Georgetown wonen.'

Reacher zei: 'Het klinkt als een verschrikkelijk saaie kerel.'

'Maar Montague niet. Zeven jaar geleden was Montague in Afghanistan. Hij voerde het bevel over onze Inlichtingendienst daar ter plaatse. De hele Inlichtingendienst, niet alleen die van de landmacht.'

'Fikse klus.'

'Reken maar van yes.'

'En?'

'Ik kan niets bewijzen. Er zijn geen papieren bewaard gebleven.'

'Maar?'

'Hij moet voor Zadran hebben getekend. Zo werkt het protocol. Het is uitgesloten dat iemand die werd verdacht van granatensmokkel zomaar terug naar de bergen mocht zonder instemming van Inlichtingen. Dus die vraag die jij eerder stelde, waarom ze hem niet gewoon hebben doodgeschoten? In principe, omdat Montague dat heeft tegengehouden, daarom. Zadran staat in het krijt bij Montague, en niet zo'n klein beetje ook.'

'Of Zadran wist iets over Montague, en niet zo'n klein beetje ook.'

'Misschien, maar hoe dan ook, de band tussen beiden gaat dus al minstens zeven jaar terug.'

Reacher zei: 'Ik had je moeten vragen naar de activiteiten van Morgan zeven jaar geleden.'

Edmonds zei: 'Het verbaasde me dat je dat niet deed. Dus ben ik het maar op eigen houtje gaan uitzoeken. Morgan duikt in principe regelmatig links en rechts op. Hij is de man die de gaten stopt. Maar het leven wordt geregeerd door toeval en hij heeft deel uitgemaakt van meer logistieke eenheden dan met toeval te verklaren valt. Geen van die eenheden was betrokken bij Irak, allemaal waren ze betrokken bij Afghanistan. En dat is ook niet helemaal toevallig.'

'Is hij altijd overgeplaatst door Scully?'

'Alle keren, zonder uitzondering.'

'Dank je wel, kapitein.'

'Hoe gaan we nu de geschiedenis in?'

Reacher verbrak de verbinding zonder antwoord te geven, omdat er een andere telefoon rinkelde. Niet die van Turner, maar die van Shrago. Net als die van Rickard, met een neurotisch vogelgeluid. Hetzelfde type telefoon. Die van Shrago lag op het dressoir en rinkelde luid, ondertussen grommend als een opgewonden stuk speelgoed van blik. Op de display stond *Binnenkomende oproep*, overbodige informatie, maar direct daaronder stond *Thuis*.

De telefoon rinkelde acht keer en hield toen op.

Reacher zei niets.

Turner zei: 'Ze maken zich zorgen. Heel eenvoudig. We hebben geen geld meer uitgegeven en dus hebben we geen nieuwe sporen achtergelaten. Dus hebben ze geen nieuws voor hem.'

'Ik vraag me af hoe lang ze zich zorgen zullen blijven maken. Voordat ze in actie komen.'

'Ontkenning is iets heel moois.' Turner liep naar het raam en gluurde tussen de gordijnen door naar buiten. Ze zei: 'Als ik weer terugkom, laat ik mijn hele kantoor met stoom reinigen. Ik wil dat er geen vezel van Morgan meer achterblijft.'

'Waarom heeft Montague Zadran terug laten gaan naar de bergen?'

'Je zou zeggen om politieke of juridische redenen.'

'Allebei mogelijk. Maar wat als het iets anders was?'

'Ik zou niet weten wat. De man was halverwege de dertig toen, de jongste van vijf broers, dat zijn twee strepen tegen in een streng hiërarchische cultuur, en hij was een nietsnut en een mislukkeling, nog een streep tegen, dus had hij geen status en geen waarde, en duidelijk ook geen enkel talent. Dus niemand zou hem als eerste inlijven voor het goede doel. Dit had niets te maken met het rekruteren van een aanwinst, niet voor een enkele klus en ook niet voor die persoonlijke interesses.'

Toen begon de telefoon van Shrago opnieuw te rinkelen. Zelfde neurotische vogelgeluid, zelfde grommen, dezelfde woorden op de display. Hij rinkelde acht keer en hield op.

Julia kwam terug het vertrek in en ging op een slaapbank zitten. Vanaf een tweede slaapbank twee meter daarvandaan zei Romeo: 'En?'

Julia zei: 'Ik heb het twee keer geprobeerd.'

'En wat denk je?'

'Misschien was hij druk bezig. Als hij binnen een straal van dertig meter van ze komt, zet hij zijn telefoon uit. Dat lijkt me vrij voor de hand liggend.'

'Hoe lang kan hij zo dicht bij hen in de buurt blijven?'

'In theorie uren.'

'Dus we wachten tot hij belt?'

'We zullen wel moeten, denk ik.'

'En als dat hij niet belt?'

'Dan is het afgelopen.'

Romeo liet zijn adem ontsnappen, lang en langzaam.

'Winnen of verliezen, het was mooi zolang het duurde.'

De telefoon van Turner rinkelde een minuut nadat die van Shrago voor de tweede keer was opgehouden. Ze zette hem op handsfree. Leach zei: 'Het is een prepaid toestel, dat waarschijnlijk is gekocht bij Wal-Mart. Als ze contant hebben betaald, is hij ongeveer even gemakkelijk op te sporen als de ex van mijn zuster.'

Turner zei: 'Nog details?'

'Zat. Het enige wat we niet weten, is van wie hij is. De rest is allemaal te zien. Met die telefoon zijn maar twee nummers gebeld, nooit meer, en die telefoon is ook maar door twee andere nummers gebeld, en dat zijn dezelfde nummers.'

'Gelijkelijk verdeeld?'

'Heel ongelijk.'

'Welk nummer het meest?'

Leach las een nummer voor. Het was niet het nummer van Shrago.

'Dat moet Romeo zijn,' zei Reacher. 'Sergeant, je moet nu dat nummer voor ons natrekken.'

'Die vrijheid heb ik me al gepermitteerd, majoor. Hetzelfde verhaal. Een prepaid toestel van Wal-Mart, maar nog geïsoleerder. Het enige nummer dat er ooit mee is gebeld, en het enige nummer dat die telefoon ooit heeft gebeld, is z'n maatje. Het is een uiterst gecompartimenteerd communicatienetwerk. Een schoolvoorbeeld van vaardigheid en discipline. U hebt te maken met slimme mensen. Mag ik vrijuit spreken?'

Turner zei: 'Natuurlijk.'

'U dient beiden uiterst voorzichtig te opereren. En om te beginnen zou u wat strakkere veiligheidsmaatregelen moeten nemen.'

'Op wat voor manier?'

'Het andere nummer dat de eerste man belde, is van een telefoon die zich op dit moment twee straten ten noorden van het Witte Huis bevindt. Ik vermoed dat u een kamer hebt in dat luxehotel daar en dat een van de schurken u in het oog houdt, of dat u hem die telefoon al afhandig hebt gemaakt en dat de telefoon zich in uw kamer bevindt. In dat geval dient u te beseffen dat zij die telefoon net zo goed kunnen zien als ik. Tenzij u hem uitzet, natuurlijk. En dat zou u moeten overwegen.'

'Kun jij die telefoon zien?'

'Technologie is iets heel moois.'

'Kun je die beide andere telefoons ook zien?'

'Zeker. Ik zit er nu naar te kijken.'

'Waar zijn ze?'

'Ze zijn bij elkaar op een adres in Georgetown.'

'Nu? Werkt dat real time?'

'Terwijl het gebeurt. De gegevens worden elke vijftien seconden vernieuwd.'

'Het is midden in de nacht. De meeste mensen zijn diep in slaap.'

'Inderdaad.'

'Het adres van Scully? Of dat van Montague?'

'Geen van beiden. Ik weet niet wat voor adres het is.'

68

Leach zei dat er veel discussie was over driehoeksmeting en wifi en gps en foutmarges, en dat niemand zijn hand in het vuur durfde te steken voor linkerjaszak of rechterbroekzak, maar dat iedereen het er wel over eens was dat je met redelijke zekerheid kon vaststellen in welk gebouw een mobiele telefoon zich bevond. En hoe groter het gebouw, des te groter de zekerheid, en Leach had een meting voor een redelijk groot gebouw. Het was haar gelukt het adres van het gebouw te isoleren en ze had het op de computer gevonden. Streetview liet zien dat het een redelijk statige stadsvilla was. Ze gaf door wat ze zag: een antieke bakstenen gevel, vier verdiepingen, dubbele schuiframen aan weerszijden van een luxe voordeur die glanzend zwart was geschilderd, en waarboven een koperen lantaarn hing. Er was een brievenbus en op de deur stond het huisnummer, en er was een klein bronzen bordje op bevestigd, met, zo te zien, de tekst DOVE COTTAGE.

Turner bleef aan de lijn met Leach, terwijl Reacher Edmonds belde met zijn eigen telefoon. Hij gaf haar het adres in kwestie en vroeg haar te zoeken waar ze maar kon, bij belastinggegevens, kadaster, bestemmingsplannen, waar dan ook. Ze zei dat ze dat zou doen en ze verbraken de verbinding. Turner beëindigde het gesprek met Leach. Ze zei: 'We hebben geen auto.'

Reacher zei: 'Die hebben we niet nodig. We doen wat Shrago deed. We nemen een taxi en gaan lopend verder.'

'Dat heeft voor Shrago niet zo best uitgepakt.'

'Wij zijn Shrago niet. En ze zijn hun verdediging kwijt. Plaatsvervangende stafchefs leven onder een glazen koepel. Het is al heel lang geleden dat die zelf iets hebben gedaan.'

'Ga je hun hoofd eraf zagen met een botermesje?'

'Dat heb ik nog niet gekocht. Misschien hebben ze dat bij roomservice.'

'Ben ik nog steeds commandant?'

'Waar zit je aan te denken?'

'Ik wil een nette arrestatie. Ik wil ze in cellen in Fort Dyer en ik wil een krijgsraad in vol ornaat. Volgens het boekje, Reacher. Ik wil publiekelijk worden gerehabiliteerd. Ik wil dat de jury elk woord aanhoort en ik wil een oordeel van de magistraat.'

Reacher zei: 'Voor een nette arrestatie moet je een redelijke verdenking hebben.'

'Dat geldt ook als je hun hoofd eraf wilt zagen met een botermesje.'

'Waarom heeft Montague Zadran terug laten gaan naar de bergen?'

'Vanwege zijn verleden.'

'Ik wou dat we meer van hem wisten.'

'We weten alles wat we ooit van hem zullen weten.'

Reacher knikte. *Een onbeduidend boertje, tweeënveertig, de jongste van vijf broers, het zwarte schaap van de familie, door iedereen beschouwd als een nietsnut, heeft verschillende zaken op poten gezet, en die zijn allemaal mislukt.* Hij zei: 'De situatie met een botermesje zou gemakkelijker zijn.'

Toen rinkelde zijn telefoon. Edmonds. Hij zei: 'Dat is snel.'

Ze zei: 'Ik dacht dat ik vannacht misschien een uurtje slaap zou kunnen krijgen als ik zou opschieten.'

'Reken er maar niet op. Wat heb je gevonden?'

'Dove Cottage is een privéclub. Vier jaar geleden geopend. De ledenlijst is geheim.'

'Vier jaar geleden?'

'Er zijn geen bewijzen.'

'Vier jaar geleden was Morgan in Fort Bragg bezig een team op te bouwen rond Shrago.'

'We hebben geen bewijzen dat er een verband is.'

'Zijn Scully en Montague lid?'

'Welk deel van geheim is je ontgaan?'

'Geruchten?'

'Er wordt gezegd dat alleen mannen lid zijn. Ook politici, al is het geen politieke club, en militairen, en mensen van de media, en zakenlieden, al lijken er geen zaken te worden gedaan. De jongens gaan erheen om zich te vermaken, meer niet. Soms blijven ze de hele nacht.'

'Om wat te doen?'

'Dat weet niemand.'

'Hoe word je lid?'

'Ik niet, het zijn alleen mannen.'

'Hoe word ik lid?'

'Op uitnodiging, neem ik aan. Je zou iemand moeten kennen die iemand kent.'

'En niemand weet wat ze daar doen?'

'Er zijn honderden privéclubs in D.C. Dat is niet allemaal bij te houden.'

Reacher zei: 'Bedankt, raadsvrouw. Voor alles. Je hebt goed werk geleverd.'

'Dat klinkt als vaarwel.'

'Misschien is het dat. Misschien ook niet. Alsof je een munt opgooit.'

De breedtegraad en het seizoen betekenden dat ze nog anderhalf uur hadden voordat de zon op zou komen. Ze pakten bij elkaar

wat ze nodig hadden, namen de lift naar de begane grond, waar
een man met een hoed op een taxi voor hen aanhield. De taxi reed
een heel eind naar het noorden langs 16th, naar Scott Circle, sloeg
Mass Ave in naar Dupont en reed over P Street door het park naar
Georgetown. Ze lieten zich afzetten op het kruispunt met Wiscon-
sin Avenue. De taxi reed weg en ze liepen twee straten terug in de
richting waaruit ze waren gekomen, sloegen links af, en gingen op
weg naar het doel, twee straten verder naar het noorden, rechts, in
wat de duurste wijk leek sinds geld was uitgevonden. Links lagen
de prachtig aangelegde tuinen van een of ander immens landhuis.
Rechts stonden stadsvilla's, glanzend in het duister, weelderig, ge-
polijst, stuk voor stuk aanzienlijke panden die trots een plaats voor
zich opeisten.

Het doel paste er zonder meer tussen.

'Een cottage, aardig optrekje,' zei Turner.

Het was een fraai en hoog huis, strikt symmetrisch, ingetogen en
bescheiden en op geen enkele manier opzichtig, maar het glansde
niettemin met een gepolijste luister. Het bronzen bordje was klein.
In de meeste ramen zat oud, golvend glas. Achter sommige ramen
brandde licht, dat een zachte toon kreeg door het glas, alsof het
kaarslicht was. De deur was bij iedere presidentsverkiezing geschilderd, al minstens sinds James Madison tweehonderdvijftig jaar
geleden. Het was een grote solide deur, die massief sloot. Het soort
deur dat alleen openging als hij werd opengedaan.

Geen voor de hand liggende manier om binnen te komen.

Maar ze hadden ook geen wonderen verwacht. Ze waren erop
voorbereid om te observeren en te wachten. Wat door die fraai aangelegde tuinen van het landhuis een beetje gemakkelijker werd gemaakt. Om de tuinen liep een ijzeren hek op een kniehoog muurtje, dat zo breed was dat een klein persoon erop kon zitten, en
Turner was klein, en Reacher was oncomfortabele omstandigheden wel gewend. Boven hen hing een fijnmazig netwerk van kale
takken. Geen bladeren, dus geen totale dekking, maar misschien
toch een soort van camouflage. De takken hingen dicht genoeg op
elkaar om het licht van de straatlantaarns te breken, een netwerk
als het nieuwe digitale patroon op de gevechtspyjama's.

Ze wachtten, half verscholen. Turner zei: 'We weten niet eens hoe ze eruitzien. Ze kunnen wel naar buiten komen en pal langs ons lopen.' Ze belde Leach en vroeg haar hen te waarschuwen als de telefoons in beweging kwamen. Wat tot dan toe niet het geval was geweest. Het signaal werd nog steeds opgevangen door een aantal masten, met het huis voor hen als resultaat van driehoeksmeting. Reacher keek naar de ramen en de deur. *De jongens gaan erheen om zich te vermaken. Soms blijven ze de hele nacht.* In dat laatste geval zouden ze nu over niet al te lange tijd vertrekken. Politici en militairen en mensen van de media en zakenlieden. Die hadden allemaal werk te doen. Ze zouden naar buiten komen wankelen en naar huis gaan om zich op te frissen voor de komende dag.

Maar de eerste man die naar buiten kwam, wankelde niet. De deur ging ongeveer een uur voordat het dag zou worden open en er stapte een man in een pak naar buiten, fris, gedoucht, met schoenen die even diep glansden als de deur. Hij sloeg af naar links en liep over het trottoir, niet snel, niet langzaam, ontspannen, ogenschijnlijk heel sereen en vergenoegd en innig tevreden met het leven. Hij was de middelbare leeftijd voorbij. Hij liep in de richting van P Street en verdween na vijftig meter in het duister.

Reacher bedacht dat hij onbewust was uitgegaan van losbandigheid en zedeloosheid, van een verwarde haardos en rode ogen en losgetrokken stropdassen en lippenstift op de boord van het overhemd, en misschien zelfs wel flessen, de hals in een vuist geklemd onder loshangende manchetten. Maar de man had er juist als een tegenpool van dat beeld uitgezien. Misschien was die club een sauna. Misschien had die man net een hele nacht lang een *hot stone*-massage ondergaan, of een andere diep in de huid doordringende therapie. In dat geval had het zijn werk goed gedaan. De man had er elastisch van welbevinden en tevredenheid bij gelopen.

'Raar,' zei Turner. 'Dat was niet wat ik had verwacht.'

'Misschien is het een literaire salon,' zei Reacher. 'Misschien een poëzieclub. De oorspronkelijke Dove Cottage was het huis van William Wordsworth. De Engelse dichter. "Ik zwierf eenzaam als een wolk", en "een zee van gouden narcissen", en meer van dat spul. Een witgepleisterd huisje in Engeland. In het Engelse Lake District, een prachtige omgeving.'

Turner zei: 'Wie blijft er nu de hele nacht op om gedichten te lezen?'

'Heel veel mensen. Meestal jonger dan die kerel, dat moet ik toegeven.'

'Voor de lol?'

'Poëzie kan heel veel bevrediging geven. Dat deed het wel voor die narcissenman in ieder geval. Hij had het over op je rug liggen en stoned zijn en je iets moois herinneren wat je hebt gezien.'

Turner zei niets.

'Beter dan Tennyson,' zei Reacher. 'Dat moet je toegeven.'

Ze keken en wachtten nog eens twintig minuten. De lucht achter het huis begon lichter te worden. Een heel klein beetje. Een nieuwe dageraad, een nieuwe dag. Toen kwam er een tweede man naar buiten. Vergelijkbaar met de eerste. Oud, fris, blozend, in pak, sereen, en innig vergenoegd. Geen tekenen van stress, geen haast. Geen angst, geen gêne. Hij liep in dezelfde richting als de eerste man, richting P Street, en hij liep met soepele, ontspannen passen, het hoofd geheven, half glimlachend, ver weg in een bubbel van tevredenheid, als de heerser van een universum waarin alles goed was.

Reacher zei: 'Wacht.'

Turner zei: 'Wat?'

Reacher zei: 'Montague.'

'Was dat Montague? Leach heeft niet gebeld.'

'Nee, die club is van Montague. Hij is de eigenaar. Of hij en Scully samen.'

'Hoe weet je dat?'

'Vanwege de naam. Dove Cottage is net zoiets als Romeo. Als puntje bij paaltje komt, is de man een uiterst povere inlichtingenman. Hij is veel slimmer dan goed voor hem is. Hij kan het niet laten.'

'Wat kan hij niet laten?'

'Waarom liet hij Zadran teruggaan naar de bergen?'

'Vanwege zijn verleden.'

'Nee, ondanks zijn verleden. Omdat hij was wie hij was. Om wat zijn broers waren. Zijn broers hebben hem vergeven en weer in hun armen gesloten. Hij heeft zijn leven niet gebeterd en een rol gezocht voor zichzelf. Zijn broers hebben hem gerehabiliteerd en een rol gegeven. Als onderdeel van de deal met Montague. Het was een win-winsituatie.'

'Welke deal?'

'De mensen onthouden dat Wordsworth samenwoonde met zijn zuster Dorothy, maar ze vergeten dat ze beiden samenwoonden met zijn vrouw en zijn schoonzuster en een stelletje kinderen. Drie in vier jaar tijd, geloof ik.'

'En wanneer was dat?'

'Meer dan tweehonderd jaar geleden.'

'Waarom praten we er dan in vredesnaam over?'

'De oorspronkelijke Dove Cottage was een witgepleisterd huisje. Te klein voor zeven mensen. Ze zijn verhuisd. Er kwam een nieuwe huurder.'

'Wie?'

'Een man die Thomas de Quincey heette. Ook een schrijver. Je kon over de hoofden van de schrijvers lopen in die tijd, zoveel waren er. En het waren allemaal vrienden. Maar Wordsworth woonde er maar zes jaar, De Quincey elf jaar. Dus is Dove Cottage eigenlijk meer zijn huis dan het huis van Wordsworth, als je kijkt naar hoe lang ze er woonden. Ook al is Wordsworth de enige die mensen zich herinneren. Waarschijnlijk was hij een betere dichter.'

'Nou, en?'

'Wacht,' zei Reacher. 'Kijk.'

De deur ging opnieuw open. Een derde man kwam naar buiten. Grijs haar, maar een volle bos die prachtig gekapt was. Een blozend gezicht, gewassen en geschoren. Een pak van drieduizend dollar en een kraakhelder overhemd. Een zijden stropdas met een schitterende knoop. Waarschijnlijk een politicus. De man bleef even staan en snoof de ochtendlucht op. Toen begon hij te lopen, net als de eerste twee, ontspannen, onbekommerd, golven van sereniteit uitstralend, in de richting van P Street, en uiteindelijk verdween hij uit beeld.

Reacher zei: 'Conclusies?'

Turner zei: 'Wat we al eerder hebben bedacht. Dat het een vluchthaven is voor gedistingeerde oudere heren met persoonlijke interesses.'

'Wat komt er het land binnen met de wapentransporten?'

'Ik weet het niet.'

'Wat deden Zadrans broers om aan de kost te komen?'

'Ze werkten op de boerderij van de familie.'

'Wat verbouwden ze?'

Turner zei: 'Papaver.'

'Precies. En ze gaven Zadran een rol. Als verkoper. Omdat hij al over de connecties beschikte. Zoals jij al zei. Wat heeft Thomas de Quincey geschreven?'

'Poëzie?'

'Zijn beroemdste werk is een autobiografische roman die *Confessions of an English Opium-eater* heet. Dat heeft hij gedaan in Dove Cottage, elf jaar achter elkaar. Hij streek de spanningen van de dag glad. En daarna heeft hij zijn herinneringen eraan opgeschreven.'

Turner zei: 'Ik wou dat we naar binnen konden.'

Reacher was in de oorspronkelijke Dove Cottage geweest. Bij een bezoek aan Engeland. Hij had het entreegeld betaald bij de deur en was onder de lage bovendorpel van de deur door gedoken. Gemakkelijk. Het zou een stuk ingewikkelder worden om in de nieuwe Dove Cottage te komen. Binnendringen in huizen was iets waar Delta Force en Navy SEAL's hun hele carrière op trainden. Geen eenvoudige zaak.

Reacher zei: 'Zie jij camera's?'

Turner zei: 'Nee, maar er moeten er vast wel een paar zijn.'

'Is er een deurbel?'

'Geen belknop. Alleen een klopper. Dat is natuurlijk ook veel authentieker. Misschien staat dat wel in het bestemmingsplan.'

'Dan moeten er camera's zijn. Ze kunnen bij zo'n huis niet iedere keer dat ze de klopper horen, de deur wagenwijd opengooien. Dan willen ze eerst weten wie er voor de deur staat.'

'En dat impliceert een commandopost, met beeldschermen en een afstandsbedieningssysteem voor de voordeur. Kan door één man worden bediend. Zouden ze bewaking hebben?'

'Er moet personeel zijn. Kleine bescheiden mannetjes in donkere pakken. Butlers en gastheren, dat soort lieden. Die ook voor de beveiliging zorgen. De camera's zullen wel klein zijn. Misschien alleen glasvezellenzen die door de gevel naar buiten steken. Daar kunnen er wel honderd van zijn. En dat zou ook logisch zijn. Iemand moet een oogje in het zeil houden en weten wat er gebeurt, in zo'n tent.'

'We moeten iemand naar binnen zien gaan, niet naar buiten. We moeten weten hoe het systeem werkt.'

Maar ze zagen niemand naar binnen gaan. Niemand ging naar binnen. Niemand kwam naar buiten. Het huis stond er alleen maar, en zag er zelfvoldaan uit. Het licht bleef branden achter dezelfde ramen. De eerste vegen licht kwamen in de lucht boven het dak.

Turner zei: 'We hebben ze nog nooit ontmoet.'

Reacher zei: 'Ze hebben onze foto's gezien.'

'Hebben ze onze foto's laten zien aan de man die de beelden bekijkt?'

'Dat hoop ik van harte. Want we hebben het over de man op de hoogste post in de Inlichtingendienst van het leger van de Verenigde Staten.'

'Dan blijft die deur dicht,' zei Turner. 'Dat is alles. Kost ons helemaal niks.'

'Zouden ze gewaarschuwd worden? Of zijn ze al gewaarschuwd en op hun hoede?'

'Je weet dat ze op hun hoede zijn. Ze zitten in het duister te staren.'

'Misschien laten ze geen vrouwen binnen.'

'Ze zouden in ieder geval iemand naar de deur moeten sturen om dat uit te leggen. Als ze ons niet herkennen, zouden we zomaar iemand kunnen zijn. Een ambtenaar of zo. Ze zouden met ons moeten praten.'

'Oké,' zei Reacher. 'We kunnen aankloppen, dat is een optie. Hoe hoog wil je die op de lijst zetten?'

'In het midden,' zei Turner.

Vijf minuten later vroeg Reacher: 'En wat staat daarboven?'

'Ik vind dat we de DEA moeten bellen. Of Espin bij het 75th. Of de Metro PD. Of allemaal. De FBI waarschijnlijk ook. Die kunnen de financiële kant van de zaak aanpakken.'

'Jij bent de commandant.'

'Ik wil een wettige arrestatie.'

'Ik ook.'

'Echt?'

'Omdat jij dat wilt.'

'Is dat de enige reden?'

'Ik geef de voorkeur aan een wettige arrestatie als het maar enigszins mogelijk is. Altijd. Ik ben geen barbaar.'

'We kunnen hier in ieder geval niet blijven. Het wordt licht.'

Het werd licht. De zon kwam boven de horizon, horizontale stralen lichtten het huis aan de achterkant op en wierpen onmogelijk lange schaduwen. Een deel van de lucht was al blauw. Het zou een mooie dag worden.

'Bel maar,' zei Reacher.

'Wie als eerste?'

'Leach,' zei Reacher. 'Laat haar de zaak maar coördineren. Anders wordt het een Keystone Cops-verhaal.'

Turner haalde de telefoons uit haar zak, twee stuks, die van haarzelf en die van Shrago. Ze controleerde of ze de goede telefoon had en keerde zich af van de straat om het nummer te kiezen. De zon scheen op haar rug, een warme gouden gloed.

Toen meldde de telefoon van Shrago zich. Op het kniehoge muurtje onder het hek. Het neurotische vogelgeluid was uitgeschakeld, maar het grommen niet. Het was een spektakel van jewelste. De telefoon wurmde in het rond, alsof hij probeerde de juiste richting te kiezen. Op de verlichte display stond net als eerder *Binnenkomende oproep* en *Thuis*.

De telefoon gromde acht keer en hield toen op.

'Daglicht,' zei Turner. 'Een soort deadline. Afgesproken of in de loop van de nacht tot die status verheven. Ze moeten zo langzamerhand behoorlijk opgefokt raken. Ze zullen niet lang meer op hem wachten.'

Ze keken nog een minuut langer naar het huis. Op het moment dat ze zich afkeerden, brandde er achter een raam op de eerste verdieping even een fel licht, niet meer dan een korte gele flits, als van een ouderwets fototoestel, en toen hoorden ze twee gedempte pistoolschoten, vrijwel tegelijkertijd maar niet helemaal, een beetje rafelig, te snel achter elkaar voor een dubbel schot van één enkel pistool, maar precies passend bij twee oude mannen die tot drie hadden geteld en daarna de trekkers hadden overgehaald.

377

69

Een eindeloos durende minuut lang gebeurde er niets. Toen werd de zwarte voordeur met een ruk opengetrokken en stroomde er een stoet mannen naar buiten, in verschillende stadia van gereedheid, sommige schoon en gekleed en klaar om te vertrekken, andere bijna zover, weer andere nog in vouwen en kreukels, stuk voor stuk blank en oud, een man of negen, en daartussendoor een zestal jongere mannen in uniform, alsof ze in een hotel werkten, en nog een jonge man die een zwarte coltrui droeg. De man van de camera's, dacht Turner. Op de stoep kwam de groep min of meer tot stilstand. Ze probeerden zich een houding te geven en kuierden toen weg, alsof het allemaal niets met hen te maken had. Een van de mannen liep langs Reacher met een blik in de ogen die uitstraalde *Wie, ik?*

Toen kwamen Reacher en Turner in beweging tegen de stroom in, in de richting van het huis, in de richting van de zwarte voordeur. Ze worstelden zich tussen een paar achterblijvers door naar binnen, een ruime, koele hal in, ingericht in koloniale stijl, alles bleekgeel, koperen kaarsenstandaards, en klokken, en donker mahoniehout, en een portret van George Washington in olieverf.

Ze liepen de trap op over een dikke traploper en keken in een lege kamer waarin twee elegante slaapbanken stonden, met twee elegante koffietafeltjes ernaast. Op de koffietafeltjes fraaie exemplaren van de uitrusting die de opiumroker nodig heeft. Lampen en kommen en lange, lange pijpen, alles op een zodanige hoogte dat een man die ontspannen op de zij ligt de pijp precies daar zou vinden waar hij hem zou verwachten. Hier en daar lagen kussens. Er hing een warme, zware, vermoeide lucht.

Ze vonden Scully en Montague in de volgende kamer. Beiden waren ongeveer zestig jaar oud, beiden waren grijs, beiden zagen er fit uit, maar niet zo ijzerhard als een generaal die wil laten zien dat hij bij de infanterie heeft gediend. Deze twee hadden het uitstekend gevonden als mensen konden zien dat ze tot de incrowd behoorden. Ze droegen een donkere broek en satijnen smokingjasjes. Hun opiumpijpen waren gemaakt van zilver en been. Beiden

hadden een gat in beide slapen, door en door met een volmantel-
patroon. Negen millimeter, afgeschoten met de Beretta's die op de
vloer waren gevallen. De wond van de inslag was rechts. Reacher
stelde zich hen voor, het bellen toen het licht werd, zoals afgesproken, geen antwoord, dus misschien nog een keer handen ge-
schud, de lopen tegen de slaap gezet, de elleboog naar buiten ge-
tild, en één, twee, drie.

Toen jankten ineens buiten op straat sirenes en sprongen er honderd man uit auto's.

Iemand van de DEA vertelde hen het verhaal, in een kamer naast
de ruime, koele hal. Het bleek dat Shrago binnen anderhalve tel
het hele verhaal aan Espin had verteld, met als gevolg dat Morgan
een halfuur later was gearresteerd. Op zijn beurt had Morgan ook
binnen anderhalve tel alles opgebiecht, waarna Espin drie verschillende bureaus had opgebeld en een inval had gepland. En uitgevoerd. Vijf minuten te laat.

'Je was niet te laat,' zei Reacher. 'Je had gisteren kunnen komen,
dan hadden ze precies hetzelfde gedaan. Het maakte niet uit wie
de trap op kwam. Jij of wij of wie dan ook, ze gingen ten onder
als gedistingeerde heren.'

De man zei dat er overal op de wereld opiumkits als Dove Cottage waren, voor het soort mannen dat de voorkeur geeft aan wijn
boven bier. Opium was het authentieke product, verhit tot damp,
de damp geïnhaleerd, het genot van een gedistingeerde heer, zoet
als biologische honing. Het summum. De bron. Niet versneden of
gemodificeerd of geëxtraheerd of geconverteerd. Op geen enkele
manier. Niet vuil, niets van de straat, al duizenden jaren hetzelfde.
Een archeoloog zou je kunnen vertellen dat de stenen van het Stenen Tijdperk iets met stoned te maken hadden.

En net als bij goede wijn doken er allerlei bijverschijnselen op.
De juiste grond was van belang. Beter dan in Afghanistan was er
niet. Afzonderlijke hellingen van heuvels werden geïnspecteerd en
beoordeeld. Alsof het wijngaarden waren. Montague sloot een deal
met de gebroeders Zadran. Wat zij produceerden was van top-
kwaliteit. Ze noemden het Z en prezen het de hemel in en binnen
de kortste keren vergde het een enorm bedrag om lid te mogen wor-

den van Dove Cottage. Vier jaar lang liep de zaak als een trein. Toen zag iemand hun lokale agent naar het noorden reizen om de gebruikelijke stammenrituelen bij te wonen, en toen begon het gedonder. Wat ze ook probeerden, ze konden het niet meer tegenhouden. Espin vertelde dat hun inspanningen niet gering waren geweest. Hij zei dat hij halverwege de financiële kant van de zaak was, en dat hij nu al kon zien dat die honderdduizend rechtstreeks van een rekening van Montague afkomstig waren.

Uiteindelijk maakten van de menigte in Dove Cottage ook kolonel John James Temple, nog steeds officieel Turners advocaat, deel uit en majoor Helen Sullivan en kapitein Tracy Edmonds, Reachers advocaten. Temple had een permanente schorsing van het bevel tot inhechtenisneming van Turner in de wacht gesleept. Ze kon in principe gaan en staan waar ze wilde, in afwachting van een officieel intrekken van alle aanklachten. Sullivan en Edmonds worstelden met problemen van heel andere aard. Gezien de huidige status van Morgan was het onmogelijk een uitspraak te doen over de vraag of Reacher nu wel of niet nog onder de wapenen was. Het was niet onwaarschijnlijk dat het een probleem was dat alle lagen van hiërarchie zou doorlopen tot aan de plaatsvervangend stafchef, die dood op de bovenverdieping lag.

Turner regelde voor hen beiden een lift bij kolonel Temple, die iets tot bedaren kwam toen Reacher hem zijn legitimatie teruggaf. De sfeer was gespannen, maar Reacher was erop gebrand om Turner terug te brengen naar het hotel, en dat kon beter met de auto van kolonel Temple dan lopend. Alleen gingen ze niet terug naar het hotel. Blijkbaar had Turner Rock Creek opgegeven als bestemming, want Temple stak de rivier over en reed Virginia in. Het oude bakstenen gebouw. Haar commando. Haar basis. Haar thuisbasis. Haar thuis. *Als ik weer terugkom, laat ik mijn hele kantoor met stoom reinigen. Ik wil dat er geen vezel van Morgan meer achterblijft.*

Dat was het moment waarop hij het zeker had geweten: ze hield van het kampvuur. Net als hij had gedaan, ooit, even maar, en alleen dat hele speciale vuur van het 110th. Het 110th dat nu van haar was.

Een goed deel van de ochtend was al voorbij toen ze aankwamen. Iedereen was er. De nachtploeg was blijven hangen. Espin had hen op de hoogte gehouden en ze hadden de ontwikkelingen gevolgd. De dagploeg was komen opdagen en had moeten constateren dat het spel was gespeeld, afgezien van een boel geschreeuw. Sergeant Leach was er, en de officier van dienst. Reacher vroeg zich af of Turner het ooit nog met hem zou hebben over dat gekrabbel. Waarschijnlijk niet. Waarschijnlijk zou ze hem onopvallend een promotie bezorgen.

Het eerste uur bestond voor een groot deel uit ceremonieel gedoe, met veel vuisten die tegen elkaar werden gestoten en spitsvondige grappen die werden uitgewisseld, en forse klappen op schouders, maar uiteindelijk beëindigde Turner de tournee in haar kantoor, waar ze bleef en het werk hervatte waar ze was opgehouden, alle gegevens inspecteerde en alle uitgaven controleerde. Reacher bleef een tijdje hangen bij Leach, daarna liep hij het oude stenen trapje bij de ingang af en maakte een lange wandeling, een soort dubbele lus in de vorm van een acht, zonder vooropgezet doel, door saaie straten. Toen hij terugkwam, was ze nog steeds druk aan het werk, dus bleef hij opnieuw een tijdje bij sergeant Leach hangen. Pas toen het donker werd, kwam ze de trap af, een autosleutel in haar hand.

Ze zei: 'Rij met me mee.'

De kleine rode sportwagen had een paar dagen stilgestaan, maar de motor startte moeiteloos en liep rustig, zij het wat luidruchtig en een beetje schor. Maar, dacht Reacher, dat was misschien wel de opzet van de man die de uitlaat had ontworpen. Turner draaide de knoppen voor de verwarming helemaal open, ontgrendelde het dak en liet het achter de stoelen wegzakken.

'Als een rock-'n-rollnummer op de radio,' zei ze.

Ze reed achteruit uit het parkeervak, vooruit naar de poort, door de poort en sloeg links af, volgde de busroute, voorbij het motel en verder naar het witgepleisterde geval met het menu in Griekse stijl.

'Mag ik je uitnodigen om hier te eten?' vroeg ze.

Er waren allerlei soorten mensen in het restaurant. Stellen, gezinnen, kinderen. Sommige kinderen waren meisjes, en sommige van hen waren misschien veertien. Turner koos een zitje bij het raam voorin. Ze zagen een bus voorbijkomen. Reacher zei: 'Ik ben rechercheur, ik weet wat je gaat zeggen.'

Ze zei: 'Echt?'

'Het is altijd een kans van vijftig procent geweest. Als het opgooien van een munt.'

'Zo makkelijk?'

'Je hoeft je niet verplicht te voelen om er zelfs maar over na te denken. Dit was mijn plan, niet het jouwe. Ik ben hiernaartoe gekomen. Jij bent niet naar South Dakota gekomen.'

'Dat is waar. Zo is het begonnen. Ik twijfelde. Maar dat veranderde. Een tijdlang. Dat begon in die cel, in het cellencomplex van Fort Dyer. Jij nam Temple mee en keek over je schouder en zei dat ik moest wachten. Dat heb ik gedaan.'

'Je had geen keus. Je zat in de cel.'

'En nu niet meer.'

'Ik begrijp het,' zei Reacher. 'Het 110th is beter.'

'En dat heb ik teruggekregen. Ik kan er niet zomaar bij weglopen.'

'Ik begrijp het,' zei Reacher opnieuw. 'En ik kan niet blijven. Niet hier. Nergens. Dus het gaat niet alleen om jou. We zeggen allebei nee.'

'Het 110th was jouw schepping. Misschien dat je je daarmee iets beter voelt.'

'Ik wilde jou zien,' zei Reacher. 'Meer niet. En ik heb je gezien. Missie volbracht.'

Ze aten, en betaalden, en maakten hun zakken leeg op tafel. Turner nam de portemonnees en de creditcards en de telefoon van Shrago, voor het vervolg. Reacher nam het contante geld, voor de komende weken, min dertig dollar. Turner beloofde dat ze die aan Sullivan terug zou geven. Toen liepen ze naar de parkeerplaats. De lucht was koud en een beetje klam. Halverwege de avond in de noordoosthoek van Virginia. De trage Potomac was niet ver weg. Daarachter, in het oosten, speelde de gloed van D.C. tegen de wolken. De hoofdstad van het land, waar van alles gebeurde. Ze kusten elkaar een laatste keer, omhelsden elkaar en wensten elkaar het beste. Toen stapte Turner in haar kleine rode sportwagen en reed weg. Reacher keek haar na totdat ze niet meer te zien was. Toen liet hij zijn mobiele telefoon in een afvalbak vallen en stak hij de straat over. Hij begon te lopen tot hij een bushokje vond. Naar het noorden, niet naar het zuiden. De stad uit, niet de stad in. De wereld in, en weg. Hij ging zitten, alleen.

OVER DE AUTEUR

Lee Child is een van de meest toonaangevende schrijvers van thrillers op de wereld. Zijn romans met de held Jack Reacher klimmen zonder uitzondering naar de eerste plaats op bestsellerlijsten aan beide zijden van de Atlantische Oceaan. Ze worden bekroond en vertaald in meer dan veertig talen. *Jack Reacher*, de verfilming van de roman *Voltreffer*, draaide in 2012 in de bioscoop met Tom Cruise in de hoofdrol.

De andere Jack Reacher thrillers van Lee Child zijn: